융 심리학 해설

Interpreting Jung Psychology

C. G. 융·C. S. 홀·J. 야코비 지음 | 설영환 옮김

동선출판 선영사

융 심리학 해설

1판 1쇄 발행 / 1986년 02월 28일
2판 1쇄 발행 / 1992년 07월 05일
3판 1쇄 발행 / 2005년 02월 28일
4판 1쇄 발행 / 2007년 02월 28일
5판 2쇄 발행 / 2017년 07월 30일
6판 2쇄 발행 / 2023년 04월 10일

지은이 / C. G. 융
옮긴이 / 설영환
편집 기획 / 김범석
표지 디자인 / 정은영

펴낸이 / 김영길
펴낸곳 / 도서출판 선영사
주 소 / 서울시 마포구 서교동 485-14 영진빌딩 1층
TEL / (02)338—8231~2 FAX / (02)338—8233
E—mail / sunyoungsa@hanmail.net

등 록 / 1983년 6월 29일 (제02—01—51호)

ISBN 978—89—7558—277—6 03180

융 심리학 해설

Interpreting Jung Psychology

C. G. 융·C. S. 홀·J. 야코비 지음 | 설영환 옮김

돌서 선영사

"무의식을 의식화 하지 않으면,
무의식이 우리 삶의 방향을 결정하게 되는데,
우리는 바로 이런 것을 두고 운명이라고 부른다."
_ Carl Gustav Jung

Prologue

자아 실현의 길을 찾아서

인간의 정신 세계를 탐색하는 일은 아직도 심대한 과제이다. 앞으로 그 세계의 비의秘意를 헤쳐 가는 길은 멀고 먼 길이라 할 수 있다.

확실히 인간의 정신 세계를 헤아려 나가는 길은 끝이 없는 길인지도 모른다. 그 끝이 없는 길에서 삶과 정열을 태운 C. G. 융은 심리학에 있어서 커다란 이정표를 세웠음이 분명하다.

인간의 정신 세계에서 무의식의 존재를 밝힌 그의 업적은 정신과학사상 가히 혁명적인 것이었다. 오늘날 인간 의식의 뿌리로서 무의식을 알지 못하고서는 인간의 정신 활동을 설명할 수 없다. 다시 말해서 인간 자체, 즉 자아를 설명할 수 없다.

융이 쌓아올린 업적을 이해하는 일은 융과 그의 학파취리히 학파의 장구하고도 열정적인 탐구의 길을 알아야만 가능하다.

다만 융 자신의 삶과 연구의 발자취를 살펴 봄으로써 융 심리학의 배경과 그 심오한 의미를 이해할 수 있고, 융의 후진들의 연구를 공부함으로써 융 심리학의 실체를 파악할 수 있을 것이다.

제1부는 융 자신의 삶의 이야기를 통해서 융 심리학의 배경을 이해할 수 있도록 했고, 제2부는 입문서로 융 심리학의 중요성을 파악하도록 했다.

　제3부의 이론의 응용을 통해서는 융 심리학의 실제를 익히도록 했으며, 제4부는 융 심리학 이론에 있어서 근간이 될 수 있는 사상들에 대해 개괄적인 고찰을 해보았다.

　나름대로 오랜 연구 기획 끝에 세운 체계로 엮어진 이 책이 융 심리학의 해설서로서 자리할 수 있길 바란다.

　이 책을 엮는 데 종합된 텍스트는 다음과 같다.

● 제1부 : Memories, Dreams, Reflections — C. G. Jung
● 제2부 : The Primer of Jungian Psychology — C. S. Hall
● 제3부 : The Psychology of C. G. Jung — J. Jacobi

　이 책을 통해 인간이 더욱 인간이기를 바라면서, 인간의 자아 실현을 위하여 쌓아올린 융 심리학의 빛이 우리 모두의 자아실현의 길을 밝히는 데 도움이 될 것이다. 이 책을 엮는 가운데 빚어진 미흡한 점은 어려운 풍토 속에서도 심혈을 기울여 심리학 시리즈를 기획 출판 하고 있는 도서출판 선영사의 편집인들과 긴밀한 협조를 통하여 수정 보완해 가고자 한다.

아울러 이 책에서는 융의 인용 도서목록과 융의 저서 일람표를 부록으로 엮어서 융 심리학 이론의 폭넓은 이해를 돕고자 했음을 밝혀둔다.

인간의 무의식 세계에 대한 연구로써 융을 따라갈 심리학자는 찾기 힘들다고 본다. 인간의 정신 세계의 근원을 탐색하고, 연구하고, 우리들이 이해하기 쉽도록 풀어준 융 심리학을 경험한다는 것은 독자로서 대단한 행운이라고 할 수 있다.

2007년 1월

Contents

제1장 자전

Carl Gustav Jung

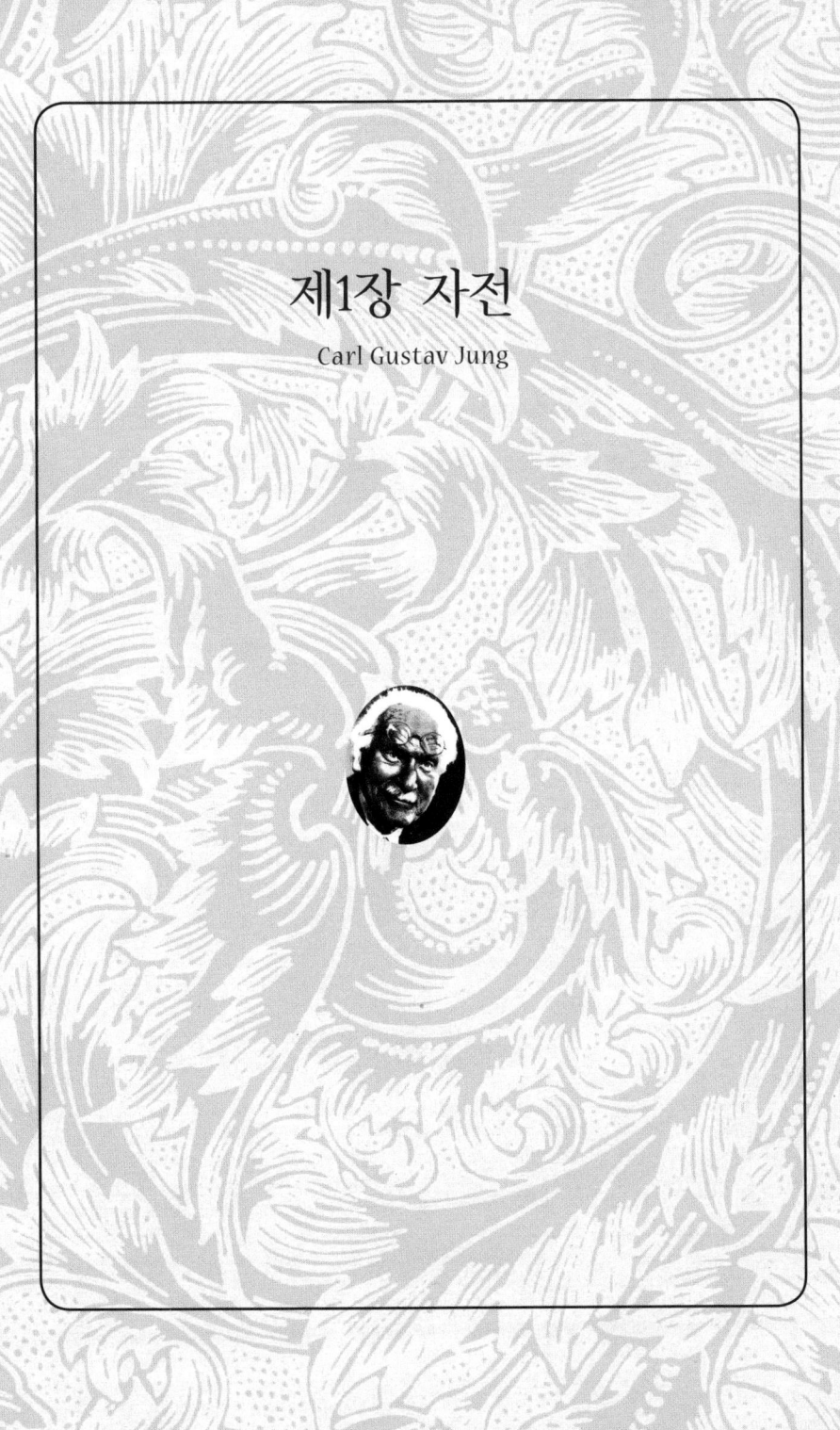

1. 유년 시절

1875년, 내가 만 6개월이 됐을 때, 양친은 보덴 호반의 케스빌투루가우 주에서 라인 강의 폭포 상류에 위치한 라우펜 성의 교구로 이사했다. 1878년에 어머니가 병에 걸렸는데, 양친의 일시적인 별거와 관련이 있는 듯했다. 어머니는 몇 개월 동안 바젤의 병원에서 지냈는데, 아마도 그 병은 결혼생활에서 빚어진 어려움과 관계가 있었던 것 같았다. 독신이며 어머니보다 20세 가량 연상이셨던 백모님큰어머니이 나를 돌봐주셨다. 어머니의 오랜 부재는 나를 깊은 슬픔에 빠뜨렸고, 그 후 '사랑'이라는 말이 나올 때마다 나는 언제나 불신감을 갖게 되었다. 그래서 '여성'이라는 말에 대해서 연상되는 것은 불신감으로, 오랫동안 내게 믿을 수 없는 존재로 기억에 남았다.

그와 반대로 아버지는 신뢰감과 무력감을 의미했다. 이것이 나의 출발에 있어서 내가 가진 불리함이었다. 그 후에 이런 여러 가지의 초기 인상은 변화되었다. 즉, 남자 친구를 믿었다가 실망한 적은 있어도, 여성을 신용하지 않았기에 실망하게 되지도 않았던 것이다.

어머니가 안 계시는 동안 하녀가 나를 돌봐주었다. 그녀는 검은 머리와 올리브 색깔의 피부를 갖고 있었으며, 어머니와는 전혀 달랐다. 지금까지도 나는 그녀의 머리카락 곡선과 까무잡잡한 목덜미를 똑똑히 기억할 수 있다. 이와 같은 것은 나에게는 너무도 신기하고, 또한 이상할 정도로 친숙하게 느껴졌다. 마치 그녀는 가족에 속하는 것이 아니라 나에게만 속하는 것처럼 생각되었다. 그리고 그녀는 나에게는 이해가 되지 않는 신비로운 사실과 관련이 있는 것 같았다. 이러한 유형의 소녀가 나의 아니마anima : 남성 속에 있는 여성성의 한 측면이 되었다. 그녀가 가르쳐 주었다고 볼 수 있는 미지의 감정과 더불어 그녀를 항상 알고 있다는 감정은 그 후 나에게 여성의 본질을 상상하게 해주는 여성상의 특징이 되었다.

그 무렵 나는 밤에 대한 막연한 두려움을 갖고 있었다. 그래서 어머니는 나에게 매일 밤 드려야 할 기도문을 가르쳐 주었다. 그 기도문은 나에게 평안한 느낌을 주었으므로 밤마다 나는 기꺼이 기도를 드렸다. 예수는 다정하고 훌륭하시며, 게다가 자비롭기 한이 없는 분이었다. 어떻게 해서 예수님께서 새처럼 날 수가 있었는가는 하나의 수수께끼였으나, 그 이상 심각하게 고민하지는 않았다. 그것보다도 중요하게 생각되는 사실은, 예수 그리스도께서 마지못해 들었던 쓴 약처럼, 병아리에다 아이들을 비유했다는 사실이었다. 이것은 이해하기가 어려웠다. 그러다 사탄이 어린아이를 좋아하기 때문에 그냥 잡아먹도록 해서는 안 된다는 사실을 알게 되었다. 그래서 예수 그리스도께서는 그 맛을 좋아하시지는 않았지만, 사탄에게 먹히지 않기 위해 어린아이를 잡수셨다는 것이다. 이후 나는 예수 그리스도께서 다른 사람들까지도 먹었으며, 이 '먹는다'라는 의미는 바로 '무덤에 그들을 넣는 것'이라는 사실을 배우게 되었다.

이와 같은 불길한 유사성은 불행한 결과를 가져다 주었다. 나는 예수를 의심하기 시작한 것이다. 예수 그리스도는 나에게 있어서는 결코 전적으로 현실적인 존재가 될 수 없었으며, 완전히 받아들일 수도, 또한 전폭적으로 사랑할 수도 없었다. 나는 예수가 구하지 않고 절로 주어진 계시, 그 섬뜩하고 갑작스런 계시에 대해 몇 번이나 생각해 보았다. 이전 예수회의 '변장'이 내가 가르침을 받았던 기독교의 교리에 그림자를 던지고 말았다. 그것은 종종 나에게는 가장 신성한 장례식의 참석자들이 엄숙하고 슬픈 얼굴을 하고 있다가, 다음 순간 몰래 웃는, 전혀 슬프지 않은 장례 의식과 같이 생각되었다.

나에게 있어서 주예수는 밤의 공포를 추방한다는 점에서는 도움이 되었으나 그 자신을 을씨년스럽고, 십자가에 못박혀 피투성이 몸을 하고 있는 죽음의 신처럼 생각되었던 것이다. 항상 찬양되어지고 있었던 신의 사랑과 친절이, 남모르게 나에게는 의심스러운 것이 되어가고 있었다. 그것은 주로 '사랑이 무한하신 예수'에 대해서 자주 말하는 사람들이 장례식을 기억하게 하는 검은 프록 코트를 입고 반짝이는 검은 장화를 신고 있었던 탓이기도 했다.

그들은 나의 숙부 여덟 명과 마찬가지로 아버지의 동료였으며, 모두 목사였다. 그들은 아버지를 초조하게 만들었을 뿐만 아니라 심지어는 경계하도록 하기도 했다. 이따금 생각나게 했던 무서운 예수회를 회상시키는, 카톨릭 신부에 대해서는 말도 하지 않았으며, 오랜 세월에 걸쳐 줄곧 공포감을 갖게 했다. 그 후 계속적으로 견신례를 받을 때까지 그리스도에 대해 억지로 긍정적인 태도를 취하려고 모든 노력을 기울였다. 그럼에도 나는 남모르게 불신의 감정을 극복할 수 없었다.

유년 시절의 꿈을 통해 나는 대지의 비밀에 관한 기초 지식을 얻게 되었다. 그것은 대지에 있어서의 일종의 장례식이었으며, 내가 다시 등장하기까지는 몇 년이 걸렸다.

나의 미술에 관한 최초의 기억은 크라인 휴닝겐 시절로 거슬러 올라간다. 양친께서 살고 있었던 거실은 18세기의 목사관이었으며, 어두운 방이었다. 이곳에 있는 가구들은 모두 고급품이었으며, 낡은 그림이 벽에 걸려 있었다. 나는 다비드와 고리아트의 이탈리아 풍의 그림을 기억하고 있다. 그것은 기드 레니의 아틀리에 제작물의 복사품이었으며, 원풍은 루브르 박물관에 걸려 있었다. 그 그림이 어떻게 우리 집에 들어오게 되었는지는 알 수 없다. 또 하나의 그림이 있었는데, 그것은 지금 아들의 집에 걸려 있는 낡은 그림이다. 19세기 초의 날짜가 들어 있는 바젤의 풍경화로서, 나는 자주 어두운 방에 몰래 들어가 몇 시간 동안 그림 앞에 앉아서 그림의 아름다움에 매혹되곤 했다. 그 그림은 내가 알고 있는 것 중 유일하게 아름다운 것이었다.

여섯 살이 되자 아버지는 나에게 라틴어를 가르치기 시작했다. 동시에 나는 학교에 다니기 시작했다. 그러나 학교 따위는 염두에도 두지 않았다. 나는 항상 다른 아이들보다 앞서 있었으며, 학교에 가기 전에 이미 읽는 법을 배웠기 때문에 학교에서의 공부는 아주 쉬운 일이었다. 아직 잘 읽지 못했음에도 불구하고, 어머니는 나에게 낡은 장정으로 된 훌륭한 책 《올비스 픽타스》를 큰 소리로 읽으라고 해서 무척 난처했었던 일이 기억난다. 그 책에는 외국의 종교, 특히 힌두교에 관한 설명이 있었다. 브라만, 비시누, 시바의 삽화가 들어 있었으며, 나는 그것을 무척 흥미진진하게 느꼈었다. 그 후 어머니는 내가 자주 그 그림들에 빠져 있었다고 했다. 내가 그렇게 할 때는 항상 누구에게도 말한 적이 없는 그 '근원적인 계시'와도 비슷한 막연한 느낌을 가지고 있었다. 그것은 결코 밝혀서는 안 되는 비밀이기도 했다. 간접적이기는 했으나 어머니는 이러한 감정을 확인하고 있었다.

이와 같은 어른스런 행동은 강한 감수성과 상하기 쉬운 감정과도 관련이 있었으며, 한편으로는 이것이 특히 내 유년시절의 고독감과 관련이 있기도 했다.누이동생은 나와 아홉 살 차이가 난다. 나는 언제나 외롭게 스스로의 방법으로 혼자 놀았다. 불행하게도 나는 무엇을 하며 놀았는지는 기억할 수가 없다. 다만 방해받고 싶지 않았다는 것만을 기억하고 있다. 나는 놀이에 열중했으며, 노는 동안에 누군가가 지켜본다거나 빈정대는 것은 참을 수 없었다. 놀이에 관한 최초의 구체적인 기억은 7, 8세 때 시작된다. 나는 벽돌을 가지고 노는 것을 무척 좋아했다. 탑을 세우고, 그리고 신이 나서 '지진'을 일으켜 무너뜨리곤 했다. 8세와 11세 사이에는 항상 전쟁 그림 ─ 성에 대한 공격, 포격, 해군의 교전 등 ─ 을 그렸다. 그리고 노트를 모두 잉크 얼룩으로 채워서 이것에다 공상적인 해석을 붙이고 기뻐했다. 내가 학교를 좋아했던 이유의 하나는 오랫동안 가질 수 없었던 놀이 친구를 드디어 발견했기 때문이었다.

학교에서 나는 그들이 나를 본래의 나 자신과는 다른 것으로 만들고 있다는 것을 깨달았다. 그들과 같이 있을 때의 나는 혼자 집에 있을 때와는 달랐다. 나는 그들의 장난에 끼어들었고 집에서는 생각지도 못한 장난을 했다. 따라서 나만은 잘 알고 있었던 일이었지만 혼자 있을 때도 모든 일은 꾸밀 수 있는 것처럼 생각되었다. 나는 나 자신의 변화가 학교 친구들의 영향 때문이라고 생각했다. 그들은 나를 당황하게 만들었다. 그리고 내가 응당 그러리라고 생각했던 것과는 달리 나를 강요하곤 했다. 보다 넓은 이 세계, 양친 이외의 다른 사람들도 포함하고 있던 이 세계의 영향은, 나에게는 전적으로 이상하지는 않았다고 할지라도 막연하고 적의에 찬, 이해하기 어려운 것으로 여겨졌다.

내가 밤마다 드린 기도는 하루를 무사히 넘기고 편안한 밤과 잠을 조정해 주는 것이었으므로, 물론 나에게는 의례적인 보호를 갖다주었다. 그러나 낮에는 낮대로 새로운 위험이 도사리고 있었다. 그것은 마치 내가 자신의 분열을 느끼고 그것을 두려워 하는 것 같았다. 나의 내적인 안정감이 위협을 받았던 것이다.

2. 소년 시절

11세가 됐을 때 나는 바젤에 있는 김나지움에 들어갔다. 또 다른 점에 있어서 나에게는 뜻깊은 해였다. 나는 시골의 학교 친구들과 이별하고 '위대한 세계'로 본격적으로 찾아들어간 셈이었다. 그곳에는 부친보다 더 유력한 명사들이 커다란 저택에 살고 있었으며, 훌륭한 말들이 끄는 멋진 마차를 타고 다녔고, 품위 있는 독일어와 프랑스어를 구사하고 있었다. 단정한 복장과 세련된 예법을 갖추고, 나와 동급생이 된 그들의 자녀들은 나와는 달리 용돈이 아주 풍족했다.

나는 크나큰 경이로움과 남모르는 짜릿한 부러움을 안은 채, 그들
이 알프스 산맥에서 지낸 휴가에 대해 이야기하는 것을 들었다. 그들
은 취리히 근처에 있는 눈 덮인 정상을 오른 일이 있었으며, 바다에
도 간 일이 있었다. 특히 바다에 갔었던 이야기는 나를 말할 수 없이
놀라게 했다. 나는 마치 그들을 별천지에서 온, 그리고 상상조차 할
수 없는 바다에서 온 인간들인 양 물끄러미 바라보았다. 그때 비로소
나는 우리 집안이 얼마나 가난한가를 알았었다.

아버지는 가난한 시골 목사인 데다가, 나의 몰골은 낡아빠진 신발
에다 젖은 양말을 신은 채 학교에서 6시간이나 앉아 있어야만 했던
것이다. 나는 양친을 다른 눈으로 보기 시작했다. 나는 부모님의 염
려와 당혹을 이해할 수 있게 되었다. 그러나 아버지에 대해서는 연민
을 느꼈으나, 이상하게도 어머니에 대해서는 그다지 연민을 느낄 수
없었다. 나에게는 어머니가 오히려 강하게 느껴졌기 때문이었다. 그
럼에도 아버지가 불쾌한 감정과 초조감을 나타낼 때는 나는 언제나
어머니 편이라고 느꼈다. 하지만 이렇게 어느 편에 선다는 것은 나의
성격 형성에는 바람직한 일이 못 되었다. 자신을 이러한 갈등에서 해
방시키기 위하여 나는 부득이 양친의 판정을 내리는 심판자의 역할
을 했다. 그것이 나에게는 자만심의 원인이 되었다. 즉, 나의 불안정
했던 자신감이 커진 동시에 또한 줄어들었던 것이다.

9세 때 어머니는 여자아이를 출산했다. 아버지는 무척 기뻐하시면
서 "오늘 밤 네게 누이동생이 생겼단다"라고 말씀하셨다. 나는 아무
것도 몰랐기 때문에 무척 놀랐다. 어머니가 보통 때보다 자주 침대에
누워 있었지만 아무 생각도 하지 못했던 것이다. 아버지는 나를 침대
옆까지 데리고 갔다. 어머니는 아주 보잘것없는 작은 생물을 내보였

다. 그것은 노인처럼 주름살투성이의 얼굴을 하고 있었으며 눈을 감고 있었다. '마치 강아지처럼 눈이 보이지 않는구나'하고 생각했다. 등에는 두세 가닥의 길고도 빨간 털이 나 있었다. 나에게 보여진 그것은 원숭이나 다름없었다. 나는 충격을 받았다. 어떻게 생각해야 될지를 몰랐다. 도대체 이것이 신생아의 모습이란 말인가. 양친의 이야기로는 황새가 이 갓난아기를 물어다 놓았다는 것이다.

그렇다면 도대체 강아지나 고양이 새끼는 어떻단 말인가. 새끼들이 모두 다 가지런하게 놓이게 될 때까지 황새는 몇 번씩이나 오락가락하면서 날아다녀야 한단 말인가. 이 이야기는 분명히 나를 속인 또 하나의 거짓말이 되었다. 그러나 나는 내가 알아서는 안 되는 무언가를 어머니가 행한 것이라고 확신했다.

누이동생의 갑작스런 출현은 막연한 불신감을 주었다. 그리고 그것이 나의 호기심과 관찰력을 예민하게 만들었다. 어머니가 나타낸 그 후의 기묘한 반응은, 무언가 유감스러운 일이 누이동생의 탄생과 관련이 있는 것이 아닌가 하는 나의 의혹을 강하게 했다.

사태가 잘 돌아가지 않을 때는 항상 나는 다락방에 있는 비밀의 보물을 생각하곤 했다. 그러면 이상하게도 마음의 평정을 되찾을 수 있었다. 절망적인 상황에서도 나는 자신이 '또 다른 인간'이라는 사실, 그리고 범하기 어려운 비밀과 검은 돌과 프록코트를 입고 큰 모자를 쓴, 키가 작은 사나이를 가지고 있는 인간이라는 사실을 생각하곤 했다.

나는 예수 그리스도혹은 검은 옷을 입은 예수라든가, 무덤 옆에서 프록코트를 입고 있었던 사나이들이라든가, 목장에 있었던 무덤과 같았던 구멍, 화루로스의 지하 사원과 필통 속에 있는 작은 사나이의 연관성에 대해 일찍이 소년 시절에 생각한 적이 있었는지 잘 기억이 나질 않는다.

음경상陰莖像 : 남성 성기의 모양을 한 신의 꿈이 나의 최초의 커다란 비밀이었으며, 인형은 두 번째 비밀이었다. 그러나 나는 '영혼의 돌'과 나 자신이기도 했던 돌과의 연관성을 막연하게나마 느끼고 있었던 것 같기도 하다.

학교는 따분한 것이 되었다. 전쟁의 그림을 그리기도 하고, 불장난을 하면서 보냈던 많은 시간들을 나에게서 빼앗아가고 말았다. 신학의 수업은 말할 수 없을 정도로 재미가 없었다. 더욱이 수학 시간에는 노골적인 두려움마저 느꼈다. 선생님은 대수를 극히 자연스러운 것, 그리고 극히 당연한 것으로 생각하고 있었으나 나에게는 수數라는 것이 도대체 무엇인지조차 알 도리가 없었다. 수라는 것은 꽃도, 동물도, 화석도 아니었다. 즉, 수란 상상할 수 있는 것이 아니었으며, 헤아린 결과 나타나게 되는 양量에 불과한 것이었다. 난처하게도 이들 양은 이제야 표음 문자사람의 말소리를 기호로 나타내는 글자로 나타나게 되었으며, 따라서 그것들을듣고 이해할 수 있게 되었던 것이다. 이상하게도 급우들은 이것들을 다룰 수 있었으며 자명한 것으로 알고 있었다. 아무도 나에게 수가 무엇인지 설명해 주지 않았다. 그러나 나는 그러한 의문을 명확하게 계통을 세워서 말할 수는 없었다. 두렵게도 나는 어느 누구도 나의 이 어려움을 모르고 있다는 것을 알게 되었다. 선생님은 양을 음으로 바꾸는 이 기묘한 조작의 목적을 장황하게 설명했다.

그리고 나는 그것을 인정하지 않을 수 없었다. 드디어 나는 노리고 있는 것이 일종의 생략의 체계이며, 그렇게 함으로써 다수의 양이 짧은 공식 속에 정리된다는 사실을 인정했다. 그러나 이러한 사실조차 나를 조금도 기쁘게 해줄 수는 없었다. 나는 이것을 완전한 독단이라고 생각했다. 선생님이 평행선의 정의를 교차되지 않는 무한대라고 설명했을 때, 나는 역시 모욕을 당한 느낌이었다. 이것은 나에게는 서툰 사람의 마음을 사로잡기 위한 어리석기 짝이 없는 잔꾀에 불과한 것으로 생각되었으며, 나는 그따위 잔꾀에는 빠져들지 않았다. 나는 내가 수학을 이해하는 것을 영구히 방해하는 이 같은 변덕스럽고 일관성이 결여된 사실과 대립되어 있었던 것이다.

수학수업은 나에게 있어 몹시 두렵고 괴로운 것이 되고 말았다. 다른 과목은 쉬웠다. 그리고 나의 우수한 시간 기억의 덕분으로 수학에 있어서의 방법을 교묘하게 속여 나가는 방법이 익숙해짐에 따라 나는 좋은 점수를 딸 수 있었다. 그러나 실패에 대한 공포감과 넓은 주변 세계와 대치했을 때 내가 빈약하다는 감각이, 내 마음속에 혐오감뿐만 아니라 일종의 말없는 절망감까지도 불러일으켰다. 이러한 사실이 나에게 있어서의 학교라는 세계를 완전히 붕괴시키는 것이 되고 말았다. 게다가 나는 전혀 재능이 없는 탓으로 미술 시간을 면제받게 되었다.

그러나 나에게는 보다 많은 시간이 주어지게 되었으므로, 얼마만큼은 환영할 만한 일이기도 하지만 어떤 면으로는 내게 미술에 대한 재능이 없는 것도 아니었기 때문에, 이것은 또 다른 좌절이 될 수도 있었다. 그렇지만 그 재능은 본질적으로 나 자신의 느낌 방식에 따른다는 사실을 깨닫지 못하고 있었다. 나는 창의력을 발휘할 수 있는 것 외에는 아무것도 그릴 수 없었다.

수학과 미술의 좌절에다 다시 세 번째 좌절이 첨가되었다. 나는 체육이 싫었다. 다른 사람이 몸의 동작을 가르쳐 준다는 것은 참을 수 없었다. 나는 무언가를 배우기 위해서 학교에 간 것이지, 쓸모없는 광대 재주를 배우러 간 것은 아니었다. 게다가 나는 줄곧 내 몸에 대해 신체적인 두려움을 지니고 있었다. 이렇게 겁이 많았다는 것은 차츰 세상과 그 가능성에 대한 불신과 결부되고 말았다. 확실히 세상은 아름답고 훌륭한 것으로 보였으나 동시에 알 수 없는 위험에 가득 차 있었다. 따라서 나는 언제나 내가 무엇에 의지하고 있는지, 그리고 누구에게 의탁하고 있는가를 알고 싶어했다. 아마도 이 사실은 수개월 동안 나를 버리고 있었던 어머니와 관련이 있었던 것이 아닌가 생각된다.

나 자신의 체험을 노골적으로 이야기한 적은 지금까지 한 번도 없었다. 또한 지하 사원에서의 화루로스의 꿈이라든가 조각한 인형에 대해서도 이야기한 적이 없었다. 사실상 나는 65세가 될 때까지 화루로스에 관한 꿈에 대해서 말한 적이 없었다. 다른 체험에 대해서는 아내에게 말한 적이 있었을지 모르지만, 그것도 오랜 세월이 흐르고 난 다음의 일이었다. 엄격한 금기가 이들 사실들 위에 덮여 있었으며, 그것을 어린 시절부터 계속 지녀 왔기 때문에 친구에게 얘기한 적도 없었다.

나의 청춘 시절은 이 비밀에서 이해할 수 있다. 그것은 나에게 참기 어려운 고독을 강요했다. 이 무렵의 나의 위대한 점은 누군가에게 말하고 싶은 유혹을 극복했다는 사실이다. 여기에 있어서 나와 세상에 대한 관계의 존립원형이 제시되고 있는 셈이다. 즉, 오늘날에 있어서도 그 시절과 마찬가지로 나는 고독한 상태다. 그것은 내가 다른 사람들이 알지 못하는, 그리고 일반적으로 알려고도 하지 않는 것을 알고 있으며 그것을 암시해서도 안 되었기 때문이다.

　어머니의 가문에는 여섯 명의 목사가 있었다. 아버지 편에도 아버지뿐만 아니라 두 분의 백부님이 목사였다. 그래서 나는 많은 종교적인 대화나 신학상의 논의, 또는 설교를 들을 수 있었다. 이런 것을 듣게 되면 나는 '그렇다. 그것은 매우 지당한 이야기다. 그러나 그 비밀은 어떻게 된 노릇이란 말인가. 그것은 신의 은총의 비밀이기도 할 것이다. 당신네들은 아무도 그것에 관해 전혀 알지 못하고 있는 것이다. 그리고 당신네들은 신이 내게 나쁜 일을 하도록 강요하고 있다는 사실도, 또한 신은 은총을 내가 경험할 수 있도록 나 스스로 금기된 행위를 생각할 것을 지시하고 있는지도 모른다'라는 생각이 들었다. 다른 사람들의 말들은 모두 곧이들리지 않았다. 나는 틀림없이 그 비밀에 관해 알고 있는 사람이 있으리라고 믿었으며, 또한 어딘가에 그런 사실이 반드시 있을 것이라고 생각했다.

　나는 신, 삼위일체, 성령, 또는 의식에 대해서 읽을 만한 것은 무엇이든 읽으려고 부친의 서재를 샅샅이 뒤졌다. 그러나 책을 아무리 탐독하여도 그 이상의 것은 발견할 수 없었다. 나는 부친의 루터파 성서를 조사해 보았으나 불행하게도 욥기의 전통적인 '교훈적' 해석은 그 이상의 흥미를 갖지 못하게 하였다.

　언젠가 어머니는 나에게, 그 무렵 내가 자주 우울증에 빠졌다는 말씀을 하셨는데, 사실은 그렇지가 않았다. 그게 아니라 나는 비밀스러운 것을 심오하게 생각하고 있었다. 그럴 때 나는 나의 '돌' 위에 앉게 되면 이상하게도 안심이 되고 마음이 가라앉았다. 그렇게 하다 보면 나의 모든 의혹은 사라져 버렸다. 내가 돌이라고 생각했을 때는 언제나 갈등은 끝나 있었다. 돌은 불확실성도, 의지를 전달하려는 강한 충동도 가지고 있지 않았다. 그러나 돌은 수천 년에 걸쳐 영원히 똑같은 존재였다. 한편으로 나는 금방 타올랐다가 다시 소멸해 버리는 불꽃처럼, 갑자기 모든 종류의 감정의 움직임을 울컥 폭발시키는 순간적인 출현에 불과한 존재였다. 내가 내 감정의 움직임의 결정체라고 한다면, 내 안에 존재하고 있는 타인은 영원 불멸의 '돌'이었던 것이다.

그 무렵 나는 부친이 말한 모든 것에 대해서 깊은 의심을 품기 시작했다. 아버지가 은총에 관해 설교하시는 것을 들었을 때, 나는 언제나 나의 체험에 관한 것을 생각하곤 했다. 아버지의 말씀은 다만 소문으로 알고 있을 뿐 전혀 자신이 없는 사람의 말처럼 진부하고 공허하게 들렸다. 나는 아버지를 도와드리고 싶었지만 어떻게 도울 수 있는지 알 수가 없었다. 게다가 나는 몹시 수줍음을 탔기 때문에, 나의 체험을 말한다거나 아버지의 개인적인 일에 간섭할 수도 없었다. 나는 자신을 너무나 작은 존재로 느끼고 있었으며, 나의 '제2의 인격'이 나에게 불어넣었던 그 권위를 발휘하지나 않을까 하고 두려워했다.

그 후 18세 때 나는 아버지와 많은 토론을 했다. 그 까닭은 아버지에게 은총의 기적을 알리고, 그것이 아버지 양심의 가책을 누그러뜨리는 데 도움이 되기를 바랐기 때문이었다. 만일 아버지가 신의 의지를 수행한다면 모든 것은 잘 되어 가리라고 확신했기 때문이다. 그러나 그 토론은 항상 만족하지 못한 결과로 끝나 버렸다. 그것은 아버지를 초조하게 하고 슬프게 했다. "정말 어리석은 일이로구나, 너는 언제나 생각하려고만 하니. 생각만 해서는 안 된다. 믿어야 한다"라고 아버지는 입버릇처럼 말씀하셨다. 그때마다 나는 "그게 아닙니다. 체험하고, 또한 알아야 합니다"라고 대답했다. 그리고 "나에게 그런 신앙을 주십시오"라고 말을 하면, 아버지는 언제나 어깨를 움츠리면서 체념한 듯한 표정으로 얼굴을 돌려 버리는 것이었다.

나는 친구들과 사귀기 시작했다. 학교 성적도 좋아졌다. 그 후 수년간 나는 학급에서 상위권을 차지했다. 그러나 내 밑에서 나를 따라오려고 기회를 노리는 친구들이 있다는 것을 알았다. 그것이 나의 즐거움을 깨뜨려 버렸다. 나는 모든 경쟁을 싫어했다. 만일 누군가가 놀이까지도 지나치게 경쟁적으로 나오면 당장 그 놀이에서도 도망쳐 버렸다. 그 후 나는 학급에서 2등 정도의 성적으로 머물렀다. 경쟁심으로 열심히 공부해야겠다는 생각은 조금도 없었기 때문에, 그것이 훨씬 더 마음이 편했다. 아무튼 공부는 몹시 불쾌한 것이 되었다. 지금도 감사한 마음으로 회상하는 두세 명의 선생님들만이 나를 신뢰해 주었다. 내가 가장 큰 기쁨을 가지고 기억할 수 있는 분은 라틴어 선생님이다. 그는 대학 교수였으며, 아주 슬기로운 분이었다. 아버지 덕분으로 나는 라틴어를 6세 때부터 알고 있었다. 그래서 이 선생님은 가끔 대학 도서관에서 책을 가져오는 심부름을 시키곤 했는데, 나는 돌아오는 도중에 될 수 있는 한 천천히 걸으면서 즐거운 마음으로 책장을 이러저리 뒤적여 보곤 했다.

제1의 인격과 제2의 인격 사이의 갈등은 일반적으로 의학적 의미의 분열이나 분리와는 아무런 관련이 없는 것이다. 오히려 이 같은 사실은 모든 사람 가운데서 행해지고 있었다. 제2의 인격은 나에게는 전생애를 통해 가장 중요한 것이었으며, 나는 항상 나의 내부에서 언제든 나타나려고 하는 것에 대해 그 여지를 남겨두려고 노력해 왔다. 그것은 전형적인 인물이었으나, 겨우 두세 사람에게만 알려져 있었다. 보통 사람들의 이해력으로는 '그 제2의 인격도 역시 그들과 같은 존재이다'라는 사실을 깨닫기에는 불충분한 것이었다.

교회는 차츰 괴로운 장소로 변해 갔다. 그곳에서는 사람들이 용감하게 큰 소리로 신에 대해서, 또는 신의 의지나 행위에 대해서 설교하고 있었다. 더욱이 사람들은 그러한 감정을 가지고 있었으며, 내가 가장 심오한 확실성으로 알고 있는 비밀을 믿도록 권장받고 있었다. 나는 어느 누구도, 심지어는 목사까지도 이러한 비밀을 모른다고 결론을 내릴 수밖에 없었다. 나는 점점 더 회의적으로 되어 갔으며, 아버지나 다른 목사들의 설교는 지극히 성가신 것이 되고 말았다. 나의 주변 사람들은 모두 그런 잠꼬대 같은 소리라든가, 거기서부터 생기는 애매한 것을 당연한 것으로 받아들이고 있는 것 같았다.

이상하게도 오랫동안 악마는 나의 사고 속에서 아무런 역할도 하지 않고 있었다. 악마는 나에게 있어서 마치 유력한 사람의 쇠사슬에 묶여 있는, 버릇 나쁜 파수 보는 개와도 같았다. 신 이외의 어느 누구도 세계에 대해서 아무런 책임을 지고 있지 않았으며, 내가 알고 있었던 바와 같이 신은 두려운 존재였다.

처음부터 나는 마치 나의 생애가 운명 지어져 있었으며, 충족되지 않으면 안 된다는 숙명감을 안고 있었다. 이것은 내게 내적인 안정감을 주었으며, 더욱이 나 자신에 대해 한 번도 증명한 일이 없었음에도 불구하고 그것은 스스로 증명이 되었다. 내가 이와 같은 확실성을 소유하고 있는 것이 아니라, 그것이 나를 소유하고 있었던 것이다.

내가 바라는 것을 행하는 것이 아니라, 신이 바라는 것을 행하라는 명령이 내려지고 있다는 확신을 그 누구도 내게서 빼앗아갈 수 없었다. 그것은 나에게 스스로의 길을 걸어갈 수 있는 강인함을 주었다. 이따금 나는 나 자신이 이미 인간들 사이에 있는 것이 아니라, 오직 홀로 신과 함께 있다는 느낌을 갖게 되었다. '그곳', 다시 말해서 신과 함께 있을 때 나는 시간을 초월하는 존재였다. 즉, 나는 몇 세기에 걸쳐 존재하고 있었으며, 그때 해답을 주었던 것은 탄생 이전부터 존재하고 있던 신이었다. '타인'과의 이러한 의견을 나누는 것은 나의 가장 깊은 체험이었고, 그것은 어떤 의미에서는 피비린내나는 싸움이었으며 더할 나위 없는 기쁨이기도 했다.

나의 어머니는 나에게 무척 좋은 어머니였다. 그녀는 풍부한 모성 본능의 따뜻함을 지녔고, 요리 솜씨가 훌륭하며, 사람과의 교제가 자연스럽고 명랑한 분이었다. 그녀는 누구나 가지고 있는 상식적인 의견을 갖고 있었지만 가끔, 그녀의 잠재해 있는 인격이 갑자기 모습을 드러내곤 했었다. 그것은 예측할 수 없을 정도로 강력했으며 공격할 여지가 없이 권위 있는, 그리고 소박하고도 당당한 인물이었다. 나는 어머니가 두 개의 인격을 가지고 있다고 확신했는데, 하나는 신비적이며 약간 두려운 존재였으며, 또 하나의 인격은 이따금씩 나타났으나 그것은 항상 예기치 않았을 때 일어나므로 깜짝 놀라곤 했다.

아버지에 관해서는 전혀 달랐다. 나는 종교적인 곤란을 아버지께 말씀드리고 조언을 구하는 것을 좋아했으나, 실제에 있어서는 아버지가 직무상 대답하지 않으면 안 될 것을 이미 알고 있었기 때문에 물어보지 않았다. 내가 이렇게 가정했던 것이 옳았다는 것은 그 후 곧 증명되었다. 아버지는 나에게 세례를 위한 개인적인 가르침을 주었으나 그것은 미치도록 지루한 일이었다. 어느 날 나는 예수 그리스도에 관한, 흥미도 없는데다가 감상적이며 이해하기 어려운 설명 이외의 무언가를 찾기 위해 교리 문답서를 뒤졌다. 드디어 나는 삼위일체에 관한 구절을 발견했다. 그것에는 나의 관심을 끄는 무언가가 있었다. 즉, 하나이면서 동시에 셋이라는 것이었다. 이것은 내포하고 있는 그 모순 때문에 나의 호기심을 강하게 자극했다. 나는 이 문제에 도달하는 순간을 고대하고 있었던 셈이었다. 그러나 겨우 문제에 도달했을 때 아버지는 말했다. "삼위일체에 대한 것은 생략하기로 하자. 사실 나 자신도 자신이 없는 대목이니까." 나는 아버지의 정직성에는 감탄했으나 완전히 실망하고 말았다.

나는 알지 못하더라도 아무튼 믿어보려고 온갖 노력을 다 기울였고 성찬식에다 마지막 희망을 걸었다. 관례대로 교회 위원회의 한 사람이 나의 대부가 되었다. 그는 성격이 까다롭고 말수가 적은 노인으로 수레바퀴를 만드는 목수였다. 그의 작업장에서 나는 자주 그가 선반이나 작두질하는 놀라운 기술을 구경했다. 그런데 그는 프록코트와 실크 모자로 위엄 있게 몸단장을 하고 찾아와서 나를 교회로 데리고 갔다. 교회에서는 낯익은 복장을 한 아버지가 제단 뒤에 서서 기도문을 읽어 내려갔다. 제단을 덮어 놓은 하얀 보 위에는 잘게 썰어 놓은 빵조각이 가득 들어 있는 커다란 쟁반이 놓여 있었다. 나는 그 빵이 여느 때와 마찬가지로 빵집에서 온 것임을 알고 있었다. 그리고 그 빵집에서 구운 빵은 볼품없고 맛이 없다는 것도 알고 있었다. 백랍으로 만들어진 물병에 든 포도주가, 역시 백랍으로 만들어진 컵에 따라졌다. 아버지는 빵조각을 입에 넣고 포도주를 마신 후 컵을 노인에게 건넸다.

나에게는 모든 것이 너무 딱딱하지만 장엄하게 보였고, 한편으로는 하찮은 일로 생각되었다. 안절부절못한 마음으로 관찰을 계속하고 있었지만 그 노인의 마음 속에서 무언가 다른 것이 발생하고 있는지는 알 도리가 없었으며, 추측할 수도 없었다. 그때의 분위기는 교회에서의 다른 행사, 즉 세례식이나 장례식 등의 분위기와 똑같았다. 무언가 전통적인 방법으로 행해지고 있다는 인상을 받았다. 아버지도 역시 모든 규칙에 따라 그것을 수행한다는 데 온갖 관심을 쏟고 있었으며, 간간이 분위기에 어울리는 성경 말씀을 낭독하고 있었다. 다른 모든 기념식은 날짜가 강조되었으나, 여기에서는 예수가 죽은 지 1860년의 세월이 흘렀다는 사실에 대해서 단 한 마디의 언급도 없었다. 나는 슬픔도 기쁨도 느끼지 못한 채 사후의 명성이 찬양되고 있는 인물의 터무니없는 중요성을 생각하면서, 축연은 모든 점에 있어서 무의미한 것이라고 생각했다.

어느덧 내 차례가 되었다. 나는 빵을 입에 집어넣었다. 빵은 생각보다도 맛이 없었다. 포도주는 약간 혀만 대보았을 뿐이지만 물을 많이 섞었으므로 찝찔한 편이었다. 분명히 최상품의 포도주는 아니었다. 그리고 마지막 기도가 끝나자, 사람들은 슬프지도 기쁘지도 않은, '다 그렇고 그런 것이지'하는 표정으로 돌아갔다.

나는 아버지와 함께 집으로 돌아오는 도중에 나 자신이 새로운 검은 펠트 모자를 쓰고 검은색의 예복을 입고 있다는 사실을 강하게 의식했다. 그것은 어른스럽고 남자다운 복장처럼 느껴졌다. 내가 사회적으로 승격되고 나도 모르는 사이에 성인의 사회에 참여해 버린 듯한 느낌이었다. 그러나 나는 공허하기 그지없었으며 내가 무엇을 생각하고 있는지조차 모르고 있었다.

그 후 생각해 보니 나에게는 사실상 아무 일도 일어나지 않았다. 나는 그 무렵 이미 종교적 비결 전수秘訣傳授의 극에 도달하고 있었다. 그리고 무언가 일어날 것을 기대하고 있었지만 결국 아무 일도 일어나지 않았던 것이다. 나는 신이란 말할 수 없이 훌륭하다는 사실, 즉 시련과 이 세상의 것이라고는 생각할 수 없는 계시를 나에게 전수하게 될 것이라고 생각했다. 그러나 이러한 의식은 신의 흔적조차 지니고 있지 않았다. 분명히 그곳에서도 신에 관한 언급은 있었으나, 결국 말 이상의 것은 아니었다.

나는 아버지에 대해 격렬한 연민의 감정에 사로잡히고 말았다. 나는 이내 아버지의 직업과 생활의 비극을 이해하게 되었다. 그는 죽음과 격투를 벌이고 있었으나 그 죽음의 존재를 인정할 수 없었던 것이다. 아버지와 나 사이에는 이미 심연이 가로놓여 있었고, 거기에 다리를 놓을 가능성은 전혀 없었다. 나는 내가 하고 싶은 대로 많은 일들을 맡겨 주었으며, 한 번도 강압을 가하려고 한 적이 없었던 관대한 아버지를, 신의 은총을 경험하는 데 필요한 그 절망과 신성모독에다 던져 넣을 수는 없었다.

나의 교회와 인간세계와의 일체감은 내가 알고 있는 한에는 닫혀 버렸다. 나는 그때 나 자신이 생애에서 가장 큰 좌절감을 경험했다고 생각했다. 내가 상상하고 있었던 종교의 개념은 세계와 나 사이의 유일한, 뜻있는 관계를 구성하는 것이라고 생각했는데 그것이 붕괴되고 말았던 것이다.

나는 사색하기 시작했다. 사람은 신을 무엇이라고 생각해야 하는가, 그리고 나는 신과 대성당에 대해 생각했다. 그것은 세 살 때 나에게 싹텄던 꿈을 스스로 만들어 낸 것은 아니었다. 그렇다면 자연이 책임져야 한단 말인가. 그러나 자연은 창조주의 의지 이외의 아무것도 아니었다. 또한 창조주는 악마를 비난하는 데 도움도 되지 않았다. 악마 역시 신의 창조물이었기 때문이다. 오로지 신만이 현실적인 분이며, 신만이 악마를 근절시킬 수 있는 분인 동시에, 신만이 무엇으로도 형언할 수 없는 은총이었기 때문이다.

성찬식의 실망은 나에게 어떤 영향을 끼칠 것인가. 그것은 나 스스로의 실패였을까. 나는 진지하게 이 문제를 생각하고 은총과 계시의 경험을 바라고 있었지만 아무런 일도 일어나지 않았다. 나로서는 신은 부재였다. 나는 이제야 신의 은총으로 인해 교회와 아버지와 모든 타인의 신앙으로부터 분리된 자신을 발견했다. 그들 모두가 기독교를 대표하고 있는 한, 나는 아웃사이더이방인였다. 이러한 생각들은 나를 슬픔에 빠뜨렸으며, 그 후 내가 대학에 들어갈 때까지 항상 그림자로 따라다녔다.

비교적 아담한 아버지의 서재에서 나는 신에 관해 나에게 가르쳐 줄 수 있는 책을 찾기 시작했다. 드디어 나는 1869년에 간행된 비델만의 《기독교 교리》를 발견했다. 이 책은 독립적으로 생각하고, 또한 자신의 견해를 확립한 것이었다. 나는 그로부터 종교란 '인간이 신과의 개인적인 관계를 확립할 때에 인정할 수 있는 영적인 행위'라는 것을 배울 수 있었다. 그러나 나는 그 의견에 찬성할 수 없었다. 종교란 신이 나에게 섭리하시는 어떤 것이라고 이해하고 있었기 때문이다. 즉, 그것은 신이 보다 더 강한 존재이므로 내가 절대적으로 굴복하지 않으면 안 될 신의 행위였다.

나의 '종교'는 신과의 인간적인 관계를 인정하지 않았다. 신과 같이 거의 알려져 있지 않은 존재와 도대체 누가 어떤 방법으로 관계를 가질 수 있단 말인가. 신과의 관계를 확립하기 위해서는 신에 대해 더욱 많이 알고 있어야만 했다. 비델만의 '신의 성질'에 관한 장에서 나는, 신은 스스로를 '인간의 자아와 유사성에 따라 생각된 인격, 즉

전 우주를 포괄하고 독자적이며, 세상과는 유리된 자아'에서 나타난 것을 발견했다. 나는 자아와의 유사성으로서 신을 상상한다는 사실에 강한 저항을 느꼈다. 그것은 너무나 지나친 자부심이라고 생각했다.

나는 신이 자연계를 스스로의 선으로 채우고 있다는 것을 이해하지 못했으며, 진지하게 의심해 보려고도 하지 않았다. 이것은 분명히 추론이 끼어들어서는 안 되고 오직 믿기만 해야 한다는 점이었다. 사실 신이 가장 높은 선이라고 한다면 왜 신이 창조한 세계가 이토록 불완전하고 타락하고 비참하단 말인가. 나는 분명히 세계는 악마에게 물들고 혼란 속에 빠져들게 되었다고 생각했다. 그러나 악마 역시 신의 창조물이다. 그래서 악마에 대해서 연구하지 않으면 안 되었다. 괴로움과 불완전함과, 또한 악의 이유는 무엇인가. 나는 아무것도 발견할 수 없었다.

나는 화려한 표지로 된 괴테의 《파우스트》를 골라냈다. 이 책은 기적적인 진통제처럼 나의 영혼 속으로 스며들었다. '드디어 여기에 악마를 진지하게 거론하고, 또한 완전한 세계를 창조하려는 신의 계획의 허를 찌르는 막강한 힘을 가진 누군가가 있구나' 하고 생각했다.

나는 이 희곡의 무게가 주로 메피스토펠레스 쪽에 있다는 인상을 받았다. 그의 전체적인 이미지는 깊은 감명을 주었으며, 어머니의 신비로움과 관련이 있는 것 같은 느낌이 들었다. 아무튼 메피스토펠레스와 끝부분에 있어서의 위대한 비결 전수는 의식세계의 가장자리의 훌륭하고 이해하기 어려운 경험으로서 남게 되었다.

16세에서 19세 사이에 나의 고민은 서서히 걷혀 갔으며 우울한 상태는 호전되어 갔다. 제1의 인격은 점점 더 명료하게 나타나기 시작했다. 학교와 도시 생활은 시간을 빼앗아 갔으며 더 많아진 지식은 차츰 직관적인 예감의 세계에 침투해 들어감으로써 그것을 억압해 갔다. 나는 의식적으로 구성했던 문제들을 계통을 세워 탐구하기 시작했다. 나는 철학사에 관한 짧은 소개문을 읽고서, 이 분야에서 고찰되어 왔던 모든 사실의 조감도를 얻을 수 있었다. 만족스럽게도 나는 나의 직관의 대부분이 역사적인 유사성을 가졌다는 사실을 발견했다. 소크라테스 철학 변론의 장황함에도 불구하고 나는 피타고라스, 헤라클레이토스, 엠페도클레스, 플라톤의 사상에 끌렸다. 그들의 사상은 화랑에 진열된 그림처럼 아름답고 학문적이었으나, 어느 정도 세속을 벗어난 느낌이었다. 마이스터 엑크하르트에 있어서만은 생명의 숨결을 느낄 수 있었다.

그러나 그를 이해한 것은 아니었다. 학교의 교사들은 나를 냉담하게 방치해 버렸으며, 성 토마스와 아리스토텔레스 철학의 주지주의는 사막보다도 더 무미건조한 것으로 느껴졌다. 18세기의 비평철학은 애초부터 나의 흥미를 끌 수 없었다. 19세기의 철학자들 가운데서는, 헤겔이 난해하고 거만한 문체로 염증을 일으키게 했다. 그는 스스로의 언어 체계에 갇혀 그 감옥 속에서 허식적인 손짓으로 이야기하고 있는 사람처럼 보였다. 그러나 나의 탐구가 가져다준 위대한 발견은 쇼펜하우어였다. 그는 분명히 우리들을 둘러싸고 있는 세계의 고뇌와 혼란, 정열과 악에 대해 확실하게 이야기했던 최초의 사람이었다. 쇼펜하우어는, 세계의 기초는 가장 선한 것 위에 서 있는 것만이 아니라는 사실을 비로소 직시할 수 있는 용기를 가진 철학자였다.

나는 쇼펜하우어의 어두운 세계상에 완전히 동감했다. 그러나 그의 문제 해결 방법까지 찬성할 수는 없었다. 나는 '의지'라는 말에 의해 그가 실제적으로는 신과 조물주를 의미하고 있다는 것, 신은 맹목적이라는 것을 의미하려 했다는 것을 확신했다. 나는 경험을 통해서 신은 신에 대한 모욕 때문에 분노하고 있는 것이 아니라, 오히려 인간의 밝고 적극적인 면에 대해 분노하고 있으며, 또한 인간의 어둠과 불경스러움까지도 불러일으키려 하는 동시에, 심지어 그것을 장려하고 있는 것으로 생각했으므로 그의 생각이 나를 괴롭히지는 않았다.

그리하여 나는 쇼펜하우어를 더욱 철저하게 연구하지 않을 수 없었으며, 차츰 그와 칸트와의 관계에 대하여 감명을 받게 되었다. 그래서 나는 칸트의 저작 중에서도 《순수이성 비판》을 읽기 시작했고, 그것은 나를 어려운 사색에 빠져들게 했다. 그 결과 나는 쇼펜하우어의 체계에 있어서의 기본적인 결함을 발견할 수 있었다. 그는 형이상학적인 주장을 본질로 생각했으며 단순한 사물 그 자체에다 특별한 성질을 부여하는, 참으로 무서운 과오를 범하고 있었던 것이다. 나는 이와 같은 사실을 칸트의 지식에 관한 이론으로부터 이해하게 되었으며, 이것은 나에게 쇼펜하우어의 '염세적'인 세계관보다도 더욱 큰 가르침을 주었다.

이와 같은 나의 철학적 발전은 17세 무렵부터 의학생 시절에 이르기까지 계속되었다. 이것은 세계와 인생에 대한 나의 태도에 혁명적인 변화를 가져다 주었다. 이전에 나는 수줍고, 겁이 많고 의심이 많았으며, 창백한 얼굴에다 우선 보기에도 약골이었다. 그러나 이제 나는 모든 방면에 있어서 왕성한 흥미를 나타내기 시작했다. 나는 자신이 무엇을 바라는지를 알았으며 거기에 충실했다. 나는 사교적으로 되어 가면서 의사 전달도 원활하게 행할 수 있게 되었다. 또한 가난이라는 것이 인생의 불리한 점도 아니며 괴로움의 원인도 아니라는 사실과 부잣집 아이도 가난하고 초라한 몰골의 소년과 비교해 볼 때, 특별히 우수한 것만은 아니라는 것을 발견했다.

행복과 불행에 있어서는 돈이 많고 적은 문제보다도 훨씬 깊은 이유가 있었다는 것을 알았다. 나는 이전보다도 많은 친구들과 사귀었다. 튼튼한 발로 대지를 밟고 있다는 안정감을 가지고 용기 백배해서 나의 생각을 솔직하게 말할 수 있게 되었다. 그러나 그것은 내가 너무나 빨리 발견함으로써 후회하게 되었던 원인이 되었으며, 또한 오해가 되고 말았다. 나는 당혹과 조소뿐만 아니라 적의가 담긴 거절과 마주쳤다. 나 역시 놀라고 당황한 이유는 심지어 나를 허풍쟁이에다가 건방진 사기꾼이라고 생각한다는 사실을 발견했기 때문이다.

그 후 나는 학교 친구들 사이에서는 심각한 문제들을 언급하지 않으려고 애썼다. 나는 내가 알고 있는 대부분의 어른들은 허풍쟁이이며, 심지어는 사기꾼이라고 생각되는 사람들이 많았다. 그러나 가장 고통스러웠던 것은 내부에 있어서의 내적 분열과 두 개의 세계에의 분열을 극복하려는 노력의 욕구 불만이었다.

나이가 들어감에 따라 나는 자주 양친이나 다른 사람들로부터 무엇이 되겠느냐는 질문을 받았다. 그러나 나는 아직 확실한 진로를 생각하고 있지 않았다. 나의 관심은 두 가지 방향으로 향하고 있었다. 사실에 입각한 진리 때문에 자연과학에 강한 관심을 가지고 있었으며, 한편으로는 비교종교학과 관계 있는 사실에 매혹당하고 있었다. 자연과학에 있어서는 주로 동물학·고생물학·지질학에 끌리고 있었으며, 인문과학에 있어서는 그리스·로마·이집트 등 유사 이전의 고

고학에 끌리고 있었다. 물론 그 당시에는 이러한 과목의 선택이 나 자신의 내적 분열의 성질과 얼마나 잘 대응하는가를 알 수 없었다. 나의 흥미를 끌었던 것은 과학에 있어서의 구체적인 사실과 그 역사적 배경이었으며, 비교종교학에 있어서는 영적인 문제였다. 그리고 여기에는 철학도 들어 있었다. 과학에 있어서는 의미의 요인을, 종교에 있어서는 경험의 요인을 간과해 버린 것이었다. 과학은 제1의 인격의 필요성을 충족시켜 주었으며, 인문과학 내지 역사적 연구에 있어서는 제2의 인격에 대해 유일한 가르침을 제공해 주었다.

몇 번에 걸쳐서 아버지는 나와 진지하게 이야기를 나누었다. 어느 것이든 마음에 드는 것을 공부하면 되겠지만, 만일 내가 아버지의 충고를 듣는다면 신학은 피해야만 된다는 것이었다. 아버지는 "신학자 이외의 직업이라면, 아무거나 좋은 것을 선택하도록 해라"라고 단호한 어조로 말씀하셨다. 이미 이때에는 우리들 사이에는 어떤 일이든지 숨김없이 이야기할 수 있다는 암묵의 동의가 이루어져 있었다. 아버지는 내가 될 수 있는 한 교회와의 관계를 끊은 사실이라든지, 두 번 다시 성찬식에 참석하지 않았던 것에 대해서는 한 번도 책망하지 않았다. 나는 교회를 멀리하면 멀리할수록 점점 마음이 편해졌다.

내가 신학자가 될 마음이 전혀 없다고 말함으로써 아버지를 안심시킬 수 있었다. 그러나 나는 자연과학과 인문과학 사이에서 계속 망설였다. 양쪽 다 나의 마음을 강하게 끌고 있었기 때문이다. 나는 제2의 인격이 임시 휴게소를 가지고 있지 않다는 사실을 이해하기 시작했다. 그것에 대해서 나는 시간과 공간을 초월해서 지양되고 있었다. 즉, 제2의 인격 속에서 나는 자신이 수천 개의 눈을 가진, 우주에서의 유일한 눈에 지나지 않으며, 땅 위에 있는 작은 돌 하나라도 움직일 수 없는 존재라고 느끼고 있었다.

제1의 인격은 이러한 수동적인 성격과는 반대로 크게 활동하기를 바랐으나, 현상태로서는 해결할 수 없는 갈등에 사로잡혀 있었다. 분명히 나는 기다렸다가 무엇이 일어나는가를 지켜봐야만 했었다. 누군가가 나에게 무엇이 될 생각이냐고 묻는다면 언어학자가 될 생각이라고 대답할 작정이었다. 나는 은밀히 아시리아와 이집트의 고고학을 생각하고 있었던 것이다.

3. 학생 시절

과학으로 관심이 높아져 감에도 불구하고 나는 이따금 철학서로 되돌아갔다. 직업 선택의 문제는 놀라운 결말에 도달하려 하고 있었다. 나는 중학교 시절이 끝나는 것을 즐거운 마음으로 기다리고 있었다. 그러나 그 후에는 대학에 진학해서 자연과학을 공부할 심산이었다.

나는 또한 스스로 생계를 꾸려야 할 때가 왔다는 것을 깨달았으며, 그러한 위치에 있다는 것이 차츰 분명해졌다. 이와 같은 막다른 골목에서, 생각만 있다면 의학을 공부할 수도 있을 것이라는 생각이 갑자기 떠올랐다. 증조부님이 의사였으며, 그분에 관한 이야기는 많이 들어 온 터였다. 그런데도 의학 공부에 대해서는 한 번도 생각이 미치지 않았다는 것이 이상한 일이었다. 사실은 바로 이런 이유로 인해 이 직업에 대한 저항감을 가지고 있었던 것 같다. 그러니 의학 공부는 과학적인 학과로서 시작된다는 것을 자신에게 타일렀다. 게다가

의학 분야는 넓고, 나중에는 전문 분야로 갈라지게 되기 때문에 선택의 여지가 있었다.

이미 확실하게 과학을 선택하긴 했으나 유일한 문제는 '어떤 방법으로'라는 것이었다. 나는 스스로 생계를 꾸려야 했으며, 돈이 없었기 때문에 외국의 대학에 진학할 수도 없었다. 뿐만 아니라 나는 학교 친구나 교사와 같은 손윗사람들이 대부분 싫어하는 타입이었기 때문에, 나의 희망을 지원해 주는 후원자를 발견할 가능성은 전혀 없었다. 내가 최종적으로 의학을 결정했을 때도, 일생을 그러한 타협으로 시작한다는 것은 좋지 않다는 생각이 들었다. 그럼에도 나는 이와 같은 변경 불가능한 결정이 이루어졌다는 사실로 인해 몹시 구제받은 듯한 느낌을 가졌다.

당면한 문제는 어디서 돈을 구하느냐 하는 것이었다. 아버지는 겨우 일부분을 장만할 수 있을 따름이었다. 그는 바젤 대학에 장학금을 신청했는데, 부끄럽게도 그것이 인정되었다. 내가 부끄럽게 생각한 이유는 우리들의 가난이 세상에 알려졌기 때문이 아니라, 모든 사람들이 나에게 호감을 가지고 있지 않다는 사실을 확신하고 있었기 때문이었다. 그들로부터 그러한 친절을 기대한 적은 없었다. 분명히 나는 아버지의 명성에 의해 이익을 얻은 셈이었다.

1892년부터 1894년 사이에, 몇 차례 아버지와 상당히 격렬한 논쟁을 벌였다. 아버지는 케팅겐에서 동양어를 연구하고 《구약성서》의 '아가'의 이야기를 아라비아 어로 번역해서 논문을 썼다. 그의 영광의 나날들은 최후의 시험과 더불어 끝나고 말았다. 그 후 그는 자신의 어학적인 재능을 잊었다. 그는 시골의 목사로서 일종의 센티멘털한 관념론에 빠져서 학생 시절의 회상에 젖어 있었으며, 길다란 학생용

담뱃대로 담배를 피웠고, 또한 그의 결혼이 반드시 옛날에 상상했던 그대로가 아니었다는 것을 발견하게 된 것이다. 그는 많은 선행을 실천했다. 그것이 지나칠 정도로 많았기 때문에 오히려 보통 때는 초조한 기색이었다. 양친은 모두 신앙이 깊은 생애를 보내려고 대단한 노력을 기울였으나, 그 때문에 오히려 언제나 초조한 편이었다. 이러한 곤란들은 충분히 이해가 갔으나 결국엔 아버지의 신앙을 산산이 부서뜨리고 말았던 것이다.

그 무렵 아버지의 초조감과 불만은 더욱 커지고 있었다. 아버지의 상태는 몹시 불안했다. 어머니는 아버지를 흥분시키게 될 일은 모두 피했다. 다투는 일도 없었다. 이것이 가장 현명한 일이라는 것은 알고 있었으나 이따금 치미는 격분을 누를 길이 없었다. 아버지의 분노가 폭발하고 있을 때는 가만히 내버려두었으나, 가까이할 수 있는 기분일 때는 이따금 아버지의 내적인 생각과 자기 이해에 대해 무언가를 배우려고 대화를 시작했다. 그래서 무언가 특수한 것이 아버지를 괴롭히고 있다는 사실을 알게 되었고, 이것이 아버지의 신앙과 관계가 있는 것이 아닌가 하고 생각해 보았다. 그가 암시했던 많은 사실들을 통해서 나는 아버지가 종교적인 회의 때문에 괴로워하는 것이라고 확신하기에 이르렀다.

아버지는 분명히 정신의학자들이 말하는, 마음이 있어야 할 곳에 물질만이 존재하고 있으며, '정신적'인 것은 전혀 존재하지 않는다는 사실을 정신의학자들이 입증하는 증거를 뇌 가운데서 발견하려는 인상을 가지고 있었다. 이 사실은 내가 의학을 공부하게 되더라도 결코 유물론자가 되어서는 안 된다는 아버지의 경고에도 나타나 있었다. 이것은 또한 아무것도 믿어서는 안 된다는 것을 의미하고 있었다. 왜냐하면 유물론자들은 신학자들이 자신들의 정의를 믿고 있는 것과 마찬가지로 그들의 정의를 믿고 있다는 사실과, 그리고 가엾은 아버지는 작은 환난을 피하려다 큰 환난에 부딪치고 말았다는 것을 알고 있었기 때문이다.

아버지의 이와 같은 축복받은 신앙이 그에게 치명적인 음모를 꾸몄으며, 또한 아버지 자신에게뿐만 아니라 교양 있는 성실한 사람들 거의 전부를 속여 왔다는 것을 알았다. 신앙의 중요한 죄는 경험의 기선을 제압하는 일이라고 생각했다. 신학자들은 신이 어떤 사람을 신중히 결정하고, 다른 사람에 대해서는 '용서했다'는 것을 도대체 어떻게 알았는지 궁금했다. 또한 정신의학자들은, 물질에는 인간 마음의 성질이 부여되고 있다는 사실을 신이 도대체 어떻게 알았는지도 궁금했다. 나는 유물론에 굴복당할 위험성은 없었으나, 아버지는 결국 굴복하고 말았던 것이다.

그해 봄에 나는 바젤 대학에서 공부를 시작했다. 평생을 통해서 지루하기 짝이 없게 보냈던 유일한 시기는 끝이 나고, 학문의 세계와 학문의 자유에의 문이 내 앞에 활짝 열리고 있었다. 이제야 나는 자연을 통해서 진리를, 그리고 적어도 그 진리의 가장 본질적인 측면을 듣고 알게 되려던 참이었다. 인간에 관한 모든 것은 해부학적으로나 생리학적으로 알고 싶었다. 뿐만 아니라 인간의 생물학적인 긴급 상태, 즉 질병에 관한 지식을 얻으리라 마음먹었다. 이와 같은 것 이외에도 나는 아버지가 소속했었던 학생조합에 가입이 인정되었다.

1895년 늦가을에 아버지는 병상에 눕고 1896년 초에 돌아가셨다. 나는 강의가 끝난 후 집으로 돌아와서 아버지의 증세가 어떠시냐고 어머니께 물었다. "마찬가지란다. 몹시 허약해지신 것 같구나" 하고 어머니가 말씀하셨다. 아버지는 어머니에게 무언가 작은 목소리로 말을 하셨다. 어머니는 아버지가 헛소리를 하신다고 눈짓으로 알리면서 "아버지께서는 네가 국가 자격 시험에 합격했는지를 알고 싶어하신다"라고 말씀하셨다. 나는 거짓말을 해야겠다고 생각해서 "예, 합격 했습니다"라고 대답했다. 아버지는 한숨을 푹 내쉬고 나서 눈을 감으셨다.

한참 후에 나는 다시 아버지의 용태를 살피러 갔다. 아버지의 입에서는 숨을 몰아쉬는 소리가 났다. 나는 갑자기 무서운 생각이 들어 어머니를 찾아 옆방으로 뛰어갔다. "아버지는 이제 틀리셨나 봐요"라고 말하자, 어머니는 아버지 방으로 건너갔다. 그러나 아버지는 이미 돌아가신 뒤였다.

그 후 며칠 동안은 우울하고 고통스러웠다. 어머니는 나에게 "아버지는 너를 위해서는 적기에 돌아가신 것 같구나"라고 하셨다. 그것은 다음과 같은 것을 의미하고 있었다. 즉, '두 사람은 서로 이해할 수 없었고, 아버지는 너의 방해자가 되고 있었을지도 모른다', '너를 위해서'라는 말이 몹시 마음 아프게 와닿았다. 지난날은 그때 완전히 끝나 버린 것이라고 생각했다. 남자다움과 해방감이 조금씩 마음속에 싹트고 있었다. 그 후 나는 아버지 방으로 옮기고 집 안에서 아버지의 대행자가 되었다.

아버지의 죽음과 더불어 나의 면학 문제가 대두됐다. 외가 쪽의 몇 사람은 될 수 있는 대로 빨리 돈을 벌기 위해 사무실 서기 자리라도 구해야 된다는 의견이었다. 어머니의 재원은 어머니가 생활해 나가기에도 충분하지 못했으므로 막내 이모님이 도와주고 있었다. 나는 종조부從祖父님으로부터 도움을 받고 있었다. 나머지는 내가 조수로서 일하기도 하고, 늙으신 고모님이 수집해 놓았던 골동품을 처분하는 일도 도와드려서 돈을 벌었다.

나는 이 궁핍했던 시절을 잊지 못할 것이다. 이럴 때면 사람은 하찮은 물건까지도 아껴야 되는 것을 배우게 된다. 나는 한 상자의 담배를 선물로 받았던 때를 지금도 기억하고 있다. 그때 나는 왕자가 된 듯한 기분이었다. 그 담배는 일요일에만 피웠기 때문에 거의 일년이나 피웠다.

대학 시절은 즐거웠다. 만사가 순조롭게 진행되었으며, 또한 우정이 무르익은 시절이었다. 나는 클럽의 회합에서 몇 번인가 신학과 심리학에 관한 주제로 학술발표회를 가졌다. 활발한 토론을 주고받았는데, 반드시 의학상의 문제에만 국한된 것은 아니었다. 칸트와 쇼펜하우어에 대해 논의했고, 키에르케고르의 문체상의 미묘함도 대상이 되었으며, 신학과 철학에도 관심을 가졌었다.

대학 시절 동안 나는 종교상의 문제에 관해 많은 자극을 받았다. 집에서는 아버지의 대리격인 신학자와 자유롭게 이야기할 기회가 있었다. 그는 나를 무색케 하고도 남음이 있었다. 지적 수준에 의해서뿐만 아니라 놀라운 학식의 해박함에 의해서 나는 압도당했다. 그에게서 교부와 교리 역사에 관한 많은 것을 배웠다. 또한 프로테스탄트 신학의 새로운 측면을 가르쳐 주기도 했다. 리츨의 신학은 그 당시 크게 유행하고 있었다. 그의 역사주의, 특히 철도와의 비교는 나를 몹시 화나게 했다. 클럽에서 토론했던 신학생들은 모두 그리스도의 생애가 낳게 한 역사적 효과에 전적으로 만족하고 있는 것처럼 보였다. 나는 그리스도를 최전면으로 내세우는 것에 대해서, 그리스도를 신과 인간의 드라마 속에서 유일하고도 결정적인 인물로 만드는

데 대해서도 승복할 수 없었다. 이것은 그리스도를 낳았던 성령이 그리스도가 죽은 후, 인간 가운데 그 몸을 나타내게 되리라는 그리스도 자신의 견해와 완전히 위배되는 것이라고 생각했다.

대학에 있어서 처음의 몇 년 동안, 나는 다음과 같은 것을 발견하게 되었다. 즉, 자연과학은 수많은 지식으로 들어가는 문을 열어 주었으나 진정한 통찰은 가끔 실현되었을 뿐, 그것도 대개 전문적인 것이었다는 사실이다. 마음의 존재는 이러한 상태에 대해 책임을 져야 한다는 것을 철학서를 통해 알았다. 마음이 아니고서는 지식도 통찰도 있을 수 없기 때문이다. 그러나 마음에 대해서는 과거에 전혀 언급된 바가 없었다. 마음이라는 것이 암암리에 가정되어 있었던 곳에서는 어디서나, 그것을 누군가가 알아차리고 있을 때까지도 C. G. 칼스가 말한 바와 같은 철학적 사색을 제외하고는 마음에 대한 진정한 지식은 얻어지지 않고 있었던 것이다. 이와 같은 기묘한 관찰을 어떻게 생각해야 할지 나는 전혀 알 길이 없었다.

그러나 2학기 말에 나는 중대한 결과를 초래하게 되었던 또 하나의 발견을 했다. 급우의 부친 서재에서 정신 현상에 관한 17세기의 팜플렛을 발견했던 것이다. 이 소책자는 신학자의 손에 의해 이루어진 것으로 강신술降神術 : 기도·주문 등을 외워 몸에 신이 내리게 하는 술법의 시초에 관한 설명이 씌어 있었다. 나의 최초의 의문은 당장 풀린 셈이었다. 왜냐하면 책에 씌어진 현상은 어릴 때부터 고향에서 되풀이해 들어 왔던 이야기와 일치하고 있었기 때문이다. 제재는 확실히 믿을 만한 것이었다. 그러나 이들 이야기가 물리적으로 진실한가에 대한 의문에는 납득이 갈 만한 해답이 얻어지지 않았다.

예과가 끝나자 나는 해부학의 조교수가 되었다. 다음 학기에는 실험실습 교수들이 나를 조직학 과정의 담당자로 배치했다. 물론 나는 그것에 대해 아주 만족했다. 나는 주로 진화론과 비교해부학에 흥미를 갖게 되었다. 특히 나의 관심을 끌었던 것은 넓은 의미에 있어서의 형태학적 관점이었다. 생리학에 있어서는 오히려 반대였다. 단순히 실습 교육만을 목적으로 해서 행해지는 생체 해부 때문에 생리학은 아주 싫었다. 온혈동물은 우리와 동류이며, 단순한 신경 자동장치가 아니라는 느낌에서 결코 벗어날 수가 없었다. 그래서 가능하면 강의에 빠져 버렸다. 나의 동물에 대한 연민은 쇼펜하우어 철학의 불교적인 수사에서 비롯되었다기보다는 마음의 원시적인 태도의 보다 깊은 기반, 즉 동물과 인간의 무의식적인 동일성에 의해 뒷받침되고 있었던 것이다. 그 무렵에는 물론 이와 같은 중요한 심리학적 사실에 대해서 잘 알고 있었던 것은 아니었다. 생리학에 대한 반감이 컸으므로 자연히 시험 결과도 나빴다.

그 후 실습 기간에는 너무나 바빴기 때문에 다른 분야에 관한 일에 마음을 쓸 시간적 여유는 거의 없었다. 일요일만 겨우 칸트를 공부할 수 있었다. 또한 에르하르트 폰 할트만에 대해 열심히 읽었다. 나는 니체를 읽고 싶었지만, 내 마음의 준비가 아직 미흡해서 읽기를 망설였다. 이 무렵 니체는 유능한 철학과 학생들에 의해 자주 논의가 되고 있었다. 그때 나는 보다 높은 차원에서 니체에 대한 적대감을 추측할 수 있었다. 그 방면의 최고의 권위는 야콥 부르크하르트 1818~97, 스위스의 미술사가·문화사가였으며, 그의 니체에 관한 여러 가지 비판적인 논평이 전파되고 있었다. 대학에서는 니체를 개인적으로 알고 있는 사람들이 있었으며, 니체에 관한 여러 가지 소식을 전해 주는 사람이 몇몇 있었다.

그들은 대개 니체의 저서를 거의 읽지 않고 있었다. 따라서 그들은 니체의 외면적인 결함이라든가, 그 당시 바젤의 선량한 사람들의 신경을 건드리고 있었던 여러 가지 특징들을 장황하게 지껄여 대고 있었다. 그런데 그러한 사실들은 나로 하여금 니체를 읽는 것을 미루게 하기보다 오히려 강한 매력을 느끼게 해주었다.

니체의 저서 중에서 《반시대적 고찰》이라는 책은 내가 읽은 최초의 것이었다. 그 후 《짜라투스트라는 이렇게 말했다》를 읽었다. 이것은 괴테의 《파우스트》처럼 나에게는 중대한 체험이었다. 짜라투스트라는 니체의 파우스트이고 그의 제2의 인격이었으며, 나의 제2의 인격은 그 짜라투스트라에 해당되었다.

파우스트가 나에게 하나의 문을 열어 주었다면, 짜라투스트라는 반대로 문을 닫아 버렸다. 그리고 그 문은 그 후 닫혀진 그대로였다.

내가 의사로서의 생애에 대해서 더욱 진지하게 생각하기 시작한 것은 1898년의 일이었다. 나는 이제 전문직을 결정해야만 했다. 그것은 외과나 내과 사이에서 선택해야만 했다. 해부학에 있어서는 특별한 훈련을 받고 있었고, 병리학을 좋아했으므로 외과로 기울어지고 있었다. 만일 필요한 재력이 갖추어져 있었다면 나는 아마도 외과의를 직업으로 택했을 것이다. 공부를 하기 위해서 처음부터 돈을 빌린다는 것은 몹시 고통스러운 일이었다. 마지막 시험이 끝나면 될 수 있는 한 빨리 자립해야겠다는 생각을 하고 있었다. 나는 어느 주립병원의 조수 자리를 생각하고 있었다. 그곳이라면 대학병원보다 나은 급료의 자리를 얻을 수 있는 희망이 있었던 것이다.

대학병원에 있어서의 자리는 대개 소속장의 지위에 있는 인물의 후원이나 개인적인 기호 여하에 달려 있었다. 나는 사교성도 없고 낯선 사람에겐 무뚝뚝한 성격이었으므로, 그와 같은 예기치 않은 행운 따위는 아예 처음부터 염두에도 두지 않고 있었다. 따라서 지방병원의 조수 자리라도 만족하기로 했다. 그 후에는 근면성과 나의 노력과 능력에 달린 문제였다.

대학병원에서는 프리드리히 폰 뮐러가 계속 고참 근무자의 자리를 지키고 있었다. 나의 연구가 끝날 무렵, 그는 뜻밖에도 그가 임명되었던 뮌헨으로 자기의 조수로서 함께 가지 않겠느냐고 제안해 왔다. 이 권유는 하마터면 나를 내과 쪽으로 선택하도록 만들 뻔했다. 만일 나의 장래의 생활 방식에 관한 모든 의혹을 제거해 주는 어떤 일이 일어나지 않았다면, 나는 아마 그의 말을 따랐을지도 모를 일이었다.

나는 계속 정신의학 강의나 임상 강의에 출석했으나, 당시의 정신의학 강의는 반드시 재미있는 것은 아니었다. 정신병원에 있어서의 체험이 아버지에게 끼친 영향을 상기하면, 정신의학을 지지할 생각은 없었다. 국가시험을 준비할 때도 정신의학 교과서는 마지막에 공부했었다.

당시 의학계에 있어서는 정신의학이 전적으로 무시되고 있었다. 아무도 정신의학에 대해서 진정으로 알고 있는 사람은 없었으며, 인간을 전체적으로 보는 동시에 병적인 변화를 그 가운데 포함시키려는 심리학은 없었던 것이다. 관리자는 환자와 마찬가지로 같은 건물 안에 갇혀 있어야만 했으며, 더욱이 그 건물은 분리되어 있는 데다가 옛날의 나환자 병원과 마찬가지로 교외에 격리되어 있었다. 그곳으로 눈을 돌리려는 사람은 아무도 없었다. 의사도 보통 사람이나 거의 같은 정도의 지식밖에는 가지고 있지 않았으며, 따라서 생각도 크게 다를 것이 없었다. 정신병은 절망적인 동시에 숙명적인 병이었으며, 따라서 이 사실이 정신의학에도 어두운 그림자를 던져 주고 있었다.

내가 이상한 옆길에 흥미를 갖게 되었다는 것은 상상도 하지 않았던 일이었을 것이다. 친구들도 눈앞에 다가오고 있는 내과 경력에 대한 둘도 없는 기회를 박차 버리고 정신의학과 같은 하찮은 학과를 선택하는 나를 바보라고 여기고 있었으며, 기가 막히다는 태도들이었다. 나 자신도 내가 아무도 따라올 수 없으며, 따라오려고 생각도 않은 옆길로 분명히 들어섰다는 것을 알 수 있었다. 그러나 나의 결심은 변치 않았다. 그리고 더구나 이것은 숙명이라는 느낌마저 들었다. 아무것도, 그 누구도 나를 이 목적으로부터 떠나게 할 수는 없었을 것이다.

자신이 이중의 성질을 가졌다는 자신감이 마치 마법의 물결을 타고 있는 것처럼 시험을 치르게 했으며, 나는 시험에서 정상을 차지했다. 모든 것이 너무나 원활하게 진행되는 기적의 길엔 반드시 특징적으로 숨겨져 있는 장애물이 있기 마련으로, 사실상 나로서는 뛰어난 과목이었던 병리해부학에서 시험을 그르치고 말았다. 바보스럽기 짝이 없는 실수에 의해서, 나는 찌꺼기는 고사하고 외피 세포만을 포함하고 있는 것같이 생각되는 덮개 유리 속에 사상균이 숨어 있는 것을 놓쳐 버렸던 것이다. 다른 과목에 있어서는 예상을 잘 맞추어 무난하게 몇몇 함정을 벗어날 수 있었다. 그러나 가장 자신 있는 과목에서 가장 엉뚱한 방법으로 실수를 하고 심한 타격을 입은 것이었다. 이것만 아니었다면 나는 아마 그 시험에서 최고점을 획득했을 것이다.

마지막 시험이 끝나는 날 저녁, 나는 극장에 가야겠다는 사치스런 소원을 풀었다. 이런 일은 생전처음 있는 일이었다. 이때까지의 나의 재력은 그런 사치스런 생각을 받아들일 수 없는 형편이었다. 그러나 골동품을 팔아서 벌었던 돈이 아직 얼마간 남아 있었다. 이 돈으로 나는 오페라 구경을 할 수 있었을 뿐만 아니라, 뮌헨과 슈튜트가르트로 짧은 여행을 할 수도 있었던 것이다.

비제의 음악은 나를 취하게 하고 압도했다. 그리고 마음을 몹시 뒤흔들어 놓았다. 다음날 기차가 국경을 넘어서 보다 넓은 세계로 나를 실어갔을 때도, 가슴 속에는 아직도 칼멘의 멜로디가 여운을 울리고 있었다. 나는 뮌헨에서 처음으로 고전 예술과 접할 수 있었다. 이것은 비제의 음악과 더불어 나를 결혼식 때와 같은, 들뜬 기분에 젖어들게 했다.

1900년 12월 10일, 나는 취리히의 부르그헤르츠리 정신병원에서 조수 자리를 얻었다. 몇 해 동안 바젤은 숨막힐 듯한 곳으로 변모되어 가고 있었기 때문에, 취리히로 올 수 있었다는 것은 다행한 일이었다. 친구들은 내가 떠나는 것을 이해하지 못한 채 곧 돌아오리라고 믿고 있었다. 그러나 이것은 문제가 되지 않았다. 바젤에서의 나는 폴 융 목사의 아들로서나, 칼 구스타프 융 교수의 손자로서 딱지가 붙어 있는 격이었다. 나는 지식인으로서 일정한 사회에 소속되어 있었다. 바젤의 지적인 분위기는 나에게 부러울 정도로 국제적이라고 생각되었으나, 전통의 중압은 나에게는 과중했다. 취리히에 도착하자, 나는 틀렸다는 것을 느꼈다.

취리히는 지성에 있어서뿐만 아니라, 상업에 의해서도 세계와 연결되고 있었다. 이곳은 자유로운 공기가 넘쳐 있었으며, 나는 항상 이사실에 대해서 고맙게 생각하고 있었다. 여기에서는 비록 사람들이 문화의 풍요로운 배경이 없다는 것을 유감스럽게 생각하고 있을지는 모르지만, 수세기 전의 검은 안개에 의해서 압박당하지는 않고 있었다.

내가 바젤을 떠난다는 것은, 어머니에게는 몹시 애처로운 일이었다. 그러나 나는 어머니에게 이 고통을 참아 달라고 하지 않을 수 없었으며, 어머니도 용감하게 그 고통을 참으셨다. 어머니는 누이동생과 함께 살았으며, 누이동생은 나와는 정반대로 섬세한 성격에다 자주 병을 앓았다. 그녀는 마치 결혼하지 않고 한평생을 혼자 보내도록 운명지어져 있는 사람 같았다.

사실 그녀는 평생 결혼하지 않았다. 그녀는 훌륭한 인격의 소유자로서, 나는 그녀의 태도를 칭찬하지 않을 수 없었다. 그녀는 수술을 받아야 했다. 수술은 크게 해를 주지 않을 것으로 생각했으나, 끝내 세상을 떠나고 말았다. 그 후 나는 그녀가 미리 세세한 것에 이르기까지 신변의 정리를 끝내고 있었다는 것을 알았을 때, 너무나 깊은 감명을 받았다. 그녀는 언제나 헤아릴 수 없는 사람이었으며, 나는 그녀를 무척 존경하고 있었다.

부르그헤르츠리에서는 생활이 주로 현실적 양상을 띠기 시작했는데, 그것은 순전히 일 덕택이었다. 나는 보편적이며 진부한 것만을 믿었으며, 특이하고 의미심장한 것은 거절하고, 비범한 것을 평범한 것으로 바꾼다는 나의 맹세에 따라서 살았다. 그러므로 그곳에서는 무엇으로도 덮어 버릴 수 없는 표면, 계속되는 일이 없는 시작, 일관성이 결여된 사건, 보다 좁은 범위로 축소되는 지식, 문제시되었던 수많은 실패, 우울하고 편협한 시야, 그리고 일상사라는 끝없는 불모지만이 이어졌다.

6개월 동안, 나는 병원에서의 생활에 익숙해지기 위해 승원의 벽에 갇힌 셈치고, 정신의학적 심성에 정통할 수 있도록 정신의학 종합 잡지 50권을 처음부터 통독했다. 나는 인간의 마음이 스스로의 붕괴와 마주치게 됐을 때, 어떤 반응을 일으키게 되는가 알고 싶었다. 나에게 있어서 정신의학이란 정신병이 생겼을 때, 소위 정상적인 마음을 사로잡는 생물학적인 반응을 언어적으로 표현한 것이라고 생각되었기 때문이다. 동료들이 환자만큼 흥미를 끈다고는 생각할 수 없었다. 그 후 수년 안에 나는 은밀히 스위스인 동료들의 유전적 배경에 대한 통계를 모으고 많은 정보를 얻었다. 이것은 정신의학적 심성을 이해하기 위해서 뿐만 아니라, 나 자신의 개인적인 개발을 위해서도 행한 것이었다.

자신의 몰두와 스스로에게 부과했던 감금 상태는 나와 동료들을 소원疎遠하게 만들었다는 것은 두말할 나위도 없다. 그들은 정신의학이란 것이 얼마나 기이한 학문인가 라는 사실, 그리고 내가 정신의학의 정신에 정통하려고 얼마나 필사적인 노력을 기울였는가를 알지 못했다. 당시 나는 정신의학적 치료법에 대해 별반 관심이 없었다. 그러나 정상성이 병적 변화로 이행되어 가는 과정은 나를 매료시켰다. 그러한 이행 과정들은 내가 마음 일반에 대해 보다 깊은 통찰력을 얻을 수 있는 절호의 기회를 제공해 주었다.

이러한 상태에서 나의 정신의학의 연구가 시작되었다. 나는 나 자신의 외부에 서서 자신의 숙명을 객관적인 방법으로 관찰하려는 희망도, 그렇게 할 수 있는 능력도 갖추지 못하고 있었다. 결국 나는 어떤 위인이 되고자 하려는 착각을 메꾼다거나, 《생애를 위한 변명》을 쓴 자서전에서 흔히 볼 수 있는 실수를 저지르게 될 것이다. 그래서 인간이란 스스로를 판정할 수 없는 사상事象이며, 좋건 싫건간에 다른 사람의 판정에 맡길 수밖에 없는 것이라고 보았다.

4. 정신의학적 생활

부르그헤르츠리에 있어서의 수년간은 나의 수업 시기였다. 그 무렵 나의 관심과 연구심을 지배하고 있었던 것은 '도대체 무엇이 실제로 정신병자의 내면에서 일어나고 있는가?'라는 강렬한 의문이었다. 이 의문은 당시 내가 이해하지 못했던 문제였으며, 동료들 가운데 누구 한 사람 관심을 가지고 있는 사람이 없었다. 정신의학 교수들은 환자의 깊은 내면에 대해 관심을 갖는 것이 아니라, 오히려 진단을 내리는 방법이라든지 증상에 대한 기술 방법, 그리고 통계의 집계 방법 등에 대해서만 관심을 갖고 있었다. 당시 일반적인 임상적 관점에서 본다면 환자의 인격이나 개성 따위는 전혀 문제가 되지 않았다.

특히 히스테리와 꿈의 심리학에 대한 기본적인 탐구에 있어서, 프로이트는 내게 극히 중요했다. 그의 생각은 나에게 각각의 사례에 대한 철저한 연구와 이해의 길을 제시해 주었다. 프로이트는 심리학을 정신의학으로 도입하였다.

우리들을 찾아오는 대부분의 환자는 말 못할 사연을 가지고 있으며 대개는 그것을 아무도 모르고 있다. 치료란 개인의 사연을 철저하게 조사한 다음 비로소 시작되는 것이다. 그것은 환자의 비밀이며, 그들이 부딪치게 된 암초와도 같은 것이다. 그래서 만일 내가 환자의 비밀을 알고 있다면 나는 이미 치료에 대한 열쇠를 쥐고 있는 셈이 된다. 의사가 하는 일은 그러한 지식을 얻는 방법을 발견하는 데 있다. 대개의 경우 의심적인 재료의 탐색만으로는 충분하지 않다. 때로는 연상 검사가 길을 열어줄 때도 있다. 또는 꿈의 해석이나 환자와의 오래고, 끈기있는 인간적인 접촉이 길을 열어줄 때도 있다. 치료에 있어서는 항상 전인격적인 것에 문제가 있는 것이며, 결코 가상적인 사실만이 문제가 되는 것은 아니다. 우리들은 전인격에 대해서 대답을 요구하는 그런 질문을 하지 않으면 안 된다.

1905년 나는 취리히 대학의 정신과 강사가 되었고, 같은 해 대학병원 정신과 의료국장이 되었다. 그 후 4년 동안 그 자리를 지켰으나, 1909년에는 일을 모두 감당할 수 없었기 때문에 사직해야만 했다. 그 이유는 수년 동안 나의 개인병원 개업에 온갖 힘을 쏟았으므로 시간적인 여유가 없었다. 그러나 강사 자리는 1913년까지 계속했다. 나는 정신병리학을 강의했으며, 프로이트파의 정신분석의 기본과 미개인未開人의 심리학까지 강의했다. 이러한 것들이야말로 나의 주요한 과제였다. 처음 몇 학기 동안, 나의 강의는 주로 최면을 다루었고, 자네1859~1947, 프랑스의 심리학자·정신의학자와 푸르르노아도 다루었다. 후에는 프로이트파의 정신분석 문제가 주요한 주제가 되었다.

최면의 과정에서 나는 학생들에게 환자의 개인적인 역사를 묻는 것을 상례로 했었다. 처음에는 개인적인 치료에 있어서도 최면법을 사용했다. 그러나 최면을 사용하여도 결국은 치료가 완전하게 이루어지지 않아 곧 이 방법을 포기해 버렸다. 개선이나 치료가 어느 정도 오래 지속하는가에 대해서는 아무도 모르고 있었으며, 나는 그런 불확실한 가운데서 일하는 것에 대해 항상 양심의 가책을 느꼈다.

게다가 환자가 어떻게 해야 하는가를 내 마음대로 결정하는 것을 좋아하지 않았다. 나는 환자의 성격이 그를 어느 방향으로 끌고가는

가를 환자 자신으로부터 배우는 데 더 많은 관심을 가지고 있었다. 그것을 발견하기 위해서는 꿈이라든가 그 밖의 무의식적 현상을 주의깊게 분석해 보는 것이 필요했다.

1904년에서 1905년에 걸쳐, 나는 대학병원의 정신과에 정신병리학 실험실을 설립했다. 따라서 나는 많은 학생들을 맡게 되었으며, 그들과 함께 심적 반응연상을 연구했다. 프란츠 릭크린은 나의 공동연구자였다. 루드비히 빈스완커는 당시 정신전류 효과와 관련시킨 연상 실험에 관한 학위논문을 집필 중이었다. 나는 〈심리학적 사실 진단에 관하여〉라는 제목의 논문을 썼다. 우리 동료 가운데는 그 밖에도 칼 피터슨, 찰스 릭크셔 등을 포함한 많은 미국인이 있었다. 그들의 논문은 미국의 잡지에 발표되었다. 그 후 1909년에 클라크 대학에서 나를 초빙 한 것은 이들 연상에 관한 연구 덕분이었다. 나의 연구에 관한 강의를 의뢰받았던 것이다. 나와 함께 프로이트도 초빙되었다. 명예 법학박사 학위가 우리 두 사람에게 주어졌다. 연상 실험과 정신 전류 실험은 미국에 있어서의 나의 평판을 확고히 해주었던 것이다.

환자와 더불어 일을 하면서, 나는 파라노이아paranoia : 편집증적인 관념과 환각이 어떤 의미의 징조를 포함하는가 하는 사실을 알게 되었다. 어떤 인격, 생활사, 희망이나 욕망의 형태가 정신병자의 배후에 가로놓여 있는 것이다. 만일 그것을 이해하지 못하고 있다면 우리들의 잘못이라고 할 수밖에 없다. 이때 비로소 나는 인격의 전체적인 심리학이 정신병자 속에 감추어져 있다는 사실과, 여기에 있어서까지도 오랜 인격의 갈등과 마주치게 된다는 것을 알게 되었다. 환자들은 게으르고 무력할 뿐만 아니라 어떤 때는 아주 바보처럼 보일지도 모르지만, 환자의 마음속에는 겉모습보다 더욱 많은 것이 존재하고 있으며, 의미가 깊은 것도 존재하고 있다. 실제에 있어서 우리들은 정신병자에게서 어떤 새로운 것이라든지, 미지의 것을 발견하지 못하고 있다. 오히려 우리들은 그들을 통해 자신의 성질의 기초와 마주치게 된다.

정신의학이 정신병자의 내용을 조사하는 데 그토록 오랜 시간이 필요했다는 점에 나는 놀랐다. 아무도 공상의 의미에 관해서 관심을 갖는 사람은 없었으며, 왜 이 환자가 어떤 종류의 공상을 가지고 있으며, 또 다른 환자는 전혀 다른 공상을 가지고 있는가를 물어볼 생각도 하지 않고 있었다. 공상이란 '피해망상'과 같은 포괄적인 이름 밑에 하나로 정지되어 있는 데 지나지 않았다. 당시의 내 연구가 오늘날 거의 잊혀지고 있다는 것은 이상한 일이다. 이미 금세기 초에 나는 분열증 환자를 심리요법으로 치료하고 있었다. 따라서 그 방법은 오늘날 발견된 것이 아니다. 그러나 심리학이 정신의학에 도입되기까지는 오랜 시간이 걸렸다.

대학병원에서 근무하는 동안, 나는 분열증 환자를 취급하는 데 있어서 가장 신중을 기해야만 했다. 그렇게 하지 않고서는 소홀하다는 비난을 면할 수 없기 때문이었다. 그 당시에 분열증은 불치병으로 생각되어지고 있었다. 그래서 만일 누군가가 분열증의 증세를 완치시켰다면, 그것은 진짜 분열증이 아니었다고 할 수 있는 것이었다.

환자들을 바깥쪽에서 관찰하게 되면, 정신질환이란 그들의 비극적인 붕괴이며, 타인을 침범하지 못하게 하는 내부의 갈등으로 보는 일은 극히 드물었다.

나는 이따금 심리요법과 분석 방법에 관해 질문을 받았으나, 명백한 답변을 할 수는 없었다. 치료는 사례에 따라 다르기 때문이었다. 의사가 엄밀히 말해서 자기는 이러이러한 방법으로 결정했다는 말을 할 때, 나는 그의 치료 효과를 의심하게 된다. 환자의 저항에 대해서는 문헌에 너무나 많은 것이 진술되어 있기 때문에 마치 의사가 환자에게 어떤 사실을 인정시키려는 듯한 인상을 받았다. 그러나 사실 치료란 환자로부터 자연히 싹트는 것이다. 심리요법과 분석은 한 사람 한 사람이 모두 다르듯이 다양한 것이다. 나는 환자를 될 수 있는 한 개별적으로 취급하고 있다. 문제의 해결은 항상 개별적인 것이기 때문이다. 보편적인 규칙은 소극적인 방법으로밖에 가정되지 않는다. 말하자면 심리학상의 진리는 반대적인 경우에만 타당하게 입증된다. 즉, 내게 있어서는 문제가 될 수 없는 것 같은 해결이, 다른 어떤 사람에게는 적당한 해결 방법이 될지도 모른다는 것이다.

물론 의사는 소위 '방법'에 있어서는 정통하고 있어야만 한다. 그러나 의사는 뭔가 특수한 일상화된 접근 방법에 뒤떨어지지 않도록 조심하지 않으면 안 된다. 일반적으로 의사란 이론적 가정에 조심해야 하는 것이다. 현재는 그 가정이 타당할는지 모르지만, 내일은 또 다른 가정이 타당하게 될지 모르기 때문이다. 나는 이론적 가정은 아무런 역할도 하지 못하고 있다고 보았다. 나는 고의적으로 극히 세계적인 것은 피하고 있다. 나는 개인을 치료하는 경우에 있어서는 개별적인 이해밖에 얻을 수 없다고 생각한다. 즉, 모든 환자에 대해 각기 다른 말을 필요로 하고 있다. 다시 말해서 어떤 분석에 있어서는 아들러파의 대화를 말하고 있는 것을 들을 수 있으며, 또 한편에 있어서는 프로이트파의 말을 들을 때도 있는 것이다.

가장 중요한 것은 나 자신이 한 사람의 인간으로서 다른 인간, 즉 환자와 대응하고 있다는 점이다. 분석은 두 사람의 동료에게 요구되는 대화인 것이다. 분석가와 환자는 서로 대면한 상태로 있게 된다. 즉, 의사는 무언가 말을 하고 싶을 것이며, 이것은 환자도 마찬가지다.

심리요법의 본질은 어느 한 가지 방법의 응용은 아니므로 정신의학적 연구만으로는 충분하지 않다. 나 자신은 심리요법에 필요한 지식을 갖게 되기까지는 장기간에 걸친 실천을 필요로 했었다. 일찍이 1909년에 나는 환자들의 상징적 의의를 이해하지 못한다면, 잠재적 정신병자를 치료할 수 없다는 사실을 깨달았다. 내가 신화학神話學을 연구하기 시작했던 것도 바로 그때였다.

교양 있고 지적인 환자를 대할 때도 정신과 의사는 전문적인 지식 이상의 것이 필요하다. 모든 이론적인 가정은 그만두더라도 무엇이 환자로 하여금 질병의 동기가 되고 있는가를 의사는 이해해야만 한다. 그렇지 못한 경우에 그는 불필요한 저항을 불러일으키게 된다. 문제가 되는 것은 결국 어느 이론이 확증되는가가 아니라, 환자가 자기 자신을 개인으로서 파악할 수 있는가에 달려 있다. 그러나 이것은 의사가 정보를 얻게 될 것에 관해 일반적인 견해와 비교해 보지 않고서는 불가능한 일이다. 이 점에 있어서는 단순한 의학적 훈련만으로는 불충분할 것이다. 인간의 마음은 의사의 상담실이라고 하는 제한된 범위 이상의 것을 무한히 내포하고 있기 때문이다.

마음은 분명히 육체보다도 복잡하고 접근하기 어려운 것이다. 마음은 우리들이 의식하고 있을 때만 성립하는 세계의 절반인 것이다. 그러므로 마음은 단순히 개인적인 것뿐만 아니라 또한 세계적인 문제이며, 정신과 의사는 전세계를 취급해야만 하는 것이다. 오늘날에는 우리를 위협하고 있는 위험이 자연에서부터 오는 것이 아니라 인간과 개인, 집단의 마음에서 온다. 인간의 정신이상은 위험하다. 모든 것은 우리들의 마음이 조화롭게 활동하고 있느냐에 달려 있다.

심리요법자는 환자를 이해해야 할 뿐만 아니라, 자기 자신도 이해하지 않으면 안 된다. 그러므로 필수 조건은 분석가의 분석이며, 이것은 '교육 분석'이라고 불리고 있다. 즉, 환자의 치료는 의사로부터 시작되는 것이다. 의사가 자신의 문제에 대한 대응 방법을 알고 있을 때에만, 환자도 똑같이 잘 가르칠 수 있게 되는 것이 비로소 가능하게 된다. 교육 분석에 있어서 의사는 자신의 마음을 알아야 하며, 또한 그것을 진지하게 취급하는 것을 배워야만 한다. 만일 그렇게 하지 못한다면 환자 역시 배우려 들지 않을 것이다. 의사가 이해하는 것을 배우지 않았다가 마음의 균형을 잃어버리는 것처럼, 환자 역시 마음의 균형을 잃고 말 것이다. 그러므로 교육 분석은 개념의 체계를 알고 있는 것만으로는 불충분하다. 피분석자는 그것이 자신과 관계가 있는 문제이며, 교육 분석은 현실 생활의 한 단면인 동시에 기계적으로 학습될 수 없다는 것을 깨닫지 않으면 안 된다.

'간편 심리요법'으로 알려진 치료법도 있으나, 아무리 철저한 분석에 있어서도 환자와 의사의 전인격이 활동하기 마련이다. 그래서 의사가 스스로를 던져 버리지 않고서는 치료되지 않는 사례도 허다하다. 의사가 자신을 드라마의 일부분으로 보고 있느냐, 혹은 자신을 스스로의 권위 속에 감싸 버리느냐에 따라 커다란 차이가 난다. 일생의 커다란 위기는, 즉 살아야 하느냐, 말아야 하느냐가 문제시될 때는 암시의 잔꾀 따위는 전혀 도움이 되지 않는다. 그때는 의사의 존재 자체가 도전을 받게 되는 것이다.

치료자는 항상 자신 및 그가 환자에게 반응하고 있는 방법을 경계하고 있어야 한다. 의사는 의식적으로만 반응을 나타내는 것은 아니기 때문이다. 이와 마찬가지로 우리들의 의식은 항상 이 사태를 어떻게 체험하고 있는가를 자문해 보지 않으면 안 된다. 따라서 의사들은 꿈을 잘 관찰하고 세심한 주의를 기울이면서 환자를 대하는 것과 같이, 주의깊게 자신을 연구하지 않으면 안 된다. 그렇지 않다면 모든 치료는 궤도를 벗어나고 마는 것이다.

의사는 환자가 어떤 종류의 메시지를 가져오는가를 항상 자문하고 있어야만 한다. 즉, 환자는 의사에게 있어서 무엇을 의미하는 것인가? 만일 환자가 아무런 의미도 없다고 한다면 그는 공격 대상을 가지고 있지 않은 셈이다. 의사가 질병에 영향을 받고 있을 때에 더욱 치료 효과가 있는 것이다. '병든 의사만이 치유할 수 있다.' 그러나 의사가 갑옷처럼 위엄을 몸에 두르고 있을 때는 아무런 효과도 얻지 못하게 된다. 의사는 환자를 진지하게 다룬다. 의사는 환자들과 마찬가지로 수많은 문제와 직면하고 있다. 이따금 환자가 의사의 아픈 곳에 잘 어울리는 치료약이 되는 경우도 있다. 어려운 사태는 의사에게도 일어날 수 있으며, 오히려 어떤 일은 특별히 의사에게만 일어날 수도 있기 때문이다.

모든 치료자는 제3자의 의해서 관찰되어야만 한다. 그 결과로써만 그는 다른 견해에 대해서 개방적인 상태가 될 수 있다. 심지어는 승려까지도 고백자를 가지고 있지 않은가. 나는 언제나 "아버지와 같은 고백자, 어머니와 같은 고백자를 가져라"라고 분석자들에게 말한다. 부인들은 특히 그러한 역할을 행하는 재능에 있어서 우수하다. 그녀들은 이따금 뛰어난 직관과 날카로운 통찰력을 지니고 있으며, 남자가 결정적인 때에 가지고 있는 힘을 간파하고, 때로는 남성의 정신적

음모를 꿰뚫어보는 경우도 있다. 그러므로 이것이 모든 여성들이 일찍이 '남편은 초인이다'라고 확신하지 않는 이유가 된다.

만일 신경증에 걸려 있다고 한다면 그 사람은 분석을 받아야 한다. 그러나 만일 그가 정상이라고 생각한다면 분석을 받도록 강요되어서는 안 된다. 나는 의사가 아닌 사람들이 심리요법을 배우고 실제로 시행하는 데 있어서는 별 의의가 없다. 그러나 잠재적인 정신병을 취급하는 경우에는, 그들은 위험한 실수를 저지르게 될 가능성이 다분히 있다. 따라서 의사 이외의 사람이 분석자로서 일하는 데 있어서는 전문적인 의사의 지도 밑에서 시행되어야 한다.

의사가 아닌 분석자는 아주 작은 의문점이 생기더라도 즉시 자신의 지도자에게 상담해야 한다. 잠재적인 분열증을 파악하고 치료한다는 것은 의사에게 있어서도 어려운 것이므로, 하물며 전문가가 아닌 사람에게는 더욱 그러할 것이다. 오랜 세월 동안 심리요법을 행해온 데다 교육 분석을 받았던 사람에게는 날카로운 통찰력이 있어 그것이 가능하다. 심리요법을 행하는 의사도 충분치 않은데, 그에게는 장기간의 철저한 훈련과, 소수의 사람밖에는 지니고 있지 않은 넓은 교양이 필요하다.

의사와 환자의 관계는, 특히 환자 측의 '전이'라든가, 의사와 환자와의 무의식적인 '동일화'가 일어날 때 초심리학적인 현상을 야기시킬 때가 있다. 나는 이따금 이러한 상태에 빠져들어갔던 때가 있었다. 무의식적으로 시간과 공간의 상대화에 의해 현실적으로 다른 곳에서 일어나고 있는 어떤 일을 지각할 수 있었던 것이다. 집합적 무의식은 모든 사람에게 있어서 공통적인 것이다.

나는 환자를 어떤 상태로 변화시키려 했던 일은 결코 없었으며, 어떤 강요도 행한 일이 없었다. 나에게 있어서 가장 중요했던 것은 환자로 하여금 사물에 대해 자신의 견해를 갖게 하는 일이었다.

나는 지금까지 인생의 모든 문제에 있어서 부적절하거나 나쁜 메시지에 안주할 때, 사람들이 신경증적으로 된다는 것을 자주 봐왔다. 그들은 지위, 결혼, 명성, 외면적인 성공, 돈을 모았을 때까지도 불행하거나 신경증적인 상태가 그대로 남아 있는 경우가 있다. 그런 사람들은 대개 아주 좁은 정신적 범위 안에 갇혀 있다. 그들의 생활은 충분한 내용과 충분한 의미조차도 없는 경우가 많다. 만일 그들이 한층 더 고매한 인격으로 발달할 수 있게 되면 신경증은 저절로 소멸된다. 나에게는 발전적인 사고방식이 가장 중요한 것이 되고 있었다.

나의 환자의 대부분은 신자가 아니라, 신앙을 잃어버린 사람들로 구성되어 있었다. 나를 찾아온 환자들은 이를테면 길 잃은 양이었다. 오늘날에 있어서도 신자는 교회에서 '상징적인 생활'을 할 수 있는 기회가 있다. 미사나 세례, 또는 '그리스도를 본받은' 생활이나 종교의 다른 많은 측면에 관한 체험을 생각해 보면 될 것이다. 그러나 상징을 살아 있는 체험으로서 경험한다는 것은 신자 측의 적극적인 참여를 전제로 하고 있으며, 유감스럽게도 이따금 이것은 오늘날의 사람들에게는 결여되어 있다. 신경증 환자에게 있어서는 사실상 언제나 이것이 결여되어 있다. 그런 사례의 경우에는, 결여되어 있는 것을 대신할 수 있는 상징을 무의식이 자발적으로 가져다 줄 수 있는가를 관찰해야만 한다.

그러나 그 경우에 있어서 상징적인 꿈이나 환상을 이해하고 스스로 책임질 수 있는가의 문제가 남게 된다. 만일 환자가 제시된 길을 원치 않고 그 결과에 대해 책임 지기를 원치 않는다면, 나는 결코 강요하지는 않는다. 나는 환자가 단순한 일상적인 저항에 의해서 저지 당하고 있다는 안이한 가정에는 동의하지 않는다. 저항은 특히 완강할 때 주의할 만한 것이다. 치유라는 것은 반드시 모든 사람이 손에 넣을 수 없는 독약일지도 모르며, 금기가 되고 있을 경우에는 치명적인 것이 입증될 수 있는 수술과 같은 것일지도 모른다.

가장 깊은 내부의 체험으로써 인격의 핵심에 도달하려고 하는 곳에서도, 대부분의 사람들은 공포에 압도당하고 도망쳐 버린다. 물론 신학자들도 다른 사람들보다 훨씬 더 곤란한 위치에 있다. 그들은 종교에 가깝지만, 교회나 교리에 구속당하고 있다. 내적 체험의 위험이라든가, 영혼의 모험과 같은 것은 대부분의 인간들에게 있어 친숙한 것이라고 할 수는 없다. 그러한 체험이 심리적인 현실을 가질 수 있다는 가능성은 그들에게는 금물이 되고 있다. 그것이 초자연적인 또는 '역사적'인 기반을 가지고 있다고 한다면 그것으로 족한 것이다. 그러나 '심적'인 경우는 어떤가? 이러한 의문과 마주치게 되었을 때, 환자는 종종 생각지도 않은 깊은 경멸감을 나타내게 될 것이다.

현대 심리요법에 있어서 의사나 심리요법자는 환자나 환자의 감정과 더불어 '전진해야만' 한다는 요청을 받고 있다. 하지만 나는 그것이 항상 정당한 과정이라고는 생각지 않는다. 때로는 의사 측의 적극적 개입이 요구될 때도 있는 것이다.

수년 전, 나는 나의 치료 결과를 통계로 내본 적이 있었다. 대략 평가해 볼 때, 나의 사례의 삼분의 일은 완전 치료되었고, 삼분의 일은 상당히 개선된 편이고, 나머지 삼분의 일은 본질적으로 영향을 받지 못한 것 같았다. 그러나 판정이 곤란한 것은 개선이 인정되지 않았던 사례라고 하겠다. 대부분의 문제들은 몇 년이 지나지 않고서는 환자에게도 이해가 가지 않는다. 왜냐하면 치료는 그때 가서야 효력을 발생하게 되기 때문이다.

　치료 중에 의사가 환자에게 커다란 영향을 미치게 되는 사람들과 만나게 된다는 것은 분명하다. 환자는 좋건 싫건 간에 전례가 없는 발달이나 불행을 체험할 운명에 놓인 인격과 마주칠 때가 있다. 그들은 특이한 재능의 소유자일 수도 있으며, 다른 사람을 교묘하게 충동질하게 될지도 모른다. 이러한 재능들은 기묘하고도 부적절한 방법으로 심리적인 소질 속에 감추어져 있을지도 모르며, 그것이 선천적 재능의 문제인지, 통합성이 결여된 발달상의 문제인지 알 수 없다. 이와 같은 달갑지 않은 토양 속에서 진귀한 꽃이 필 때도 있다. 심리요법이 효력을 발생하기 위해서는 긴밀한 영적 교감을 필요로 한다. 그러나 그것을 위해 의사는 인간의 괴로움의 정도에 대해 그냥 눈을 감아 버릴 수는 없는 것이다. 라포르영적 교감는 끊임없는 비교와 상호 이해에 있는 것이며, 두 개의 대립하는 심적 현실의 변증법적 대결에 있다고 봐진다. 이들 상호간의 생각이 서로 충돌하지 않는다면, 심리요법의 과정은 효과가 없는 상태 그대로이며 아무런 변화도 생기지 않을 것이다. 의사와 환자의 쌍방이 서로에게 문제가 되지 않는다면, 어떤 해결도 얻어질 수는 없다.

　오늘날 소위 신경증 환자 가운데는 다른 시대라면 전혀 신경증을 일으키지 않았을 사람들이 상당수 있다. 만일 그들이 신화에 의해 조상의 세계와 아직 관련을 가지고 있다거나, 그것을 진정으로 체험하고, 자연과의 관련을 가지고 있는 시대와 환경에서 살고 있다면, 분열을 경험하지 않고 살 수 있었을 것이다. 여기서 나는 신화의 상실을 견딜 수 없는 사람들과 과학에 의해 관찰되는 외부 세계로 통하는 길을 발견하지 못하고, 학문과도 관계 없는 말을 사용하던 — 지적인 기만에 대해서도 만족하지 못하는 — 사람들에 대해 언급하고 있는 것이다.

이들 현대의 분화된 마음의 희생자들은 스스로 선택하게 된 신경증 환자에 지나지 않는다. 그들의 피상적인 증상은 자아와 무의식 사이의 틀이 메꾸어지는 순간에 소멸되고 만다. 이와 같은 양분 상태를 철저하게 느끼고 있는 의사는 또한 무의식의 심적 과정의 보다 나은 이해에 도달할 수 있을 것이며, 심리학자가 흔히 빠져들기 쉬운 자만심이라는 위험에서 벗어날 수도 있을 것이다. 원형이 지니고 있는 누미노즘Numinosum을 스스로의 체험에서 얻지 못한 의사도 치료 중에 그것과 만나게 되었을 때는 부정적인 영향을 피할 수 없을 것이다. 그가 지적 관심을 가지고 있다 해도 경험적인 기준이 없기 때문에 과대 평가하기도 하고, 과소 평가하기도 한다.

이것이 위험한 탈선의 시작이며, 첫번째 탈선은 지성을 가지고 지배하려는 시도이다. 이것은 의사와 환자를 원형의 영향이나 현실적인 체험으로부터 안전한 거리에 갖다 놓고, 생활의 현실이 분명한 개념에 의해 잘 감추어진, 인공적이기는 하지만 2차적인 개념의 세계와 심리적 현실을 바꾸어 놓는다는 목적을 달성하고 있다. 체험은 그 실체가 빼앗기고 대신 단순한 명성으로 대체되며 그 후부터는 현실의 장소에 놓여지게 되는 것이다. 어느 누구도 개념에 대해서는 아무런 의무를 가지고 있지 않은 것이다. 그것이 바로 개념성에 동의하기 쉬운 이유이다. 또한 그것은 체험으로부터의 보호를 약속하고 있다. 영은 개념 속에 있는 것이 아니라 행위나 사실 속에 깃들여 있는 것이다. 말만으로서는 아무 소용이 없다. 그럼에도 불구하고 이와 같은 하찮은 수속이 되풀이되고 있는 것이다.

나의 체험으로는 습관성의 거짓말쟁이보다 더욱 어렵고 불쾌한 환자는, 이를테면 지식인이다. 그들에 있어서는 한쪽 손이 또 다른 손은 무엇을 행하고 있는지 모르고 있는 것이다. 그들은 '분리된 심리학'의 발달에 대해서만 노력을 한다. 감정의 통제에 복종하지 않는 지성에 의해서는 아무것도 해결이 되지 않는다. 그런데도 지식인은 감정이 미발달 상태 그대로라고 한다면 지금까지와 마찬가지로 신경증으로 괴로워할 것이다.

환자들이 내 앞에서 끝없는 이미지의 흐름 가운데서 보여 주었던 심적 현상과의 만남에서, 나는 너무나 많은 것을 배웠다. 그리고 그것은 단순한 지식만이 아니라 무엇보다도 자신의 성질에 대한 통찰을 배웠다. 그리고 배울 수 있었던 것의 대부분은 내가 저지른 과실이나 실패에서 온 것이었다. 나는 주로 부인층의 환자를 많이 치료해 왔었다. 그리고 그들은 이상할 정도로 성실성과 이해력, 사고력을 가지고 치료를 받기 시작했던 것이다.

내 환자의 대부분은 나의 제자가 되었으며, 나의 생각을 실천했다. 그들과 나는 몇 십 년이란 세월 동안 교우 관계를 맺고 있다. 환자들은 나를 인간 생명의 현실에다 너무나 가까이 접근시켜 주었기 때문에, 그들로부터 본질적인 사실들을 배우지 않으면 안 되었던 것이다. 심리학적 수준이 다른 사람들과의 만남은 명사들과의 단편적인 대화와도 비교할 수 없을 정도로 중요한 것이었다. 나의 생애 가운데서 가장 훌륭하고 뜻있는 대화는 내 환자들과의 대화였다.

5. 지그문트 프로이트

정신과 의사가 됨으로써 나는 지적 발달의 모험에 나서게 되었다. 순진하게도 정신병자를 임상학적으로 외부로부터 관찰하기 시작했다. 그럼으로써 놀라운 성질을 가진 심적 과정과 마주치게 되었다. 지금까지 나는 '병적'이라고 간단하게 해결된 사례에 대해 적절하게 평가되었다고 여겨진 내용을 깊은 이해 없이 기록하고 분류해 버렸다. 시간이 경과함에 따라, 나 자신이 이해할 수 있는 것을 체험했던 사례에 대해 차츰 흥미를 집중해 갔다.

정신과 의사가 된 초기부터 피엘 자네의 업적과 블로일러 1857~1939:스위스의 정신의학자·정신분열이라는 병명을 처음으로 제창하였음 및 프로이트의 연구가 나에게 많은 암시와 자극을 제공해 주었다. 그중에서도 프로이트의 '꿈 분석'과 '꿈 해석'의 기법은 분열증적 표현 형태에 귀중한 빛을 던져주고 있다는 것을 발견했다. 1900년에 나는 프로이트의 《꿈의 해석》을 읽었지만, 당시에는 잘 이해하지 못했기 때문에 중도에서 포기하고 말았다. 25세의 나이로서는 프로이트 이론의 진가를 인식하기에는 충분한 체험이 결여되어 있었던 것이다. 그와 같은 체험은 훨씬 후에도 얻어지지 않았다.

1903년에 다시 《꿈의 해석》을 읽었을 때, 나는 그것들이 얼마나 자신의 생각과 잘 연결되어 있는가를 발견했다. 주로 나의 흥미를 일으키게 했던 것은 신경증의 심리학에서 유래하는 억압의 기능이라는 생각을 꿈에다 적용했다는 문제였다. 이미 나는 연상 실험에서 자주 억압의 문제와 마주치고 있었기 때문에 이것은 중요한 문제였다. 프로이트의 《꿈의 해석》을 읽고, 여기에 억압의 메커니즘이 작용하고 있다는 사실과, 내가 관찰해 왔던 사실이 그의 이론과 부합되고 있다는 것을 알았다. 이렇게 해서 나는 프로이트의 논리를 확인할 수 있었다.

그러나 논의가 억압의 내용에 오게 되면서 사태는 달라졌다. 여기에 있어서 나는 프로이트에 동의할 수가 없었다. 그는 억압의 원인을 성적 외상이라고 생각하고 있었지만, 나의 경험을 통해 볼 때 그것은 다른 요인 때문에 생긴 생활상의 괴로움, 체면 등의 문제 때문에 나오게 되며, 성욕의 문제가 제2차적인 역할을 행하게 되는 수많은 사례를 나는 알고 있었다. 나중에 나는 그러한 사례들을 프로이트에게 제시했었는데, 그는 성욕 이외의 다른 요인은 인정하려 들지 않았다. 이 사실은 나에게는 커다란 불만이었다.

처음부터 나는 프로이트를 적절하게 대우한다는 것과 그에 대해 극진한 태도를 취한다는 것은 쉬운 일이 아니었다. 그의 저작에 친숙해졌을 무렵, 나는 학자로서 생애를 보내려고 계획을 세우고, 대학에서의 승진을 의미하는 논문을 완성하기 위해 준비를 하고 있었다. 더욱이 프로이트는 당시 학회에 있어서 좋지 않은 인물로 평가되었으며, 그와 접촉한다는 것은 과학하는 동료들 사이에서는 명예 손상이 되는 일이었다.

내가 〈조발성 치매증의 심리학〉 가운데서 논한 의견에 대해서는 그리 찬성을 얻지 못했다. 사실상 동료들은 나를 조소했다. 그러나 나는 이 책을 통해 프로이트를 알게 되었다. 그는 나를 초대하였는데, 1907년 2월에 우리들의 최초의 회합이 이루어졌다. 우리들은 오후 1시에 만나 장장 13시간이라는 긴 시간 동안 끝날 줄 모르는 담화를 계속했다. 프로이트는 내가 만난 사람들 중 최초의 중요한 인물이었다. 그는 지극히 총명하고 날카로운 통찰력을 지녔을 뿐만 아니라 아주 비범한 데가 있었다.

그 후 우리가 친밀하게 되었을 때, 프로이트는 내가 그의 후계자라는 것을 자주 암시했다. 이와 같은 암시는 내게 오히려 짐이 되었다. 나는 그가 의도하는 견해를 옹호할 수 없다는 사실을 알고 있었다. 그리고 나는 그를 납득시킬 만한 방법으로 내 비판을 밀고 나가는 데 성공하지 못하고 있었으며, 프로이트에 대한 존경심은 너무나 컸으므로 나 자신의 생각을 이해해 주도록 강요할 수도 없었다.

나는 파당의 우두머리라고 하는 무거운 짐을 실제로 내가 짊어져야 한다는 생각에 결코 매력을 느끼지 못하고 있었다. 첫째로 그러한 일은 나의 성격에 맞지 않았으며, 둘째로 나는 지적 독립성을 희생할 수 없었으며, 셋째는 그러한 영광이 나의 참다운 목적을 왜곡시킬 뿐 나에게는 전혀 고마운 일이 아니었기 때문이다. 나는 진리의 탐구에 종사하고 있었던 것이지, 개인적인 명성 같은 것은 아무 관심도 없었다.

이제야 나는 프로이트의 개인심리학이 왜 나에게 이토록 깊은 흥미를 일으키게 했는가를 알 수 있었다. 나는 그의 '체계가 선 해석'에 대한 진리를 알고 싶었으며, 그 회답을 얻기 위해서는 많은 희생을 치를 각오가 되어 있었다.

프로이트가 이론과 방법을 동일시하고 그것들을 어떤 종류의 교리로 완성하려는 의향을 내게 말했을 때, 나는 더 이상 그와 협력할 수 없으며, 나로서는 물러서는 길 외에 다른 선택의 여지가 없었다.

리비도에 관한 책을 쓰면서 〈희생〉의 장의 종반부에 가까워지고 있을 무렵, 나는 그 책의 출판이 프로이트와의 우정을 희생시키리라는 것을 예감하고 있었다. 왜냐하면 근친상간에 대한 나의 생각이라든 가, 리비도 개념에 대한 결정적인 변모, 그 밖에 나와 프로이트 사이 에 서로 다른 여러 가지 생각을 기록할 계획을 세워 놓고 있었기 때 문이다. 나에게 있어서 근친상간이란 극히 드문 사례에 있어서만 개 인적인 말썽의 원인을 의미하는 것이었다. 대개 근친상간은 고도의 종교적 측면을 가지고 있으며, 따라서 근친상간의 주제는 거의 모두 가 우주진화론이나 수많은 신화 속에서 결정적인 역할을 행하고 있 었다. 그러나 프로이트는 문자 그대로 해석에 집착하고 있었으며, 상 징으로서의 근친상간의 의미를 파악하지 못하고 있었다. 나는 이 문 제에 대한 나의 어느 생각도 그가 받아들이지 않으리라는 것을 알고 있었다.

　나는 2개월 동안이나 갈등으로 인한 고민 때문에 펜을 잡을 수 없 었다. 나는 나의 생각을 알림으로써 소중한 우정을 잃어버릴지도 모 른다는 도박을 걸어야 하는 입장이었으므로, 무척 고민했다. 그러다 결국 집필을 결심하고, 그것은 실제로 나와 프로이트와의 우정의 상 실을 가져다 주었다.

　프로이트의 가장 위대한 업적은 신경증 환자를 진지하게 다루고, 그의 독특한 개인심리학에다 적용시켰다는 데 있다. 그는 환자에게 스스로 말하게 하는 용기를 주었다. 그리고 그 덕분으로 그는 환자의 참다운 심리를 간파할 수 있었던 것이다. 이를테면 그는 환자의 눈을 관찰했으며, 그 결과 과거보다 한층 더 깊은 정신병의 이해에 도달할 수 있었다. 이 점에 있어서 그는 선입관을 벗어나는 용기가 있었으며, 많은 편견을 극복하는 데 성공했었다. 구약성서의 예언자처럼, 그는 마음의 부패를 폭로하면서 거짓 신을 타도하고, 수많은 부정과 기만의 베일을 벗기는 의무를 떠맡고 있었다.

그는 그와 같은 임무에 수반되는 주위의 악평에도 불구하고 조금
도 위축되지 않았다. 그가 문명에 끼쳤던 충격은 그의 무의식의 발견
으로부터 시작되었다고 볼 수 있다. 꿈을 무의식적 과정에 대한 가장
중요한 정보원으로 간주함으로써, 그는 회복할 수 없을 정도로 잃어
버렸다고 생각되는 도구를 인류의 손에 되찾아 주었다. 특히 그는 칼
스라든가 에르하르트 폰 하르트만1842~1906: 독일의 철학자의 철학에
있어서 철학적 가정으로서만 존재하고 있었던 무의식적인 마음의 존
재를 경험적으로 증명했다.

6. 무의식과의 대결

프로이트와 결별한 후 오랜 기간 동안, 나는 내적인 불확실한 감정
에 사로잡혀 있었다. 그것은 방향 상실의 상태라고 불러도 과장은 아
니었다. 나는 완전히 허공에 뜬 채, 발 디딜 곳을 찾지 못한 느낌이었
다. 특히 환자에 대해 새로운 태도를 발전시켜야 할 필요성을 느끼고
있었다. 나는 환자들에게 맞는 이론적인 전제는 하나도 가지고 있지
않았으므로 그들이 자연스럽게 이야기하게 되기를 기다리며 그것을
관찰해 가리라고 결심했다.

내가 공상에 대해서 연구하고 있었던 이 무렵, 나는 이 세상을 사
는 데 지주가 될 수 있는 점을 필요로 하고 있었는데, 바로 나의 가족
과 직업상의 일이 그러한 지주가 되었다. 나에게 있어 기묘한 내적 세
계와 대치되는 것으로서, 현실 세계에서 평범한 생활을 한다는 것을

가장 중요한 일이었다. 나의 가족과 나의 직업은 내가 항상 되돌아갈 수 있는 근거지였다. 그것들은 내가 실제로 존재하는 보통의 인간이라는 것을 확신시켜 주고 있었다. 무의식의 내용은 나의 정상성을 잃게 할 수도 있는 것이었다.

그러나 나의 가족과 내가 알고 있는 사실들은 나에게 여러 가지를 요구해 오고 있는 현실이었으며, 또한 내가 실제로 존재하고 있다는 것과, 니체와 마찬가지로 정신의 바람이 부는 대로 휩쓸리고 있는 백지가 아니라는 것을 나에게 입증해 주는 것들이었다. 나에게 있어서는 이러한 비현실성은 공포 그 자체였다. 아무리 열심히 열중해도, 그리고 감동되고 있다고 할지라도 나 자신이 경험하고 있는 것은 결국 이 현실의 생활을 지향하고 있음을 알기 때문이다. 나는 내 생활의 의무와 직면하고 또한 그 의미를 충족시키려 했다. 나의 모토는 '여기에 로두스상징적인 섬가 있다. 자, 도약해 보아라'였다.

그리하여 나의 가족과 나의 직업은 항상 즐거운 현실이 되고 있었으며, 나 역시 보통의 생활 방식을 영위하고 있다는 보증도 되었다. 매우 천천히, 내적인 변화에 대한 관찰이 나의 내부에서 형성되어 가기 시작했다. 1916년에 나는 형태가 있는 것으로 만들어 보고 싶다는 강한 욕구를 느꼈다. 나는 필레몬그리스 신화에 나오는 농부에 의해 진술되었을지도 모르는 것을 명확하게 표현하도록 내면으로부터 강요받은 것도 같았다. 이렇게 해서 특이한 표현으로 씌어진 〈사자와의 일곱 개의 담화Septem Sermones ad Mortuos〉가 완성되었다. 이것은 일종의 불안감에 의해서 시작되었다. 그러나 그 책이 무엇을 의미하는지, 또한 그런 관찰이 무엇을 바라고 있는지 나는 알 수 없었다.

나는 무의식 속의 이미지에 마음을 빼앗기고 있었던 8년 동안1905

년 이후에 걸쳐 강사로서 강의를 해왔던 대학을 떠나기로 결심했다. 무의식에 대한 나의 경험이나 실험은 나의 지적인 활동에다 종지부를 찍었던 것이다. 〈리비도의 변천과 상징〉을 완성한 후, 나는 과학적인 책은 도무지 읽을 수가 없었다. 이것은 3년 동안이나 계속되었다. 나는 더 이상 지적인 사람들의 대열에 끼어 살아갈 수 없으며, 또한 나의 마음을 차지하고 있었던 사실을 이야기할 수도 없으리라고 생각했다. 나는 무의식으로부터 백일하에 드러난 소재 때문에 놀라고, 문자 그대로 '말문이 막힌' 상태에 있었다. 나는 그것을 이해하지도 못하고, 표현할 수도 없었다. 나는 대학에서도 위험한 상태에 놓이게 되었다. 대학에서 강의를 계속하기 위해 무엇보다도 우선 새롭고, 과거와는 다른 방향 설정을 해야만 했다. 나 자신의 지적인 상태가 온통 의문의 집합이었으므로, 젊은 학생들에게 강의를 계속한다는 것은 부당한 일처럼 여겨졌다.

따라서 나는 나 자신 앞에 평탄한 길이 열려 있는 아카데믹한 경력을 계속하거나, 나의 내적 인격의 법칙보다 높은 이성에 의해 무의식과의 대결이라는 기묘한 작업에 매진하거나, 둘 중의 양자 택일을 강요당하고 있었다. 이것이 해결되기까지 나는 공적인 장소에 나설 수 없었다. 그리하여 나는 나의 아카데믹한 경험을 포기하고 말았다. 무언가 위대한 것이 인간의 마음 내부에서 일어나고 있다는 것을 느끼고, 영원한 이미지로 증명될 수 있는 보다 더 중요한 것을 느끼고 있었기 때문이다. 나는 그것이 나의 인생을 충족시키리라는 것을 알고 있었으며, 그 목적을 위해서는 어떤 위험이라도 맞을 각오가 이미 되어 있었다.

내가 경험하고 기록해 두었던 사실들을 나의 과학적인 연구라고 하는 용기 속에서 증류하는 데는 사실상 45년이라는 세월이 걸린 셈이었다. 젊은 시절의 나의 목표는 과학적인 어떤 일을 성취하는 것이었다. 그러나 나는 이 용암의 흐름과 만나고, 마침내 그 용암의 열기는 나의 인생을 개조해 버리고 말았던 것이다. 이것은 나로 하여금 그것을 연구하도록 강요했던 근본적인 재료였다. 그리고 나의 연구는 극도의 정열을 가지고 해야 하는 이 연구 자료를 세계 속에서 구성하는 데 다소나마 성공을 이루도록 하는 일이었다.

내가 자신의 내적 이미지를 추구하고 있었던 무렵은 나의 생애에 있어서 가장 중요한 시기였다. 즉, 그 무렵에 모든 본질적인 것이 결정되었고, 모든 것이 거기서부터 시작되었다. 그 후의 세부적인 것은 모두 무의식으로부터 갑자기 나타나서 나를 압도해 버렸던 소재를 보완해 주고 설명해 주었다.

7. 연구

인생의 후반에 접어들면서부터, 나는 무의식의 내용과 대립되는 연구에 종사하게 되었다. 이것에 대한 연구는 장기간에 걸친 것이 되었고, 나의 공상에 대한 이해를 어느 정도 얻게 된 것은 약 20년이 경과한 후의 일이었다.

나는 자신의 내적 경험에 대한 역사적인 예시의 사실들을 발견해야만 했다. 즉, 나는 '나의 이와 같은 전개가 역사적으로 볼 때 이미 어디선가 발생하고 있는 것이 아닐까?'라는 의문을 스스로에게 물어보아야만 했다. 만일 그러한 사실을 발견할 수 없었다면 나 자신의 생각을 결코 구체화시켜 나갈 수도 없었을 것이다. 따라서 연금술과의 만남은 나에게 결여되어 있었던 역사적 기초를 제공해 주었다.

분석심리학은 기본적으로는 자연과학이었다. 그러나 그것은 다른 어떤 과학보다도 관찰자의 개인적인 선입관에 영향을 받게 된다. 따라서 분석심리학자는 그 판단에 있어서 가장 미숙한 실패를 저지르지 않기 위해 될 수 있는 한 역사적 및 문학적으로 비교할 수 있는 것에 의존하지 않으면 안 된다.

1918년부터 1926년에 이르는 동안, 나는 그노시스인식, 깨달음의 제자들에 대해서 진지한 연구를 했다. 왜냐하면 그들도 무의식이라고하는 근원의 세계와 대결하고 있었으며, 그 내용이나 심상을 취급하고 있었기 때문이다.

근대심리학은 프로이트에 의해서 창시되었으나, 그는 거기에 덧붙여서 성에 관한 고전적인 그노시스의 주제와 무서운 부성父性의 권위를 도입했다. 그노시스의 '야훼'라든가, '창조주'의 주제는 프로이트파의 신화에 있어서의 근원적인 부성과 그곳으로부터 이끌어 올 수 있는 음울한 초자아를 재현하고 있다.

《황금의 꽃》이라는 책을 읽은 후, 연금술의 성질에 대해 어렴풋이 알기 시작했다. 《황금의 꽃》이라는 것은 1928년에 리하르트 빌헬름이 보내준 중국의 연금술의 실례이다. 나는 연금술의 원본을 더욱 자세히 알고 싶은 욕망에 사로잡혔다. 나에게는 안내의 실마리를 제공해 줄 수 있는 사람이 없었기 때문에, 연금술적인 사고 과정의 미로속에서 나 자신의 길을 대략 찾아내기까지도 상당히 오랜 시간이 걸렸다.

나는 곧 분석심리학이 아주 새로운 방법으로 연금술에 부합하고 있다는 것을 발견했다. 연금술사의 경험은 어떤 의미에 있어서는 나의 경험이었으며, 그들의 세계는 나의 세계이기도 했다. 비로소 나는 이들 심적인 내용을 역사적 전망 속에서 바라다볼 때, 그것이 무엇을 의미하는가를 이해할 수 있었다. 원시 심상과 원형의 성질이 나의 연구의 중심을 차지하고, 역사 없이는 심리학이 존재할 수 없다는 사실과 특히 무의식적인 심리학은 존재할 수 없다는 것을 확인하게 되었다.

나의 진정한 학술적인 연구는 1903년의 연상 실험으로부터 시작되었다. 나는 그것을 자연과학 분야에 있어서의 첫번째 과학적인 연구로 간주하고 있다. 〈언어 연상의 연구〉에 이어 나는 그 기원에 대해서 두 개의 논문 〈정신분열증의 심리학〉과 〈정신병의 내용〉을 발표했다. 1912년에는 《변모의 상징》이 출판되었고, 이어서 프로이트와의 우정은 종말을 고하고 말았던 것이다. 그때부터 나는 혼자서 나의 길을 가야만 했다.

나는 나 자신의 무의식의 심상에 대한 강력한 관심을 출발점으로 했다. 이 기간은 1913년부터 1917년까지 계속되었으며, 그때부터 환상의 흐름은 쇠퇴해 갔다. 내가 그 경험 전체를 객관적으로 관찰할 수 있게 되었으며, 그것에 대해 반성하기 시작한 것은 환상의 흐름이 물러가고 마법의 산 속에 갇히는 일이 없어진 후부터였다. 내가 최초에 자문했던 것은 '우리들은 무의식을 상대로 무엇을 하고 있는 것인가'라는 것이었는데, 《자아와 무의식과의 관계》라는 책으로 그 대답을 정리했다. 그 속에서 나는 전형적인 무의식의 내용을 몇 가지 진술했다. 그리고 그것들에 대해서 의식이 어떤 태도를 취하는가 하는 것이 매우 중요하다는 것을 제시했다.

동시에 나는 1912년에 출간된 《심리학적 유형》의 준비로 분주했다. 이 책은 의식의 여러 가지 면과 의식이 외부 세계에 대해서 취하게 될 여러 가지 태도에 대해서 논하고 있는 의식의 심리학으로 구성되어 있다.

이 책은 개인에 의해서 이루어지는 모든 판단이 그 사람의 퍼스낼리티personality：人性의 유형에 의해서 좌우되고 있으며, 또한 사람의 어떤 관점도 반드시 상대적인 것이라는 깨달음을 얻게 했다.

내가 《변모의 상징》이후 계속 관심을 두어 왔던 문제는 리비도의 이론이었다. 나는 리비도를 물리적 에너지로서 생각하고 있었다. 그러므로 거의 양적인 개념으로서 생각했으며, 질적인 면으로 정의될 수 없다고 생각했다.

나의 연구가 이윽고 세계관의 문제와 심리학 및 종교와 관련을 갖기 시작한 것은 내 연구가 비로소 본질적인 측면을 다루기 시작했음을 의미했다. 나는 1938년의 《심리학과 종교》에 이어서, 1942년의 《파라케르시아》를 통해서 이들 문제에 대해 상세하게 논했다. 이 저서 중에서 두 번째 논문 〈정신현상으로서의 파라케르수스〉는 이러한 관점에서 볼 때 특히 중요하다. '파라케르수스'는 낡고 특이한 문체지만, 연금술사에 의해서 제기된 문제에 대한 독창적인 생각을 풍부하게 지니고 있다.

'파라케르수스'의 덕분으로 나는 드디어 종교와 심리학의 관계에 있어서 연금술의 본질을 논할 수 있게 되었다. 이것을 나는 《심리학과 연금술1944》 가운데서 논했다. 이렇게 해서 나는 1913년부터 1917년까지의 나 자신의 경험을 뒷받침하는 기초에 도달할 수 있었다. 그 이유는 그 기간 동안 내가 경험했던 과정과 '파라케르수스'의 책 속에 씌어져 있는 연금술의 변모의 과정이 서로 부합했기 때문이다.

나는 그리스도의 문제를 다시 〈아이온〉에서 거론했다. 여기에서 나는 여러 가지 역사적인 비교보다는 그리스도의 생애와 심리학과의 관계에 관심을 두고 있다. 나는 또한 그리스를 그 모든 외적인 요소를 벗겨 버린 모습으로 보려고 하지 않았다. 그보다는 오히려 수세기에 걸쳐 그가 제시해 왔던 종교적인 내용의 발전을 분명히 하려고 하였다. 그리고 그리스도에 대해서 점성술적으로 예언이 가능했다는 것이 틀림없다는 사실과, 그를 그 시대 정신에 관련시켜서만이 아니라 2천 년에 걸친 기독교 문화의 흐름과의 관련으로서도 그를 어떻게 이해할 수 있는가를 제시한다는 것은 나에게 있어 매우 중요한 일이었다. 이것이 바로 내가 묘사하고 싶었던 것이었으며, 여기에 덧붙여서 몇 세기에 걸치는 동안 예수의 주변에서 축적되어 왔던 흥미진진한 연구들의 모든 것을 진술한 셈이었다.

나의 심리학은 연금술에 대응하는 것임을 제시하는 데 그 목적이 있었으므로, 나는 종교적인 문제와 더불어 연금술사의 작업에서 심리요법의 어떤 특수한 문제가 취급되고 있는가를 발견하려 했다. 의학적인 심리요법의 주요한 점은 '전이'의 문제이다. 이 점에 관해서 프로이트와 나는 전적으로 동감이었다. 나는 연금술 역시 전이와 연관된 무언가를 가지고 있음을 분명히 말할 수 있었다. 그것은 즉 결합conjuntion의 개념이며, 그것의 중요성에 관해서는 지르벨러가 이미 주목하고 있었다. 이와 같은 사실은 나의 저서 《심리학과 연금술》에 수록되어 있다. 2년 후인 1946년, 이 문제에서 더 나아가 《전이의 심리학》에서 심화시켰으며, 마침내 나의 연구는 《결합의 신비》로 발전되어 나갔다.

나는 《욥에의 답변》을 쓰기까지 내적인 저항을 극복해야만 했었다. 《욥에의 답변》의 내적인 근거는 〈아이온〉 가운데서 발견된다. 거기에서 나는 기독교의 심리학을 취급했다. 그리고 욥이야말로 그리스도의 일종의 계시였던 것이다. 그리스도는 신의 고뇌하는 종이며, 욥도 마찬가지였다. 그리스도의 고뇌는 세계의 죄가 그 원인이었다. 이것은 필연적으로 다음과 같은 의문을 일으키고 있었다.

'도대체 이 죄의 책임은 누가 질 것인가?' 결국 세계를 창조하고, 또한 그 죄를 창조했던 것도 신이었으므로 인류의 운명을 짐지기 위하여 스스로 그리스도로 탄생한 것이었다. 욥에 있어서는 양면적인 신의 상이라는 것이 결정적인 역할을 하고 있다. 욥은 신이 — 이를테면 신에게 거역했을 때 — 그의 편에 서기를 기대하고 있다. 바로 이 점에서 신의 모순되는 비극적인 상이 존재하게 된다. 이것이 《욥에의 답변》의 주요한 주제였다.

나에게 이 책을 쓰도록 강요했던 외적인 압력도 존재하고 있었다. 일반 사람들과 환자들이 궁금해하는 질문 즉, 근대인의 종교적인 문제에 대해 나 자신이 더욱 명확하게 표명하지 않으면 안 되겠다는 생각을 갖게 되었다. 그러나 나는 그렇게 하기를 몇 년 동안이나 망설였다. 그러나 드디어 그 문제는 어렵기는 하지만 그 긴급성에 있어서 나를 사로잡고, 나는 회답을 강요당하는 궁지에 몰리고 말았다. 나는 그 문제를 감정에 의해서 윤색되었던 체험으로써 거기에 답변했다. 이와 같은 형태를 의도적으로 선택한 것은 내가 열심히 무언가 영원한 진실을 선언하려 하는 인상을 주기 위해서였다.

나의 《욥에의 답변》이 같은 시대의 사람들에게 무엇인가 생각을 불러일으킬 것을 바라고 기대하고 있었던 것이다. 형이상학적인 진실을 발표하려는 생각은 추호도 없었다. 그러나 신학자들은 바로 이것을 나에게 떠맡기려고 했다. 왜냐하면 신학적인 사상가들은 영원한 진실을 취급하는 데 있어서 너무나 익숙해져 있기 때문에 다른 종류의 것은 모르기 때문이다. 원자는 이러이러한 구조를 가지고 있다고 말할 때, 혹은 원자의 모델을 나타낼 때, 물리학자 역시 어떤 영원한 진실 같은 것을 제시하려는 것은 아니다. 그러나 신학자들은 자연과학, 특히 심리학의 생각을 이해하지 못하고 있다. 분석심리학의 소재, 그 주요한 사실은 진술로써 이루어지고 있는 것이다.

〈아이온〉에서 나는 따로 분리해서 취급해야만 하는 문제들을 해명하려고 나섰던 것이다. 즉, 그리스도의 출현이 새로운 시대, 말하자면 '물고기' 시대의 시작과 어떻게 일치하고 있는가를 설명하려고 시도했다. 그리스도의 생애와 객관적인 천문학적 사상 사이에는 동시성이 존재하고 있었다. 따라서 그리스도는 물고기이며, 새로운 시대의 지배자로서 출현했던 것이다. 이것은 동시성의 문제를 제기하고 있으며, 나는 그것에 대해서 〈동시성, 비인과적 연관의 원리〉라는 논문 가운데서 논한 바 있다.

〈아이온〉에서 그리스도의 문제는 '안트로포시'의 현상이 어떻게 개인의 체험 속에 나타나는가 하는 문제와 연결되어 나갔다. 이것에 대해서 나는 《의식의 근원에 대하여》라는 저서 가운데서 해답을 찾으려 시도했다. 여기에서 나는 의식과 무의식의 상호작용, 무의식에서부터의 의식의 발달, 위대한 인격, 즉 내부세계의 사람이 각 개인의 생활 방식에 미치는 강한 영향에 대해서 논했다.

이 연구는 《결합의 신비》에 의해서 완결되었다. 나는 그 속에서 또 다시 전이의 문제를 거론했다. 그러나 나는 처음부터 의도에 따라서 연금술의 모든 영역을 일종의 연금술의 심리학, 혹은 심층 심리학의 기초로서 제시하려 했다. 〈결합의 신비〉에서 나의 심리학은 드디어 현실 속에서 그 영역을 얻었으며, 그 역사적 기초를 확립했다. 따라서 나의 임무는 완료된 셈이었으며, 연구는 이루어졌다. 그리고 나서 비로소 이 연구는 독립할 수 있게 되었다. 심리학의 밑바닥까지 건드릴 수 있었을 때 나는 과학적인 이해의 한계에 도달했다. 그것은 초월적이며 원형의 성질 바로 그것이며, 그것에 대해서는 그 이상의 과학적인 설명을 할 수 없게 된 것이다.

나의 모든 저술은 나의 내부 세계로부터 부과된 임무라고도 생각될 수 있을지도 모른다. 즉, 내가 글을 쓴 것은 운명적인 강요였던 것이다. 내가 썼던 것은 나 자신의 내부로부터 엄습해 온 것이었다. 나는 나에게 말하게 했던 정신을 허용했다. 나는 나의 저술에 대한 강력한 반응을 기대한 적은 없었다. 나의 저서는 우리들의 시대를 보상하고 있으며, 나는 누구도 듣고 싶어하지 않은 것을 부득이 말하지 않으면 안 되었던 것이다. 그런 까닭으로, 특히 초기에는 극심한 고독감을 자주 맛보았다. 환영받지 못하리라는 것을 너무나 잘 알고 있었다. 그에 비해 그에 비해 오늘날 나에게 주어진 성공은 너무 크다. 그것은 나의 기대를 훨씬 초월한 것이었다. 나는 내가 할 수 있는 모든 것을 다 했다고 생각하고 있다. 평생을 두고 하는 연구는 의심할 바 없이 더 크고, 더 훌륭한 것이 되어야 했을지도 모른다. 그러나 이것 이상의 일은 나의 능력의 한계 밖이라고 생각한다.

8. 만년의 사상

　오늘날 우리들은 심리학이 우리들의 존재 그 자체와 관련이 있는 것으로써 심리학을 필요로 하고 있다. 우리들은 나치즘과 볼세비키즘 앞에서 곤혹을 느낀 채 무감각하게 우두커니 서 있을 따름이다. 만일 우리들이 자아에 대한 지식을 가지고 있었더라면 그렇게 되지는 않았을 것이다. 정치가는 최고의 순수함을 가지고 '악에 대한 상상'조차 할 수 없었노라고 자랑스럽게 선언하고 있다. 이와 마찬가지로 우리들은 악에 대해서는 상상조차 하지 못하고 있다. 그러나 악은 우리들을 손아귀에 넣고 있다. 오늘날에 있어서 악은 눈으로 보여지는 위대한 힘이 되고 있다. 인류의 반은 인간의 추종에 의해서 날조된 교리를 게걸스럽게 먹고 강하게 성장하고 있으며, 또 다른 반은 현대의 상황에 어울리는 신화의 결여로 병을 앓고 있는 것이다.

　우리들의 신화는 침묵해 버리고 대답을 하지 않고 있다. 성서에도 기록되어 있는 것처럼, 죄는 신화에 있는 것이 아니라 전적으로 우리들에게 있는 것이다.

　오늘날 우리들은 '악은 어디서부터 오는가'라는 문제와 직면하지 않을 수 없다. 그러나 우리들은 빈손으로 수수방관하고 있을 따름이며, 신화를 이토록 필요로 하고 있음에도 불구하고 어떤 신화도 도움이 될 수 있도록 나타나지 않으리라는 것도 이해하지 못하고 있다. 정치적 정세라든가, 악마적이라고까지는 할 수 없다고 하더라도 무서운 과학의 승리 때문에 우리들은 은밀한 공포와 어두운 예감에 무서워 떨고 있는 것이다. 그러나 우리들은 그곳으로부터 빠져나오는 길을 알지 못하고 있다. 그리고 오랫동안 망각하고 있었던 문제를 이제

와서 인간의 영혼이었다고 결론 내리는 사람도 이제는 거의 없다.

사랑에는 최대의 것과 최소의 것, 가장 먼 것과 가장 가까운 것, 그리고 가장 높은 것과 가장 낮은 것이 공존하고 있으므로, 우리들은 그 한쪽 면에 대해서만 말하고 다른 면에 대해서는 언급하지 않는다. 그런데 그 일부에 대해서 표현한다는 것은 항상 지나치게 많게 되거나 지나치게 적게 되기가 일쑤이며, 그러므로 전체만이 의미심장한 것이라고 할 수 있다. '사랑은 모든 것을 참으며… 모든 것을 견디느니라고린도 전서 13 : 7' 이러한 말씀은 할 수 있는 말을 다하고 있으며, 그곳에다 첨가할 수 있는 것은 아무것도 없다. 우리들은 가장 깊은 의미에서 우주 생성의 '사랑'의 희생이며 도구인 까닭이다. 여기에서 '사랑'이라는 말을 특히 강조한 것은, 사랑이라는 말을 욕정이나 두터운 정, 또는 희망 따위의 의미로 사용한 것이 아니라, 무언가 개인을 초월하고 통일된, 분할할 수 없는 전체로서 나타내고 싶었기 때문이다. 사람은 스스로가 이것의 일부분이 됨으로써 전체를 파악할 수 없으며, 단지 사람은 그것에 좌우되고 있을 뿐이다. 사람은 그것에 동의하기도 하고, 반역하기도 한다. 그러나 사람은 항상 그것에 사로잡히고 있으며, 또한 그 속에 포함되고 만다. 한마디로 사람은 사랑에 의존하고 뒷받침되고 있다.

사랑은 인간의 빛이며 어둠이고, 그것이 언제 끝날지 알지 못한다. ― '사랑은 언제까지든지 떨어지지 아니하나 …… 고린도 전서 13 : 8' 사람이 '천사들의 말'을 가지고 말을 하더라도, 세포의 생명은 그 궁극적인 원천까지 뒤따라가게 된다. 인간은 사랑에 대해서 자기 뜻대로 모든 명칭을 만들어 그것에다 이름을 붙일 수는 없다. 그러나 결국에는 스스로를 끝없는 자기 기만 속에 휘말려 들어갈 따름이다.

만일 조금이라도 지혜를 가진 사람이라고 한다면 그 사람은 행복하게 미지의 것에 대해서 한층 더 미지의 이름으로 이름 붙이게 될 것이다. 즉, 신의 이름을 사용할 것이다. 이것은 인간의 행복과 불완전성과 의존성의 고백인 것이다. 그러나 동시에 사람이 참과 거짓 중의 어느 하나를 선택할 수 있는 자유를 가지고 있다는 증거가 된다.

제2장 융 심리학의 이해

Calvin S. Hall
Vernon J. Nordby

1

퍼스낼리티의 구조

    사람의 퍼스낼리티에 관한 완전한 이론은 다음 세 가지 문제에 대해 대답해야 한다. (1) 퍼스낼리티의 구조를 이루고 있는 구성 요소는 어떠한 것일까, 그리고 그 요소들은 서로 어떻게 상호작용하고 있을까? (2) 외계와는 어떻게 상호작용하고 있을까? 퍼스낼리티를 활동시키는 에너지의 근원은 대체 무엇이며, 그 에너지는 여러 가지 구성 요소들에 어떻게 분배될까? (3) 개인의 일생에 있어서 퍼스낼리티는 어떻게 생기며 어떻게 변화할까?

    이 세 가지의 문제는 각각 구조적·역학적·발달적 문제라고 부를 수 있다. 융 심리학은 이 문제들 전부에 대답하고자 애쓰고 있으므로 포괄적인 퍼스낼리티의 이론이라고 볼 수가 있다. 이 장에서는, 융이 퍼스낼리티의 구조를 설명하기 위해 내놓은 여러 '개념'들을 논의하기로 한다.

    우선 과학적으로 '개념'이란 무엇인가에 관해 약간 설명해 두겠다. '개념'이란 어떤 종류의 자연 현상에 관해 관찰한 모임의 사실들을 상세히 설명하기 위한 관념·추론 내지 가정을 가리키는 용어이다. 그러므로 '개념'이라는 말은 일반적이거나 또는 추상 용어이기도 하다. 이를테면 다윈의 진화라는 말은 씨의 기원에 관한 복잡한 관찰과 설명을 가리키고 있다. 그러므로 '개념'을 이해하기 위해서는 그 기반이 된 관찰에 관해 어느 정도 알고 있어야 한다. 바꿔 말하면 이는 개념을 논의할 때에는 일반에서 특수로 나가야 함을 뜻한다. 과학자가 개념을 만들었을 때에 한 것과는 정반대이다. 여기서 융의 개념을 설명할 때에, 우리는 그렇게 할 작정이다. 우선 일반적인 말로 개념을 논의하고, 다음에 그 구체적인 예들을 보이고자 한다.

널리 적용할 수 있는 개념이 가장 쓸모 있는 개념이다. 융의 개념들은 이 특징을 지니고 있다. 그것들은 적용 범위가 매우 넓다. 그 때문에 그 개념들의 갖가지 적용 사례와 파생되는 모든 이론을 논의하기는 도저히 불가능하다.

융의 개념들이 자신의 퍼스낼리티와 자기가 알고 있는 사람들의 행동에 어떻게 표현되어 있는가를 고찰해 본다면 독자들은 퍼스낼리티와 개성에 관한 지식이 훨씬 높아짐을 깨달을 수 있을 것이다.

융도 명확히 이해하고 있던 것처럼 개념에도 함정이 있다. 개념이 우리의 관찰을 치우치게 하거나, 또는 우리가 '존재하지 않는 것을 보고, 존재하는 것을 보지 않게 될지도 모른다.' 그렇기 때문에 융은 자기의 개념에 대해 지나치게 고집하는 위험을 경고하면서, 이론보다 관찰 사실이 우선한다고 주장하고 있다.

1. 정 신

　융의 심리학에서는 퍼스낼리티 전체는 '정신'이라고 불린다. '프시케'라는 라틴어는 본래 '영혼'을 뜻했지만 근대에서 마음의 과학을 '심리학'이라고 말하듯이, 지금은 '마음'을 뜻하게 되었다. 정신은 의식적·무의식적인 모든 생각과 감정 및 행동을 포함하고 있다. 정신은 개인을 규정하며 그 사회적·물리적 환경에 적응시키는 지침의 구실을 다한다. '심리학은 생물학도 생리학도 아니다. 정신에 관한 인식 이외의 다른 과학이 아니다.'[1]

　정신이라는 이 개념에서 인간은 애당초부터 하나의 전체라는 것이 융의 근본사상이다. 인간은 여러 부분들의 모임이 아니다. 벽과 기둥 등의 부분을 모아서 집을 만들 듯이 경험과 학습을 통해서 여러 부분들을 추가해서 인간을 만들 수는 없다. 퍼스낼리티는 처음부터 하나의 전체라는 이 개념은 아주 케케묵은 소리처럼 들릴지도 모르지만, 인간의 퍼스낼리티는 각 부분이 차례로 획득되며, 나중에 이르러서는 간신히 그 어떤 종류의 일관된 조직적 통일성이 나타난다고 직접·간접적으로 주장하는 심리학 이론이 많다.

　융은 이런 주관성이 없는 퍼스낼리티 이론을 명백하게 거부한다. 즉, 인간은 전체성을 구하려 노력하지 않는다. 인간은 이미 전체성을 가지고 있으며, 하나의 전체로서 태어난다. 융은 이렇게 말한다. "인간이 일생을 통해 해야 할 바는, 이 타고난 전체성을 되도록 최대한으로 분화된 것을 일관성 있고 조화롭게 발전시키는 것이다. 그것이 뿔뿔이 흩어져 제멋대로 움직임으로써 갈등을 일으키며, 여러 체계로 분열하여 분해된 퍼스낼리티란 비뚤어진 퍼스낼리티이다." 정신분석자로서 융의 일은, 환자가 상실한 전체성을 회복시키고, 정신을 강화해서 장래의 분해에 저항할 수 있는 힘을 길러주는 데 있다. 따라서 융에 의하면, 정신분석의 궁극적인 목표는 '정신 종합'이다.

정신은 가지각색이지만, 서로 관련되어 있는 수많은 체계와 수준으로 이루어져 있다. 즉, 정신에 있어서는 세 가지 수준으로 구별될 수 있다. '의식', '개인 무의식', '집합 무의식'의 세 가지를 말한다.

2. 의 식

개인이 알고 있는 마음의 부분은 의식뿐이다. 의식은 출생 이전에 나타난다. 어린이들을 관찰해 보면 부모, 장난감, 기타 주위의 대상에 대해 의식적으로 주의를 기울이고 있음을 알 수 있다. 어린이의 의식적 주의는 융이 '생각' '감정' '감각' '직감'이라고 부르는 네 가지 심적 기능을 거쳐서 나날이 성장해 간다. 어린이는 이 네 기능의 전부를 같은 비율로 쓰지는 않는다. 일반적으로 어떤 기능을 다른 기능보다 상당히 많이 쓴다. 이 네 기능들 중 어떤 것을 우선적으로 썼느냐에 의해 어린이의 기본적인 성격이 달라진다. 이를테면 뛰어나게 '사고적'타입인 어린이의 성격은 뛰어나게 '감정적' 타입인 어린이의 성격과 상당히 다른 것이 될 것이다.

이 네 가지 심적 기능 이외에 의식의 지향을 결정하는 두 가지 태도가 있는데, '외향성'과 '내향성'이다. 외향적 태도는 의식을 외적·객관적 세계 쪽으로 돌리고, 내향적 태도는 의식을 내적·주관적 세계 쪽으로 돌린다이 기능들과 태도에 관해서는 제5장에서 더 자세히 설명하겠다.

　개인의 의식이 타인으로부터 분화되어 개성화하는 과정을 '개성화'라 부른다. 개성화는 심리적 발달에 있어서 주요한 구실을 한다. 융은 "나는 '개성화'라는 말을 한 인간이 '개인' '분할할 수 없는 것', 즉 별개의 분할이 불가능한 통일체 또는 '전체'가 되는 과정을 가리키기 위해 쓰고 있다"[2]고 말했다.

　개성화의 목표는 가능한 한 완전히 자기 자신을 아는 것, 즉 '자기의식'에 있다. 현대 용어에서 그것은 '의식의 확대'라고 불리고 있다. 융은 자서전에서 "결국 결정적 요인은 항상 의식이다"라고 썼다. 개성화와 의식은 인격의 발달 과정에서 항상 보조를 맞추고 있다. 의식의 시작은 개성화의 시작이기도 하다.

　의식이 증가하면 자연히 개성화도 증가한다. 자기 자신과 주위의 세계에 관해 무의식적인 사람은 충분히 개성화된 인간일 수가 없다. 의식의 개성화 과정에서, 융이 '자아'라고 부르는 새로운 요소가 생긴다.

자아

　융은 의식적 마음의 구성을 가리키기 위해 자아라는 말을 쓴다. 자아는 의식적인 지각·기억·생각·감정으로 이루어져 있다. 정신 전체 속에서 자아는 적은 부분을 차지하고 있을 뿐이지만, 의식에 대한 문지기라는 매우 중요한 구실을 맡고 있다. 자아에게 그 존재가 인정되지 않으면 관념·감정·기억·지각은 자각될 수 없다. 자아는 대단히 선택적이다. 자아는 증류 장치와 비슷하다. 많은 심리적 자료들이 그 속에 넣어지지만, 거기에서 나와 완전한 자각의 수준에 도달하는 것은 아주 적다. 우리는 매일 막대한 수의 체험을 한다. 그 대부분은 의식에 도달하기 전에 자아에게 제거되어, 의식적으로 되지 않는다. 이것은 중요한 기능이다. 그것이 없으면 대량의 자료가 의식으로 몰려들어, 우리는 파묻혀 버릴 것이다.

자아는 퍼스낼리티의 동일성과 연속성을 보증한다. 심리적 자료를 취사선택하여 개별적 퍼스낼리티의 연속적인 일관성을 유지한다. 오늘의 자기가 어제의 자기와 동일한 사람으로 느끼는 것은 자아 덕분이다. 또한 개성화와 자아는 긴밀히 협력해서 항상 전진하는 개별적 퍼스낼리티를 발달시킨다. 인간은 자아가 경험의 의식화를 허용하는 한계 안에서만 개성화를 달성할 수 있다.

자아가 의식화를 허용하느냐, 않느냐는 무엇이 결정할까? 그것은 더 높은 기능에 의해 결정된다. 즉, 감정적 유형인 사람의 자아는 더욱 많은 정서적 경험의 의식화를 허락할 것이다. 사고적 유형이면 감정보다 생각 쪽이 의식화되기 쉬울 것이다. 그리고 그것은 경험이 자아에게 얼마만큼 불안을 자아내는가에 의해 결정된다. 불안을 자아내는 관념과 기억은 자각 — 의식 — 되기 어렵다. 또 부분적으로 그것은 어느 정도 개성화가 달성되어 있느냐에 의해 결정된다. 고도로 개성화된 사람의 자아는 더 많은 경험의 의식화를 허용할 것이다. 그리고 부분적으로 그것은 경험의 강도에 의해 결정된다. 약한 경험은 자아의 문에서 간단히 거부당하지만, 매우 강한 경험은 그 문을 부수고 들어갈 것이다.

3. 개인 무의식

자아에게 인정받지 못한 경험들은 어떻게 될까? 정신에서는 소멸되지 않는다. 경험된 것이 소멸되는 일은 없기 때문이다. 자아에게 인정받지 못한 경험은 융이 '개인 무의식'이라고 부르는 곳에 저장된다. 마음의 이 부분은 자아에 인접하여 있다. 개인 무의식은 의식적인 개성화 또는 기능과 어울리지 않는 모든 심리적 활동과 내용을 받아들이는 저장소이다. 또는 괴로움을 주는 생각, 미해결의 문제, 개인적 갈등, 도덕적 갈등 등과 같이 일단은 의식적인 경험으로 받아들이지만 여러 가지 이유로 억압되거나 무시되기도 한다. 경험되었을 때 중요하지 않다고 보였기 때문에 잊혀진 것들도 적지 않다. 너무나 약하기 때문에 의식에 도달하지 못하는, 또는 의식에 머물러 있지 못하는 경험은 전부 개인 무의식에 저장된다.

개인 무의식의 내용들은 보통 필요할 때는 언제든지 쉽게 의식에 접근할 수가 있다. 예를 들어보자. 우리는 많은 친구들과 지인知人들의 이름을 알고 있다. 그 이름들이 항상 의식에 머물러 있지는 않지만, 필요할 때 그것을 생각해 낼 수가 있다. 개인 무의식은 서류 정리 내지 기억 은행과 같은 것이다. 또 당시에는 거의, 또는 전혀 흥미 없는 것을 배우거나 관찰하는 경우에 몇 해가 지나서 그것이 다시 유용하게 될 때 개인 무의식에서 호출되어 나온다. 그런가 하면 낮에는 주목되지 않았던 경험이, 밤에 꿈속에 나타나는 경우도 있다. 실제로 개인 무의식은 꿈의 형성에 중요한 구실을 한다.

콤플렉스

개인 무의식의 중요한 특징은 여러 내용들이 뭉치고 떼를 지어서 한 그룹을 이루는 경우이다. 융은 그것을 '콤플렉스'라고 불렀다. 콤플렉스의 존재가 비로소 떠오른 것은 융이 언어 연상 실험을 통해 연구하고 있을 때였다. 그 실험은 이러하다. 일련의 단어를 한 번에 하나씩 읽고, 피실험자는 마음에 떠오른 최초의 단어를 대답한다. 그때 피실험자가 반응하기에 긴 시간이 걸리는 점에 융은 주목하였다. 그가 왜 반응에 그렇게 긴 시간이 걸렸느냐고 물어도, 피실험자는 시간이 걸린 까닭을 설명하지 못했다. 융은 시간이 걸린 까닭은 무의식적 정서가 반응을 방해했기 때문일 거라고 생각했다. 그래서 이 문제를 더 깊이 조사했더니 반응을 지연시킨 단어와 관계 있는 다른 단어도 반응하는 시간이 길다는 것을 알았다. 그래서 융은 무의식 속에 감정·생각·기억의 연합군 ― 콤플렉스 ― 이 반드시 있을 것이라고 생각했다. 이 콤플렉스에 닿으면 어떤 단어라도 쉽게 말하기가 어렵다. 이 콤플렉스를 계속 연구해 보았더니 그것은 퍼스낼리티 전체 속에 들어 있는 별개의 작은 퍼스낼리티 같은 것이었다. 그것은 자립적이며, 그 자체의 추진력을 가지고 있고, 우리의 생각과 행동을 매우 강력하게 지배할 수 있다.

콤플렉스라는 말이 우리의 일상 용어로 사용된 것은 융으로부터 비롯되었다. 흔히 말할 때 저 사람은 '열등 콤플렉스'를 가지고 있다든가, 돈, 섹스, 젊은 세대에 대한 콤플렉스를 가지고 있다고도 말한다. 거의 모든 것에 관해서 콤플렉스라는 말이 사용된다. 프로이트가 설명한 외디푸스 콤플렉스는 많은 사람들이 알고 있다. 그리고 어떤 사람이 콤플렉스를 가지고 있다고 말할 때, 그것은 그가 무언가에 몹시 몰두해 있어, 다른 것은 도저히 생각할 수 없다는 뜻이다.

속된 말로 저 사람은 '장애'를 가지고 있다고도 말한다. 강한 콤플렉스의 경우, 당사자는 모르더라도 남들은 쉽게 알아차린다.

융은 '모친 콤플렉스'의 예를 들고 있다. 심한 콤플렉스에 지배되고 있는 사람은 어머니가 말하는 것, 느끼는 것 전부에 매우 민감하여 어머니의 모습이 늘 그의 마음에 중심을 차지하고 있다. 그는 장소를 가리지 않고 어머니 또는 어머니에 관련된 것을 늘 화제로 삼고 싶어 한다. 그는 어머니가 두드러진 구실을 하고 있는 소설·영화·사건 등을 좋아한다. 어머니날이나 어머니의 생일, 기타 어머니를 칭송할 수 있는 기회라면 어떠한 기회라도 낙으로 삼고 기다린다. 어머니의 기호와 흥미를 자기 것으로 삼고, 어머니를 모방하며, 어머니의 친구에게 매혹되기도 한다. 같은 또래의 여성보다는 손위 여성과 함께 있기를 좋아한다. 어린 시절에는 '엄마만 따르는 아들'이며, 어른이 되어서도 '어머니에게 쥐어 사는 아들'이다.

융은, 콤플렉스는 환자의 신경증적 상태와 몹시 얽혀 있음을 인식하였다. "사람이 콤플렉스를 가지는 것이 아니고, 콤플렉스가 사람을 가진다." 분석요법의 목적은 콤플렉스를 없애서, 그 포악한 지배로부터 환자의 인생을 해방시키자는 데 있다.

그렇지만 나중에 융이 알아차린 바와 같이, 콤플렉스는 반드시 개인의 적응을 방해하지는 않는다. 실제는 그 정반대이다. 콤플렉스는 본질적으로 중요한 영감과 충동의 근원이 될 수 있으며, 실제로 종종 그렇게 되고 있다. 예를 들면 미에 사로잡힌 예술가는 걸작을 쓰기 시작한 거나 매한가지이다. 그는 어떤 숭고한 미와 비슷한 것을 만들어 내고자 수많은 예술작품을 만들고, 기법을 개선하고 의식을 깊게 하며 넓혀 간다.

인생의 마지막 몇 해 동안을 예술에 바친 반 고흐를 생각해 보라. 그는 귀신에 홀린 사람 같았다. 자기의 건강, 마침내는 생명까지도 포함해서 모든 것을 그림을 위한 희생으로 삼았다. 융은 이 예술가의 '무자비한 창작 충동'에 관해 다음과 같이 말하고 있다. "그는 여느 사람으로 하여금 인생을 살 보람이 있는 것으로 만드는 모든 것과, 모든 행복을 희생으로 삼을 숙명을 걸머지고 있었다."[3] 이 완전한 충동은 강한 콤플렉스 때문이라고 생각해야 한다. 약한 콤플렉스라면 평범하고 시원찮은 작품밖에 만들어 내지 못할 것이다. 또는 전혀 아무것도 못할지도 모른다.

콤플렉스는 어떻게 일어날까? 프로이트의 영향을 받은 융은, 콤플렉스의 기원은 아동기 초기의 외적 체험에 있다고 믿었다. 이를테면 어린이는 갑자기 어머니와 헤어질지도 모른다. 그 때문에 어머니를 잃은 아픔에 대한 보상으로 '모친 콤플렉스'가 생길지도 모른다. 융은 이 설명에 오래 만족하고 있지는 않았다. 그리고 콤플렉스는 인간성 내에서 아동기 초기의 체험보다 훨씬 깊은 그 무엇으로부터 생기는 것이라는 걸 깨닫게 되었다. 이 '더 깊은 그 무엇이란 과연 무엇이겠느냐?' 라는 호기심에 끌려서, 융은 정신의 또 하나의 수준을 발견하였는데, 그것을 '집합 무의식'이라고 불렀다.

4. 집합 무의식

융의 콤플렉스 분석은 매우 중요한 것으로 높이 평가되어 그가 아직 젊었음에도 그의 이름이 심리학과 정신의학계에서 주목을 받게 되었다. 그가 매사추세츠 주의 클라크 대학의 강연에 초대되었을 때, 그의 나이는 33세였다. 콤플렉스의 발견도 중요하였지만 집합 무의식의 발견은 그보다 훨씬 뜻깊었으므로, 20세기 저명한 지식인의 한 사람으로 추앙되었는데, 그 때문에 논쟁의 과녁이 되기도 했다.

집합 무의식의 개념이 중요한 이유는 다음과 같다. 의식의 중심으로서의 자아 및 억압된 정신 내용의 저장고로서의 개인 무의식은 새로운 개념이 아니다. 과학적 심리학이 철학이나 생리학과는 다른 독자적인 학문으로서 모습을 나타낸 1860년 이래 심리학자들은 의식을 연구해 왔다. 무의식의 연구는 1890년대에 프로이트에 의해 시작되었다. 융은 프로이트의 업적을 잘 알고 있었다.

의식도 무의식도 그 대부분은 경험에서 생기는 것으로 생각되었다. 프로이트에 따르면, 아동기의 외적 체험에서의 억압이 무의식을 형성하였다. 융의 영향을 받아 프로이트도 나중에 이 견해를 수정했지만, 어쨌든 마음은 환경에 의하여 결정된다는 입장에서 탈출하여, 진화와 유전이 신체의 청사진을 보여주는 것과 마찬가지로 정신의 청사진도 보여준다는 것을 입증한 사람은 융이었다. 집합무의식의 발견은 심리학사에 있어서 획기적인 사건이었다.

마음은 그 신체적 대상물인 뇌를 통해서 각종 특징을 유전하는데, 그 특징들은 생활 경험들에 대해 당사자가 어떻게 반응하느냐뿐 아니라, 어떤 유형의 경험을 가지느냐까지 결정한다. 인간의 마음은 진화에 의해 미리 형성되어 있다. 이와 같이 개인은 과거에 연결되어 있다. 자기의 어렸을 때의 과거뿐 아니라, 그보다 중요한 일로서 인류의 과거에도, 나아가서는 생물 진화의 먼 과거와도 연결되어 있다. 이처럼 정신을 진화 과정 가운데 앉힌 일이 융의 빼어난 업적이었다.

집합 무의식은 융이 대개 '원시적 이미지'라고 부르는 잠재적 이미지의 저장고이다. '원시적'이란 '최초'라든가, '원래'를 뜻한다. 그러므로 원시적 이미지는 정신의 맨 처음의 발달 단계와 관련되어 있다. 인간은 이 이미지를 조상 대대로의 과거로부터 이어받고 있다. 과거의 조상이란 인간이었던 조상만이 아니라, 동물의 조상도 포함하고 있다. 이런 이미지들이 유전된다고 하더라도, 그것은 개인이 의식적으로 그것을 잊지 않고 있다든가, 조상이 지니고 있던 이미지를 그대로 지니고 있다는 뜻은 아니다.

오히려 원시적 이미지는 세계에 반응하는 소질 또는 잠재적 가능성이다. 이를테면 인간의 뱀에 대한 공포라든가 어두움에 대한 공포를 생각해 보라. 인간은 뱀 또는 어두움을 경험함으로써 이런 공포를 느끼고 몸에 지니게 되는 것이다. 그런 경험은 공포의 소질을 강화하며 재확인할 뿐이다. 우리는 뱀이나 어두움을 두려워하는 소질을 유전적으로 이어받고 있다. 그것은 우리의 아득한 조상들이 무수한 세대에 걸쳐 그 공포를 경험했기 때문이다. 그 때문에 이 공포들이 우리의 뇌 속에 새겨졌다.

여기서 잠깐 집합 무의식의 기원에 관한 융의 설명에 대해 가해지는 비판을 논의해야 할 것 같다. 진화의 메커니즘에 관해 두 가지 견해가 생물학자에 의하여 제창되었다. 그 한 견해에 의하면, 그전 세대가 경험하여 배운 것들은 미래의 세대에 유전되어 새로 배울 필요가 없다. 습관은 본능이 된다. 이것은 '획득 형질의 이론', 또는 그 제창자의 이름을 따서 '라마르크 설'로 불린다. 많은 생물학자들이 승인하고 있는 진화 이론인 또하나의 견해에 의하면, 진화는 돌연변이에 의하여 일어난다. 개체가 환경에 적응하기 쉽도록 하며, 생존과

생식의 기회를 크게 만드는 돌연변이는 한 세대에서 새로운 세대로 전해지며, 순응·생존·생식에 불리한 돌연변이는 제거된다.

불행하게도 융은 인기 없는 '라마르크'의 설명을 채용했다. 한 세대에서 일련의 세대에 의해 배워진, 뱀 또는 어두움에 대한 공포는 다음 세대로 유전될 수 있다. 또 집합 무의식은 돌연변이와 자연 도태에 의해서도 설명할 수 있다. 원시인은 독사의 위험에 노출되어 있었으므로, 뱀의 공포 때문에 그는 물리지 않도록 조심하게 되었을 것이다.

이와 같이 뱀에 대한 공포와 조심을 일으킨 돌연변이는 인간의 생존 기회를 증가시키는 이점 때문에 다음 세대로 전해졌을 것이다. 바꿔 말하면, 집합 무의식의 진화는 신체의 진화와 마찬가지로 설명할 수 있다. 즉, 뇌가 마음의 주요한 기관이므로 집합 무의식은 뇌의 진화에 직접 의존해 있다.

이제 다시 집합 무의식의 설명으로 돌아가자. 인간은 태어나면서부터 특정한 방법으로 생각하며 느끼며 지각하며 행동하는 많은 소질을 가지고 있다. 이 소질들 또는 잠재적 이미지의 발달과 표현은 전적으로 개인의 경험에 의존해 있다. 어떤 것에 대한 공포는, 공포를 느끼는 소질이 이미 집합 무의식에서 떠올라올 때까지는 환경에서부터의 상당한 자극을 필요로 한다.

집합 무의식의 내용은 일정한 개인적 행동의 원형을 미리 규정하고 있는데, 개인은 태어날 때부터 그것에 따라야 한다. '개인이 태어난 세계의 형태는 이미 잠재적 이미지로서 선천적으로 그에게 갖추어져 있다.[4] 이 잠재적 이미지는 세계 속의 부합되는 대상들과 동일시됨으로써 의식적 실재가 된다. 이를테면 집합 무의식 속에 어머니의 이미지가 존재해 있으면 그 이미지는, 어린이가 현실의 어머니를 지각하여 어머니에게 반응함으로써 명확한 모습을 취한다. 이와 같이 집합 무의식의 내용들은 지각과 행동의 취사 선택을 한다. 우리가 어떤 것들을 쉽게 지각하고, 그것에 대하여 어떤 방법으로 반응하기 쉬운 까닭은 집합무의식에 그 소질이 있기 때문이다.

경험이 많으면 많을수록 잠재적 이미지가 표현되는 기회는 많다. 그러므로 집합 무의식의 모든 측면을 개성화 — 의식화 — 하기 위해서는 풍부한 환경과 교육 및 학습의 기회가 필요하다.

태고유형

집합 무의식의 내용들은 '태고유형'이라고 불린다. 태고유형이라는 용어는 다른 종류의 것들이 그것에 따라 모조되는 최초의 모델을 뜻한다. 같은 뜻의 말은 '원형'이다. 융은 일생의 40년간은 태고유형을 연구하는 데 많은 시간을 소비했다. 그가 확인하여 설명한 허다한 태고유형에는 출산, 재생, 죽음, 권력, 마법, 영웅, 어린이, 사기꾼, 신, 악마, 늙은 현인, 어머니인 대지, 거인, 나무, 태양, 달, 바람, 강, 불, 동물과 같은 많은 자연물, 고리나 무기와 같은 인공물 등이 있다.

융은 이렇게 쓰고 있다. "인생의 수많은 장면과 같은 수효만큼 태고유형이 있다. 무한한 되풀이에 의해 이 경험들은 우리 정신적 소질 속에 새겨졌다. 그것은 내용이 있는 이미지 형식이 아니라, 처음에는 내용이 없는 형식이고 어떤 유형의 지각과 행동의 가능성을 나타내고 있을 뿐이다."[5]

태고유형을 인생의 과거 경험의 기억상과 같은, 완전히 발달한 심상心像이라고 생각해서는 안 된다. 이것은 융의 태고유형 이론을 바로 이해하기 위해 매우 중요한 것이다. 이를테면 어머니의 태고유형은 한 어머니 또는 한 여성의 사진이 아니라, 오히려 그것은 경험에 의하여 현상해야 할 음화陰畵와 같은 것이다. 융은 이렇게 쓰고 있다. "원시적 이미지의 내용이 결정되는 것은, 그것이 의식적으로 되어 의식적 경험의 자료에 의하여 가득해졌을 때뿐이다."[6]

몇 가지 태고유형은 우리의 퍼스낼리티와 행동을 형성함에 있어서 몹시 중요하므로, 융은 그것에 각별한 주의를 하였다. '페르소나' '아니마'와 '아니무스', '그림자', '자아'가 그것이다이것에 관해서는 뒤에 설명하겠다.

태고유형들은 집합 무의식 속에서 서로 별개의 구조를 이루고 있지만, 결합을 이루는 경우도 있다. 예컨대 영웅의 태고유형이 악마의 태고유형과 결합되면, 그 결과 '무자비한 지도자' 유형의 인간이 생긴다. 또는 마법의 태고유형과 출산의 태고유형이 결합되면, 약간의 원시문화에서 발견되는 '번식의 마법사'가 생긴다. 이 마법사는 새색시를 위해 번식의 의식을 집행하여, 그 여자가 확실히 아기를 낳을 수 있도록 한다. 모든 태고유형들이 갖가지로 결합되어서 작용한다는 것도 개개인의 퍼스낼리티가 서로 다르게 되는 한 요인이다.

"태고유형은 보편적이다. 즉, 모든 사람이 같은 기본적인 태고유형 이미지를 유전적으로 이어받고 있다. 세계 안의 모든 어린이에게 어머니의 태고유형이 유전한다. 이 미리 형성되어 있던 어머니의 이미지는 현실의 어머니가 출현하여 행동해서 갓난아기가 어머니와 관계를 가지며, 어머니를 경험함에 따라서 명확한 이미지로 발달해 간다. 그러나 어머니의 태고유형에 대한 표현의 개인차가 얼마 후 명확해진다. 어머니와의 경험과 육아법은 가족에 따라서라기보다 같은 가족

안의 어린이에 따라서 다르기 때문이다. 그렇지만 민족이 분화되면, 여러 민족의 집합 무의식의 본질적 차이도 나타나게 된다"고 융은 말하고 있다.

앞서 콤플렉스를 논의했을 때, 우리는 그것에는 몇 개의 기원이 생각될 수 있다고 암시하였다. 태고유형도 그 속에 포함해야 한다. 실제로 태고유형은 콤플렉스의 핵심이기 때문이다. 태고유형은 중심이나 핵심으로 작용하여, 자석처럼 관계 있는 경험들을 끌어당겨서 어떤 콤플렉스를 형성한다. 경험이 추가되어서 충분한 힘을 얻으면, 콤플렉스는 의식에 침입할 수가 있다. 태고유형이 의식과 행동에 표현되는 경우는 잘 발달한 콤플렉스의 중심이 되었을 때뿐이다.

예를 들면 신의 태고유형에서 '신의 콤플렉스'가 발달하는 경우를 생각해 보자. 모든 태고유형과 마찬가지로 이 태고유형도 처음에는 집합 무의식 속에 존재해 있다. 개인이 세계를 경험함에 따라서, 신의 태고유형과 관계 있는 경험이 그것에 붙어 콤플렉스를 형성한다. 콤플렉스는 새로운 자료의 모음에 의해 점점 강해지며, 결국 의식에 침입할 수 있을 정도로 강해진다.

신의 콤플렉스가 지배적으로 되면 당사자가 무엇을 경험하는가, 어떻게 행동하는가가 거의 신의 콤플렉스에 의해 결정된다. 그는 모든 것을 선악의 기준으로 지각하고 판단하며, 악인에게 대해서는 지옥의 불과 천벌을, 선인에게 대해서는 영원한 낙원을 설교하고, 죄 많은 자를 비난하여 회개를 요구한다. 그는 자기를 신의 예언자, 또는 스스로 신이라고 믿어, 인류에게 정의와 구원의 길을 제시할 수 있는 사람은 자기 말고는 없는 걸로 생각하고 있다. 이런 사람은 광신자 또는 정신병자로 생각될 것이다. 이것은 콤플렉스가 그의 퍼스낼리티 전체를 점령하고 있기 때문이다. 이 예는 콤플렉스가 극단적인 무한정한 힘을 가진 경우의 예이다. 이 사람의 '신神 콤플렉스'가 퍼스낼리티 전체를 점령하지 않고 퍼스낼리티의 '일부'로서 일하고 있었다면, 그는 인류를 위해서 크게 봉사했을지도 모른다. 모든 퍼스낼리티에서 주요한 구실을 하고 있는 네 가지 태고유형을 생각해 보자.

a. 페르소나

원래 '페르소나'는 연극에서 특정한 구실을 하기 위해 배우가 쓰는 탈을 가리킨다. 인물이라는 '퍼슨'과 퍼스낼리티도 같은 어원에서 나왔다. 융 심리학에서도, 페르소나의 태고유형은 동일한 목적을 위해 사용된다. 개인은 페르소나에 의해 자기와는 다른 성격을 연출할 수가 있다. 페르소나는 개인이 겉으로 보이는 탈이며, 사회에 받아들여지기 위해 좋은 인상을 주는 것을 목적으로 삼고 있다. 그것은 '대세에 순응하는 태고유형'이라 부를 수도 있다.

모든 태고유형들은 개인과 민족에 유리한 것이어야 한다. 그렇지 않았더라면 타고난 인간성의 일부로는 되지 않았을 것이다. 페르소나는 생존을 위해 필요하다. 그것에 의해 우리는 못마땅한 사람도 포함해서 남들과 우호적으로 잘 지낼 수가 있다. 그것은 개인적 이익과 업적을 가져올 수 있으며, 사회생활과 공동생활의 기본이다. 이를테면 큰 회사에 취직한 젊은이를 생각해 보자. 남보다 앞서기 위해서 그는 어떻게 해야 할지를 안다. 아마 거기엔 몸가짐·옷차림·예절 등의 개인적 특징을 포함하고 있을 것이다. 상사들과의 관계도 포함되어 있음은 확실하다. 그가 어떤 정치적 의견을 가지고 있는가, 어떤 이웃집들을 가지고 있는가, 어떤 자동차를 가지고 있는가, 아내는 어떤 사람인가, 그리고 회사의 이미지를 위해 중요하다고 생각되는 여러 가지가 포함될 것이다. 물론 일을 잘 완수해야 하며, 부지런히 일을 잘하며 책임감이 있고, 의지가 있는 사람이어야 한다. 그런데 이 성질들도 페르소나의 일부이다. 회사의 이미지화된 탈을 쓰지 못하는 사람은 승진에서 빠지거나 실직할 것이 틀림없다. 페르소나의 또 하나의 이점은, 그것이 가져오는 물질적 보수를 더 만족스러운 사생활을 누리기 위해 사용할 수 있는 데 있다.

하루에 8시간 동안 회사의 탈을 쓰고 있는 회사원은 직장에서 나온 순간 그것을 벗어 버리고 더 만족할 만한 활동에 종사할 수가 있다. 이 점과 관련해서 유명한 작가 프란츠 카프카1883~1924:체코슬로바키아의 작가가 생각난다. 그는 낮에는 상해보험국에서 일하고, 밤에는 저작과 문화적인 활동에 종사했다. 그는 근무가 질색이라고 거듭 하소연하고 있었지만, 그의 상사는 그가 일을 착실히 하는 걸 보고서 그의 속마음은 까맣게 몰랐다. 많은 사람들은 페르소나에 지배되어 있는 생활과, 심리적 욕구들을 채우고 있는 생활의 이중 생활을 하고 있다.

하지만 이상의 탈을 가지고 있는 사람도 있다. 그는 직장에서와는 다른 탈을 가정에서 쓰고 있을지도 모른다. 골프장에 가거나, 친구와 포커를 하고 있을 때에는 제3의 탈을 쓸지도 모른다. 그러나 그의 모든 탈을 총괄하는 것이 바로 페르소나이다. 단지 그는 다른 장면에서는 다른 식으로 순응하고 있을 따름이다. 물론 순응이 사회생활의 중요한 요인임은 그전부터 인정되어 왔지만, 그것이 타고난 태고유형의 표현이라고 주장한 사람은 융 이전에는 없었다.

퍼스낼리티에 있어서 페르소나의 구실은 이로울 수도 있고, 해로울 수도 있다. 개인이 자기가 하고 있는 구실에 지나치게 사로잡혀, 자아가 오직 이 구실과 동일화하기 시작하면 그의 퍼스낼리티의 다른 측면은 밀려날 것이다. 이처럼 페르소나에 압도된 사람은 자기의 본성에서 소외당하게 되며, 지나치게 발달한 페르소나와 발달되지 않은 퍼스낼리티 간의 갈등 때문에 긴장 상태 속에서 살게 된다. 자아가 페르소나와 동일화하는 것을 '팽창'이라고 불린다.

또 한편, 페르소나는 훌륭히 제구실을 해나가고 있다는 점에서 자만심을 가진다. 그는 강요하길 좋아한다. 그리고 때때로 이 구실을 남들에게 투사하여, 같은 구실을 하도록 요구한다. 권위 있는 자리에 있으면, 그는 그 지배 밑에 있는 사람들의 생활을 비참하게 만든다. 자기의 페르소나를 자녀에게 투사하는 부모가 있는데, 그 결과는 불행하다. 개인의 행위에 관한 풍습과 법률은 집단적인 페르소나의 표현이며, 이것은 개인의 욕구를 무시하고 획일적인 행동 기준을 집단 전체에 강요하고자 한다. 정신 건강에 대한 페르소나의 팽창의 위험은 명백한 것이다.

다른 한편, 페르소나가 팽창한 사람은 기대되어 있는 수준에 합치하지 못할 경우, 열등감과 자책감에 몰리는 경우도 있다. 그 결과 공동사회에서 제외되어 있다고 느끼며, 고독감과 소외감을 가진다.

융은 팽창한 페르소나의 영향을 연구할 기회를 많이 가지고 있었다. 그의 대부분의 환자가 그 희생자였기 때문이다. 그들 가운데 매우 큰 업적을 쌓은 사람들도 있었는데, 갑자기 인생이 허무하며 무의미하다고 깨달았던 것이다. 분석을 받으면서, 그들은 여태까지 수년간 자기를 속여 왔다는 점, 자기의 기분과 관심에 관해 위선적이었던 점, 실은 아무 흥미도 없는 일에 제법 흥미 있는 체하고 있었던 점을 이해하기 시작했다. 팽창한 페르소나의 위기가 꼭지점에 이르렀을 때에 그들은 이미 중년이 되어 있는 경우가 많았다. 물론 치료의 목표는 정해져 있다. 페르소나를 수축시켜, 당사자의 본성의 다른 측면에 표현의 자리를 주는 것이 필요하다. 이는 다년간에 걸쳐 페르소나와 동일화해 온 사람에게는 어려운 노릇이다.

팽창한 페르소나에 관한 이 논의에서 알 수 있듯이, 당사자의 정신적 건강을 위해서는 무의식적 위선자이기보다는 의식적 위선자인 편이 나으며, 자기를 속이는 편보다는 남을 속이는 편이 낫다. 가장 이상적인 것은 어떤 종류의 위선도, 속임도 있어서는 안 된다. 그러나 아무튼 페르소나는 인간 존재에 있어서 하나의 사실이며, 그 어떤 형식으로든지 표현되어야 한다. 물론 신중하게 표현하는 편이 바람직하지만……

b. 아니마와 아니무스

융은 페르소나를 정신의 '겉면'이라고 불렀다. 그것은 세계를 향해 있는 얼굴이기 때문이다. 정신의 '내면'을 그는 남성의 경우 '아니무스', 여성의 경우는 '아니마'라고 불렀다. 아니마의 태고유형은 남성적인 정신에서의 여성적인 측면이며, 아니무스의 태고유형은 여성적인 정신에서의 남성적인 한 측면이다. 모든 사람은 남성도 여성도, 남성 호르몬과 여성 호르몬을 분비한다는 생물학적 의미에 있어서도 양성兩性의 성질을 가지고 있다.

남성은 여러 세대에 걸쳐 여성에게 계속 노출됨으로써 아니마의 태고유형을 발달시키고, 여성은 남성에게 노출됨으로써 아니무스의 태고유형을 발달시켰다. 수세대에 걸쳐 함께 생활하고, 서로 영향을 끼치면서 남성도 여성도 이성에게 적절히 반응하며, 이성을 이해하기 좋은 이성의 특징들을 가지게 되었다. 이처럼 아니마와 아니무스의 태고유형은 페르소나의 태고유형과 마찬가지로 생존을 위해 큰 가치가 있다.

만일 퍼스낼리티가 잘 적응하며 조화롭게 균형을 유지하고 있으면, 남성의 퍼스낼리티의 여성적 측면과 여성의 퍼스낼리티의 남성적 측면은 의식과 행동에 표현되어 있을 것이다. 그러나 남성이 남성적 측면만을 나타내고 있으면 그의 여성적 특성은 무의식에 머물고, 따라서 미발달이며 원시적인 채로 남아 있다. 그래서 무의식은 허약하며 과민하게 된다. 다시 말해서 제법 남자답게 보이며, 남자답게 행동하고 있는 남성이 내면에서는 약하고 복종적인 점이 많은 것은 바로 그때문이다. 또 외적 생활에서 지나치게 여자다운 여성은 남성의 외적 행동에서 자주 보게 되는 완강함과 고집 같은 것을 무의식적으로 가지고 있다.

"모든 남성은 자기 속에 영원한 여성상을 가지고 있다. 그것은 특정한 어떤 모습을 가진 여성의 이미지가 아니라 일정한 여성상이다. 이 이미지는 기본적으로 무의식적인 동시에 남성의 살아 있는 유기 조직에 새겨져 있는 원시적 기원의 유전적 요인이며, 모든 조상의 여성 경험의 흔적 또는 태고유형으로, 말하자면 일찍이 여성에 의해 만들어진 모든 이미지의 침전물이다. 이 이미지는 항상 무의식적으로 연인에게 투사되어 정열적인 매력 또는 혐오감이 되는 주요한 원인의 하나이다."[7]

융이 여기서 말하고 있는 바는, 남성은 여성상을 유전적으로 소유하고 있으며, 무의식적으로 일정한 규정을 만들어 그 영향을 받아

특정한 여성을 받아들이거나 또는 거부한다는 것이다. 아니마의 최초 투사는 항상 어머니에게 행해지며, 아니무스의 최초의 투사는 아버지에게 행해진다.

후에 남성은 긍정적인 또는 부정적인 감정을 야기시킨 여성에게 아니마를 투사한다. 남성이 '정열적 매력'을 느낀 여자가 그의 아니마의 여성상과 동일한 특성을 가지고 있음은 의심할 여지가 없다. 이와 반대로, 남성이 '혐오감'을 느낀 여자는 그의 무의식적인 아니마 상과 모순되는 성질을 가지고 있는 것이다. 여성이 아니무스를 투사하는 경우도 마찬가지로 볼 수 있다.

남성이 어떤 여성에게 반하는 데는 수많은 이유가 있지만 그 이유들은 2차적인 것에 지나지 않는다. 1차적인 이유는 무의식 속에 있기 때문이다. 남성은 자기의 아니마 상과 모순되는 여성들과 관계를 갖고자 무척 애를 쓰지만, 어쩔 수 없이 불만과 반복으로 끝난다.

융이 말하는 바에 의하면, 아니마는 여성 속의 공허하고 고독하고 불확실한 모든 것에 대해 미리 정해진 이미지를 가지고 있다. 아니무스는 영웅적·지적·예술적 남성 또는 명성이 있는 남성과 동일화하려고 한다.

앞서 말한 바와 같이, 지나치게 발달한 페르소나로 고생하고 있는 사람들이 많이 있다. 아니마나 아니무스의 경우는 그 반대인 때가 많다. 이 태고유형들은 종종 위축되거나 미발달한 상태이다. 그 이유는 서양 문명에서 흔히 남성 속의 여자다움과 여성 속의 남성다움을 경멸하는 데 있다. 이 경멸은 여자아이 같은 소년뱅충이과 사내아이 같은 소녀말괄량이가 놀림감이 되는 어린이 시절에서 시작된다. 소년은 문화적으로 규정된 남성적 구실에, 소녀는 여성적 구실에 순응하도록 길들여져 있다. 그래서 페르소나가 윗자리에 서서, 아니마나 아니무스를 질식시킨다.

페르소나와 아니마 또는 아니무스와의 이런 불균형의 한 결과로서, 아니마 또는 아니무스의 반란이 터지면 개인은 과도하게 반응한다. 젊은 남자가 아니마를 강화하면 남자답기보다는 여자답게 된다. 여장을 하고 싶어하는 남성, 나약한 동성애자들 중에는 이 범주에 들어가는 사람이 있다. 남성이 아니마와 완전히 동일화하면 호르몬 요법과 성기의 외과수술을 받아서 육체적으로 여성이 될 가능성이 크다. 젊은 여성이 아니무스와 완전히 동일화하면 남자처럼 보이려 한다.

c. 그림자

아니마 또는 아니무스는 이성에게 투사된다. 남성과 여성의 관계는 아니마 또는 아니무스에 의해 결정된다. 그리고 당사자 자신의 성을 대표하며, 동성인 사람과의 관계에 영향을 끼치는 다른 태고유형을 융은 '그림자'라고 불렀다.

그림자는 다른 어떤 태고유형보다도 인간의 기본적인 동물적 본성을 많이 포함하고 있다. 그림자는 진화의 역사 속에 매우 깊은 뿌리를 가지고 있으므로, 모든 태고유형 중에서도 아마 가장 강하며, 잠재적으로 가장 위험한 것이다. 그림자는 특히 동성의 타인들과의 관계에 있어서 최선의 것과 최악의 것의 근원이 된다. 인간이 공동사회에서 필요한 사람이 되기 위해서는 그림자에 포함되어 있는 동물적 정신을 길들일 필요가 있다. 길들인다는 것은, 그림자의 징후들을 억눌러 그림자의 힘에 대항하는 강한 페르소나를 발달시키면 된다. 자기 본성의 동물적 측면을 억누르는 사람은 문명인이 되겠지만, 그때에는 원시성의 특징인 자발성, 창조성, 강한 정서, 깊은 통찰의 원동력을 줄여야 하는 대가를 치러야 한다. 그는 본성의 지혜를 잃게 되는데 그것은 어떠한 학습이나 교양에 의해 얻을 수 있는 것보다도 깊은 지혜일지도 모른다. '그림자' 없는 생활은 천박하고 무기력한 것으로 되기 쉽다.

그렇지만 그림자는 끈질기다. 그림자는 억압에 의해 간단히 굴복하지 않는다. 예를 들면 한 농부가 시인이 될 것이라는 영감을 받는다. 영감은 항상 그림자의 작용이다. 그때 농부는 아마 농부로서의 페르소나가 몹시 강하기 때문에, 이 영감을 실행 가능하다고 생각지 않고 상대하지 않는다. 그러나 그림자가 끈질기게 압력을 가하므로, 그 생각은 그를 괴롭힌다. 드디어 그는 어느 날 굴복하여, 농사일을 그만두고 시를 쓰기 시작한다. 2차적인 사정도 그 결심을 부추겼음은 의심할 여지가 없지만, 가장 강한 영향은 그림자로부터 왔으며, 그림자는 몇 번은 거절되어도 그 생각은 악착같이 주장했을 것이다. 2차적인 사정까지도 주로 그림자의 작용에 의한 것인데, 이런 뜻에서 그림자는 중요하고도 가치 있는 태고유형이다. 그림자는 생각이나 이미지를 주장하는 힘을 가지고 있는데, 그 생각이나 이미지는 개인에게 있어서 유리한 것일 수도 있고 아닐 수도 있다. 그림자는 그 지독한 끈기에 의해 개인을 더 만족할 만한 창조적 활동 속에 몰아넣는다.

자아와 그림자가 훌륭히 조화를 이루고 있으면, 개인은 생기와 활력에 넘쳐 있다고 느낀다. 자아는 본능에서 나오는 모든 힘을 방해하지 않고 통과시킨다. 의식은 확대되며, 심적 활동은 활발해지고 원기왕성하다. 심적 활동만이 아니라, 개인은 신체적으로도 발랄하고 활기차다. 그러므로 창조적 인간이 동물적인 정신으로 가득 차 있는 것처럼 보이는 것은 조금도 놀랄 일이 아니다. 그 때문에 사람들은 그를 '괴짜'로 인정하는 경우도 있다. 천재와 광기가 관계가 있다는 설은 약간의 진실성이 있다. 매우 창조적인 사람의 그림자는 가끔 자아를 압도하여, 그 때문에 그는 잠시 발광하고 있는 듯이 보인다.

그림자 속에 존재해 있는 '나쁜' 또는 '고약한' 요소는 어떻게 되는가를 생각해 보자. 나쁜 요소를 의식에서 내쫓기만 하면 일단은 처리되어 버린 줄 생각할지도 모른다. 그런데 그렇지가 않다. 나쁜 요소는 무의식 속으로 물러났을 뿐 의식적 자아 속에서 모든 일이 순조롭게 되어 가는 한 무의식 속에 잠재해 있는데, 만일 개인이 위기나 어려운 장면에 부딪치면 그림자는 이 기회를 이용해서 자아에 힘을 뻗치고자 한다. 강박적인 알코올 중독 환자가 습관을 극복한 예를 생각해 보자. 알코올 중독이 완치됐을 때, 그가 애당초 알코올 중독이 된 이유는 무의식 속으로 억지로 밀려나 표현의 기회를 노리고 있다. 그가 혼자서는 견딜 수 없는 불행한 외부적 장면 또는 갈등을 내포한 장면에 부딪치면 그 기회가 온다. 그때 그림자는 약해진 자아로부터 거의 저항을 받지 않고 뛰어나와, 그는 알코올 중독으로 되돌아간다. 그림자는 굉장한 내구력을 가지고 있어 결코 굴복해 버리는 일이 없다. 그림자의 끈질김은 나쁜 일을 시키려 할 때에도, 좋은 일을 권하고 있을 때에도 마찬가지다.

그림자가 사회로부터 강하게 억압되거나, 그 배출구가 적당치 않거나 하면 종종 비참한 결과로 된다. 제1차 세계대전이 끝난 1918년에 융은 "우리 속에 살고 있는 동물은 억압되면 더욱 포학하게 될 뿐이다" 하고 말했다. 그는 계속해서 다음과 같이 말했다. "기독교만큼

무고한 백성들이 흘린 피로 더럽혀진 종교가 없으며, 세계사에서 기독교 국가의 전쟁만큼 피비린내나는 전쟁이 일찍이 없었던 까닭은 여기에 있다."[8]

이러한 논의가 암시하고 있듯, 기독교의 가르침은 그림자에 대해 매우 억압적이다. 더욱이 피비린내났던 제2차 세계대전, 그리고 그 후의 전쟁에 관해서도 같은 관찰을 할 수 있다. 이런 전쟁들이나, 기타 역사상의 무수한 사건 속에서 억압된 그림자는 반격으로 나와, 수많은 국민들을 끝없는 유혈 속에 던져 넣었다.

앞에서 말한 바와 같이, 그림자는 개인의 동성同性과의 관계를 결정한다. 그림자가 자아에 받아들여져 화목하게 정신 속에 편입되어 있는가, 또는 자아에 퇴짜맞아 무의식 속에 내쫓겨 있는가에 따라 동성과의 관계는 우호적으로 되거나 또는 적대적으로 된다. 남성은 퇴짜맞은 그림자의 충동을 남성에게 투사하기 쉽다. 그 때문에 남성끼리의 사이에서 나쁜 감정이 자주 생긴다. 여성의 경우도 이와 동일하다.

그림자는 기본적이고 정상적인 본능을 포함하고 있으며, 생존을 위해 소용되는 현실적 통찰과 적절한 반응의 원천이다. 그림자의 이 특질은, 꼭 필요한 경우에는 개인에게 있어서 매우 중요한 역할을 한다. 종종 우리는 굉장한 결단과 반응이 필요한 상황에 직면할 때가 있는데, 너무 급한 나머지 형편을 살펴서 가장 적절한 반응은 무엇일까 하고 생각하고 있을 겨를이 없다. 이런 경우 의식 ─ 자아 ─ 은, 상황의 갑작스런 충격에 의해 어리벙벙해진다. 그래서 무의식 ─ 그림자 ─ 이 그 자체의 독특한 방법으로 상황에 대처하게 된다. 그림자가 개성화되어 있으면, 위협과 위험에 대한 그림자의 반응은 매우 효과적이다. 그렇지만 그림자가 억압되면, 본능의 큰 파도가 밀려와 자아를 더욱 압도함으로써 개인은 무너지고 속수무책이 되고 마는 것이다.

요컨대 그림자의 태고유형은 인간의 퍼스낼리티에 충실한 3차원적 특징을 준다. 인간의 생명력·창조력·활기·힘 등은 이 본능에서 유래된 것이다. 그림자를 거부하면, 퍼스낼리티는 무미건조한 것으로 된다.

d. 자기

퍼스낼리티의 전체 또는 '정신'의 개념은 융 심리학의 중심적 특성이다. 이 전체성은 조각보처럼 여러 부분을 모아서 만들어지지 않는다. 성숙하기에는 시간이 걸리지만, 그것은 애당초부터 존재해 있다. 퍼스낼리티의 조직 원리가 바로 융이 '자기'라고 부르는 태고유형이다.

태양이 태양계의 중심이듯, 자기는 집합 무의식 속의 중심적인 태고유형이다. 자기는 질서·조직·통일의 태고유형이다. 자기는 모든 태고유형들과 콤플렉스 및 의식 속의 태고유형의 형태를 끌어당겨서 조화시킨다. 자기는 퍼스낼리티를 통일하여 그것에 '일체성'과 불변성의 감각을 준다. 어떤 사람이 그는 자기 자신 및 세계와 조화를 이루고 있는 것처럼 느낀다고 말하는 경우, 그것은 자기의 태고유형이 그 구실을 효과적으로 다하고 있다는 뜻이다. 반대로, 활기가 없고 불만족이며 심각한 갈등에 휘말려 '산산조각이 날 것 같다'고 느끼고 있는 경우라면 그것은 자기가 그 일을 훌륭히 하고 있지 않다는 뜻이다.

모든 퍼스낼리티의 궁극적인 목표는 자기 실현을 달성하는 데에 있다. 이것은 간단한 일이 아니라 매우 어렵고도 복잡한 문제이므로, 그것을 완전히 달성한 사람이 있었다 하더라도 매우 드문 경우이다. '예수'와 '석가모니' 같은 위대한 종교적 지도자는 이 목표의 가장 가까이까지 갔다. 융이 지적하고 있듯이 자기의 태고유형은 거의 중년이 될 때까지 드러나지 않는다. 그 까닭은 자기가 어느 정도 완전히 나타날 수 있도록 되기 위해서는, 퍼스낼리티가 개성화를 통해 충분히 발달되어 있어야 하기 때문이다.

자기 실현을 달성하느냐, 못하느냐는 자아의 협력에 달려 있다. 자아가 자기의 태고유형으로부터 오는 메시지를 무시한다면, 자기의 평가와 이해는 불가능할 것이다. 모든 것이 의식적으로 되지 않는다면, 퍼스낼리티를 개성화하는 효과를 지니지 못한다.

꿈의 분석에 의하여 자기의 인식에 접근할 수가 있다. 더욱 중요한 점은 진정한 종교적 체험에 의해 자기를 이해하며 실현할 수가 있다는 것이다. 동양인은 요가의 명상과 같이 자기에 달성하는 의식적 수업에 의해 서양인보다 쉽게 자기를 지각할 수 있다. 융이 종교에 관해 말하는 것은 정신적 발달에 언급하고 있는 것이지, 초자연적 현상에 언급하고 있는 것은 아니다.

융은 완전한 자기의 실현을 이룩하기보다는 자기를 인식하기에 중점을 두어야 한다고 강조한다. 자기 인식은 자기 실현에 이르는 길이다. 이는 중요한 구별이다. 자기 자신에 관해서는 조금도 모르면서, 자기 힘을 충분히 발휘하고자 하는 사람이 많기 때문이다. 그들은 즉각적인 완성을, 즉 자기가 순식간에 완전히 자기 실현을 이룬 인간이 되는 기적을 구한다. 실제로 이 일은 인간이 인생에서 부딪치는 가장 어려운 일이며, 계속적인 단련과 끈질긴 노력, 최고의 책임과 지혜를 필요로 한다.

무의식적인 것을 의식적으로 만들면, 인간은 자기 자신의 본성과 더욱 조화를 이룬 생활을 누릴 수가 있고, 초조와 욕구불만을 느끼는 경우도 적어진다. 자기의 무의식을 모르는 사람은 무의식의 억압된 요소를 남들에게 투사한다. 즉, 자기 자신의 결점을 자각하지 않고, 그것을 남들에게 전가시켜 남들을 비판하고 힐난한다. 무의식을 자각하면 이 투사들이 환히 드러나 비난만 하고, 비웃기를 잘하던 그의 인간 관계는 개선되고, 그는 타인 및 자기 자신과 더욱 조화를 이루고 있다고 느낀다.

자기의 태고유형은, 외적인 자아와는 전혀 다른 내적인 길잡이다. 자기는 인격을 조절하고 좌우하는 힘을 가지고 있는 동시에 퍼스낼리티를 성숙시키고, 그 지각 능력을 높일 수가 있다. 자기의 발달을 통해 사람은 자기의 일생을 한층 더 자각하며, 파악하며, 이해하며, 지배하는 힘을 얻는다.

자기의 태고유형의 개념은, 융의 집합 무의식 연구에서 가장 중요한 성과이다. 융이 자기의 태고유형을 발견한 것은 다른 모든 태고유형에 관한 철저한 연구와 저술이 끝난 후의 일이었다.

"……자기는 인생의 목표이다. 자기는 우리가 개성이라 부르고 있는 운명적 통일체의 가장 완벽한 표현이기 때문이다"[9]라는 것이 융의 결론이다.

5. 퍼스낼리티의 구조들의 상호작용

융의 구조적 개념들을 일일이 논의하면, 그것들은 서로 무관계한 별개의 것으로 생각될지도 모르지만, 사실은 그렇지가 않다. 그것들 사이에는 긴밀한 상호작용이 있다. 융은 세 가지 상호작용을 논의하고 있는데, 한 구조가 다른 구조의 결점을 '보상'하는 경우, 한 요소가 다른 요소와 '대립'하는 경우, 둘 또는 그 이상의 구조가 '통일'되어서 한 '종합'을 이루는 경우 등 세 가지이다.

대조적인 외향적 태도와 내향적 태도는 보상의 한 예이다. 의식적 자아의 우세한 태도가 외향적이면, 무의식은 억압된 내향적 태도를 발달시킴으로써 보상을 한다. 즉, 어쩌다가 외향적 태도가 좌절되면, 무의식의 하위의 내향적 태도가 앞으로 나와 행동에 힘을 뻗친다. 심한 외향적 행동의 시기 이후에 내향적 행동시기가 있음은 그 때문이다. 무의식은 항상 퍼스낼리티 체계 속의 약한 부분을 보상한다.

기능과 기능 사이에서도 보상이 이루어지는데, 의식적으로는 직감 유형·감각 유형이 있다. 남성의 자아와 아니마, 여성의 자아와 아니무스는 서로 보상하는 관계이다. 정상적인 여성의 자아는 여성적, 아니무스는 남성적이다. 정상적인 남성의 자아는 남성적, 아니마는 여성적이다. 보상의 원리는 대립하는 요소들 사이에 일종의 안정 내지 균형을 가져오며, 정신이 신경증적으로 불균형하게 되는 것이다.

어떠한 입장에 있더라도, 모든 퍼스낼리티 이론가들을 사실상 퍼스낼리티에는 갈등하는 정반대되는 경향들이 포함되어 있다고 가정하고 있다. 갈등하는 요소들이 만들어 내는 긴장이 바로 생명의 본질 그 자체이므로, 심리학적 퍼스낼리티 이론은 대립 또는 갈등의 원리 위에 세워져야 한다고 융은 생각하고 있었다. 긴장이 없으면 에너지가 없고, 나아가 퍼스낼리티도 없을 것이다.

퍼스낼리티의 모든 곳에 대립은 존재해 있다. 즉, 페르소나와 그림자 사이에도, 페르소나와 아니마 사이에도, 그림자와 아니마 사이에도. 내향성은 외향성과 대립하며, 생각은 감정과 대립하며, 감각은 직감과 대립한다. 자아는 사회의 외적 요구와 집합 무의식의 요구 사이에서 저쪽에서 이쪽으로, 또 반대로 쳐지는 탁구공과 비슷하다. 남성 속의 여성은 남성 속의 남성과 다투며, 아니무스는 여성의 여성다움과 다툰다. 정신 속의 합리적인 힘과 불합리한 힘의 다툼은 끊일 새가 없다. 갈등은 인생의 도처에서 볼 수 있다. 이 갈등들이 퍼스낼리티의 붕괴로 이르는가, 또는 참아 견딜 수가 있는가가 중대한 갈림길이다. 전자의 경우, 당사자는 노이로제나 정신병의 먹이가 되어, 미치거나 거의 미친 것처럼 된다. 그러나 갈등들을 용케 참아 견디는 경우에, 갈등들은 창조적 업적의 원동력이 되어 당사자의 행동에 활기를 줄 것이다.

퍼스낼리티는 늘 내분을 일으켜 분열되어 있어야만 하는가? 이에 대해 융은 항상 대립물의 통일이 있을 수 있다고 생각했다. 이것은 융의 저서에서 광범위하게 볼 수 있는 테마이다. 대립물의 통일은 융이 '초월적 기능'이라 부른 것에 의하여 달성된다. 균형잡힌 퍼스낼리티의 형성으로 이끄는 것은, 이 타고난 기능이다.

6. 요약

융의 논의에 따르면, 퍼스낼리티는 지극히 복잡한 구조임을 알 수 있을 것이다. 퍼스낼리티에는 수많은 요소 — 태고유형과 콤플렉스는 무수히 있을 수 있다 — 가 있을 뿐만 아니라, 이 요소들 사이의 상호작용도 복잡하여 얽히고 설키어 있다. 그렇지만 생각이 깊은 사람으로서, 퍼스낼리티를 단순한 구조로 생각한 사람은 하나도 없었다. 융의 개념들은 인간의 마음의 모든 상태와 작용이 뭉친 덩어리 같은 것을 설명해 주고 있다.

　퍼스낼리티의 갖가지 요소들이 각각의 인간 존재에 있어서 어떻게 표현되어 있는가를 이해하고자 하면, 문제는 무척 어려워진다. 그 이유는, 어떤 주어진 시점에서의 여러 요소의 힘과 아울러 시간을 초월해서 생기는 힘의 변화도 평가해야 하기 때문이다. 정신은 일단 묘사하면 그것으로 끝나는 바위나 나무 같은, 안정되고 고정된 사물이 아니다. 정신은 쉴새없이 변화하는 다이내믹한 체계이다.

2

퍼스낼리티의 역할

앞장에서 설명한 퍼스낼리티의 구조들이 활동하기 위해서는 에너지가 필요하다. 이 에너지는 어디서 오는가? 그것은 어떤 성질을 가지고 있는가? 어떻게 이용되는가? 퍼스낼리티의 다양한 구조 사이에 어떻게 분배되는가? 이 장에는 이 문제들에 대해 논의하기로 하겠다.

1. 정신 — 상대적 폐쇄 체계

융은 퍼스낼리티 전체 또는 정신을 '상대적 폐쇄 체계'라고 말한다. 상대적 폐쇄 체계란 정신이 그 자체 속에 들어앉은 단일 체계로서, 바꾸어 말한다면 다른 에너지 체계와는 별개이며, 다소간 자기 충족적인 에너지 체계로서 다루어야 한다는 의미다. 정신은 신체를 포함한 외적 근원에서 에너지를 받지만, 이 에너지는 일단 받아들여지면 오로지 정신에만 속해 있다. 다시 말해서 이 받아들인 에너지가 어떻게 되는가는 외적인 근원의 성질에 의해서가 아니라, 정신이라는 기존 에너지 체계에 의해 결정된다. 정신은 외적 근원에서 새로운 에너지를 받아들이는 입구를 빼고서는 외계와 차단되어 있는 영역이다.

외적 근원으로부터의 에너지는 우리가 만지며, 보며, 냄새 맡으며, 맛보며, 느끼며, 듣는 사물들로부터 온다. 우리가 먹는 음식물이 몸의 기능을 유지시키듯, 이 감각들이 끊임없는 자극의 근원이 되어 정신의 활동을 촉진시킨다. 정신 체계는 상대적인 안정성에 도달할 수 있을 뿐이다. 외적 환경과 신체로부터의 자극은 체계 안에서의 에너지 재분배 또는 이동을 끊임없이 일으킨다. 만일 정신이 완전히 폐쇄된 상태라면, 바깥쪽으로부터의 간섭을 받지 않을 것이므로 완전한 균형 상태에 도달할 수 있을 것이다. 이 경우, 정신은 새로운 물이 들어오지 않으면 금방 수면이 조용해지는 연못처럼 된다.

만사가 순조롭게 되어 가던 상황에서 갑자기 예기치 않은 일이 일어나 균형을 잃고 만 경험을 독자들도 여러 번 겪었을 것이다. 이때에는 아무리 사소한 자극이라도 당사자의 정신적 안정에 커다란 영향을 끼칠 수 있다. 이 점에서 알 수 있듯이, 문제가 되는 것은 보충된 에너지의 양이 아니라 그 보충된 에너지가 정신 속에 야기시키는 교란 효과이다. 이 교란 효과는 체계 안의 에너지의 재분배에 의해 일어난다. 총알을 장전한 총의 방아쇠를 당기면 큰 참사가 일어난다. 마찬가지로 불안정한 정신에 아주 적은 에너지라도 보태면 당사자의 행동에 큰 변화가 일어난다. 예컨대 아무렇지도 않은 한 마디가 그 말을 듣는 사람에게 과격한 정서 반응을 일으키는 것이다.

융은 개인이 모든 사태들에 대비할 수 있다고 생각하는 것은 어리석은 일이라고 생각한다. 새로운 경험이 정신 속에 몰려들어 그 균형을 무너뜨리기 때문이다. 융은 심리적 균형을 회복하기 위해서는, 정기적으로 명상에 잠기는 것이 좋다고 권한다. 명상은 자신 속으로 깊이 몰입하여 외부 세계를 몰아내고 닫아 버리는 방법들 중의 하나이다. 완전하며 영구적인 물러남은 그보다 더 철저한 방법이긴 하지만 실현이 어렵다. 긴장성의 환자는 사실상 모든 자극에 대해 무감각하지만, 그러나 한편 자극이나 새로운 경험도 필요하다. 새로운 경험에서 차단되어 생활이 지나치게 단조롭게 되면 권태와 무기력에 빠진다. 이런 경우에는 외계로부터의 자극이 정신에 활기를 주며, 쾌활한 기분을 일으키게 될 것이다. 만약 정신이 완전히 열려 있으면 혼돈이 있을 것이고, 완전히 닫혀 있으면 정신은 침체할 것이다. 건전하고 안정된 퍼스낼리티는 이 두 극단의 중간 지점에서 일하고 있다.

2. 정신 에너지

피스낼리티가 일하기 위하여 사용되는 에너지를 '정신 에너지'라고 부른다. 융은 이 형식의 에너지를 가리키기 위해 '리비도'라는 말도 썼지만 프로이트의 정의와 혼동되어서는 안 된다. 융은 프로이트처럼 리비도를 성적 에너지에 국한하지 않았다. 사실 이것이 바로 이 두 사람의 본질적인 차이이다. 융에 의하면 자연 상태에 있어서의 리비도는 욕망 — 굶주림, 목마름, 성적 욕구 및 정서 — 이다. 의식에 있어서의 리비도는 노력하기·소망하기·바라기로서 표현된다.

정신 에너지는 물리 에너지의 형식처럼 공식에 의해 양적으로 측정하기는 불가능하다. 예를 들면 방사선은 라드, 전기는 볼트로 측정되지만, 정신 에너지는 심리적 작업을 수행하는 현실적 또는 잠재적 힘의 형식으로 표현된다. 호흡·소화·땀흘림이 생리학적 활동이듯, 지각·기억·생각·감정·소원·의지·기대·노력은 심리학적 활동이다. 퍼스낼리티의 잠재적 힘은 소질, 잠재적 경향, 성격 등이다. 이 잠재적 힘들은 언제든지 현실적인 힘이 될 수 있다.

정신 에너지는 당사자의 경험에서 생긴다. 음식물이 몸에 의해 소화되어 생물학적 에너지 또는 생명 에너지로 변화되듯이, 경험은 정신에 의해 소화되어 정신에너지로 변화된다.

뇌에 물리적 충격을 받은 경우를 제외하고 정신은 몸과 마찬가지로 우리가 깨닫지 않고 있어도 활동은 진행되고 있다. 우리는 아주 조금밖에 꿈을 기억하고 있지 않지만, 최근의 연구는 우리가 밤 동안 계속 꿈을 꾸고 있음을 보여주고 있다. 하지만 정신이 끊임없이 활동하고 있다는 이 견해를 인정하기는 매우 어렵다. 정신 활동을 의식 활동과 같다고 보는 경향이 있기 때문이다. 프로이트와 마찬가지로 융도 이 오해를 논리적으로 반박했지만 그것은 오늘날까지 미지수로 남아 있다.

신체 에너지와 정신 에너지 사이에 동등 관계가 있음을 과학적으로 증명하기는 불가능하다고, 융은 지적하고 있다. 그렇지만 융은 이 두 에너지 체계 사이에는 그 어떤 상호작용이 있다고 생각하고 있다. 바꿔 말해서 정신 에너지는 신체 에너지로 변화되고, 신체 에너지는 정신 에너지로 변화된다. 이를테면 신체에 화학적인 효과를 일으키는 약품이 심리적 기능의 변화도 일으킨다는 것은 명백한 진실이다. 생각과 감정은 생리학적 기능에 영향을 주는 것처럼 보인다. 이것이 정신체계학이 세워질 기초이며, 융은 이 새로운 사상의 선구자들 중의 한 사람이었다고 인정할 수 있겠다.

3. 정신의 가치

'가치'의 개념은 융의 가장 중요한 역학적 개념 중의 하나이다. 가치란 특정한 정신요소에 맡겨진 에너지량의 척도이다. 어떤 관념 또는 감정에 높은 가치가 놓여 있다는 것은 이 관념 또는 감정이 당사자의 행동을 결정하며, 지배하는 데 있어서 상당한 힘을 가지고 있다는 뜻이다. 아름다움에 높은 가치를 두고 있는 사람은 아름다움을 찾아 주변에 아름다운 것을 놓고, 아름다움이 발견될 성싶은 곳으로 여행하면서 아름다운 사람들이나 짐승들과 사귀며, 만일 재능이 있다면 아름다운 예술작품을 만들어 내는 일에 많은 에너지를 소비할 것이다. 반면에 아름다움에 가치를 두지 않는 사람은 이런 종류의 일을 일체 하지 않을 것이다. 심미적인 즐거움을 위해서는 거의 에너지를 쓰지 않고, 오히려 그는 권력에 높은 가치를 두고서 권력을 얻기 위한 활동에 많은 에너지를 쏟을지도 모른다.

어떤 심리학적 요소에 두고 있는 정신 에너지의 절대 가치는 결정할 수 없지만, 다른 가치와 비교한 상대 가치는 결정할 수 있다. 두 정신 가치를 측정하거나 또는 아름다움, 권력 또는 지식, 재물, 벗 중에서 어떤 것을 고를까를 우리 자신에게 물어볼 수 있다. 그보다 좋은 방법은 자기 자신 또는 남들을 관찰하여, 각종 활동에서 어느 정도의 시간과 에너지를 쏟고 있는가를 보는 것이다. 어떤 사람이 돈을 벌기 위해 1주일에 40시간을 쓰고 있다면, 상대적 가치를 판단하기는 어렵지 않다. 상대 가치를 판단하는 또 하나의 방법은 어떤 사람으로 하여금 여러 가지 것들을 선택하도록 해서, 그가 무엇을 고르는 가를 주목하는 것이다. 또 한 가지 방법은 목표에 도달하는 길에 장애물을 놓고, 그가 그 장애물을 극복하기 위해 얼마만큼 노력하는가를 보는 것이다. 그 목표에 최소한의 가치밖에 두지 않은 사람은 이내 단념한다. 만일 자기의 꿈을 기록해 둔다면, 자기가 무엇에 가치를 두고 있는가를 정확하게 판단할 수 있을 것이다. 예컨대 성性에 대한 꿈이 많고, 권력을 구하는 꿈이 거의 없으면, 권력보다 성에 큰 가치를 두고 있다고 말할 수 있다.

정신은 끊임없이 평가하고 있다. 즉, 많은 양의 에너지가 여러 가지 심리학적 활동에 배당되어 있는 것이다. 어느 정도의 양이 배당되느냐는 시간에 따라 달라진다. 오늘은 많은 에너지를 시험 공부에 쓰고, 내일은 테니스나 승마에 많은 에너지를 쓸지도 모른다. 개인의 가치 척도는 일정한 일에 머물러 있지 않다.

상대적 가치의 강도를 평가하기 위한 이러한 관찰은 의식적 가치를 표시하지만, 무의식적 가치에 관해서는 정보를 제공하지 않는다. 무의식의 영역은 직접 관찰할 수 없으므로, 무의식적 가치를 평가하기 위해서는 보조적 방법을 써야 한다. 그런 방법 중의 하나가 콤플렉스 응집력을 결정하는 것이다.

콤플렉스란 중심적 또는 핵심적 요소이며, 그 주위에는 다수의 2차적 연합이 무리를 이루고 있다. 이런 연합의 수효가 콤플렉스의 응집력 또는 유인력의 판도가 된다. 응집력이 크면 클수록 콤플렉스의 가치 또는 힘은 커진다. 예를 들어 어떤 사람이 심한 '지도자 콤플렉스'를 가지고 있다고 한다면 남을 지배하고 싶다는 욕구가 중심에 있고, 그곳으로 많은 경험과 연상을 끌어당길 것이다. 그 무리 전체는 영웅 숭배, 뛰어난 사람과의 동일화, 다른 사람이 모면하려 하는 일에 대한 책임 지기, 사람들에게 결정을 끌어내기, 사소한 일도 중요한 일에도 의논 상대가 되기, 자기 의견을 모든 경우에 표시하기, 존경과 찬미를 구하기 등과 같은 경향으로 이루어져 있다. 새로운 경험은 모조리 지도자 콤플렉스에 흡수될 것이다. 융은 이렇게 말하고 있다. "콤플렉스는 흡수력이 강하면 강할수록 높은 가치를 가지고 있다."

콤플렉스의 응집력의 에너지 가치를 평가하기 위해서는 어떤 방법이 사용될까? 융은 세 가지 방법을 제시하였다. 첫째 직접 관찰과 분석적 연역, 둘째 콤플렉스 지시, 셋째 정서적 표현의 강도이다.

A. 직접 관찰과 연역

콤플렉스의 특징들은 늘 의식적 행동에 나타나 있지는 않다. 콤플렉스는 꿈의 형식이나 위장된 형식으로 나타날지도 모르므로 그 뜻을 들춰내기 위해서는 상황 증거에 유의할 필요가 있다. 분석적 연역 演繹이란 이를 두고 하는 말이다. 이를테면 남들에게 대해 아주 비굴하며 온순한 것처럼 보이는 사람이 있다고 하자. 그런데 주의해 보면, 그는 늘 잘 하고 있는 것 같다. 그는 "내 걱정은 말아요"라고 말하는데, 사실은 모두가 그를 걱정하게 되는 종류의 사람이다. 또는 "여러분, 어서 떠나요. 자리가 없으면, 나는 집을 보겠어요" 하고 말한다. 그러면 가족들은 누구든지 다른 사람을 남겨두고서라도 허둥지둥 그를 데리고 가게 된다. 주부일 경우, 그 여자는 몸을 사리지 않고 가족을 위해 헌신적으로 일함으로써 자신은 병약하게 된다. 가족들은 그 여자를 제멋대로 하게 내버려두며, 시중을 들어야 한다. 이런 경우 대개는 음흉한 수법으로 남들을 조종함으로써 그들을 지배하는 것이다. 그러므로 권력 콤플렉스를 가진 사람은 그 때문에 비난받는 일이 없는데, 그것은 너무나 헌신적이며 자기 희생적이기 때문이다.

어떤 일에 대한 강한 부정적인 태도는, 완강하게 거부하고 있는 바로 그것에 대한 적극적인 흥미를 감추고 있는 것인지도 모른다.

예컨대 "뜬소문은 딱 질색입니다" 하고 말하는 사람이 가장 뜬소문을 좋아하는 사람일지도 모른다는 것이다. 또는 "월급에는 통 관심이 없습니다. 이 일을 좋아할 따름입니다" 하고 말하는 사람이 월급이 적다고 맨 먼저 푸념하는 사람일지도 모른다. 분석심리학자는 사람들의 말을 곧이곧대로 듣지 않고, 그 뒤에 무엇이 감춰져 있는가를 본다.

B. 콤플렉스 표시

행동 장애는 콤플렉스를 표시하고 있는 것인지도 모른다. 이를테면 자기가 잘 알고 있는 사람의 이름을 틀리게 부르는 경우, 예를 들어 남편이 아내를 자기 어머니의 이름으로 불렀다면 그것은 그의 모친 콤플렉스가 아내를 흡수해 버렸음을 암시한다. 또는 아주 잘 알고 있는 것에 관한 기억의 장애가 있는 경우, 억압된 기억은 무의식적 콤플렉스와 어떤 관계가 있으며, 그 때문에 그것에 흡수되어졌다고 가정한다. 이처럼 어떤 장면에 대한 지나친 반응은, 그 장면이 어떤 방법으로 콤플렉스와 연결되어 있음을 표시하고 있다.

융의 언어 연상 테스트는 실험을 통해 콤플렉스 표시를 끌어내기 위한 것이었다. 그의 테스트에서 제시된 낱말에 대한 반응이 늦는 경우와, 기타 반응의 특이성에 의하여 콤플렉스의 가치 정도를 평가할 수 있었다.

"과잉 보상이 있는 경우는 콤플렉스를 들춰내기가 어렵게 된다"고 융은 말했다. 과잉 보상이란, 어떤 콤플렉스의 핵심이 일시적으로 더 높은 에너지 가치를 지닌 다른 콤플렉스에 의하여 감춰져 있는 상태이다. 왜 더 높은 가치를 가지는가 하면, 당사자가 일부러 '진짜' 콤플렉스에서 '가짜' 콤플렉스로 에너지를 옮겼기 때문이다. 예를 들면 자기의 사내다움에 열등 콤플렉스를 가지고 있는 남성은 육체를 단련하고 드러내며, 사내다움을 뽐내며, 여자를 정복한 솜씨를 얘기하기를 좋아하며, 나약하게 보이는 일은 일체 거절한다. 그와 같은 남성은 나약한 남성을 대단히 경멸하는데, 그 이유는 자기 자신이 느끼고 있는 열등성을 상기시키기 때문이다.

또 하나 예를 든다면, 죄악 콤플렉스를 가지고 있기 때문에 죄를 범하는 사람이다. 그는 처벌받기 위해 체포되기를 바라며, 용의주도하게 계획해서 자기가 체포되도록 만들기조차 한다. 처벌은 적어도 일시적으로는 그의 죄악 콤플렉스를 풀기에 도움이 된다. 이것은 일부러 못된 행동을 하는 어린이에게서 볼 수 있는 일이다. 그것은 공격성보다도 처벌받고 싶다는 욕구가 동기로 되어 있는 경우가 많다. '진짜' 콤플렉스는 일단 분명해지면 대처하기가 가능하지만, '가짜' 콤플렉스를 상대하고 있는 한 그 동기를 찾기는 어렵다.

C. 정서 반응

융은 지나친 정서 반응은 그 배후에 콤플렉스가 있음을 지적하였다. 융은 실험을 통해 정서의 표현도 연구했다. 그는 언어 연상 테스트와 관련하여 맥박수의 변화, 호흡의 동요, 감정성 발한發汗, 피부의 전기 전도성의 변화를 측정했다. 어떤 단어를 보였을 때, 이 변화들 중의 어떤 것이 생겼다면 콤플렉스에 접해 있음을 가리킨다. 그 경우에는 동일한 일반적 범주에 속하는 다른 몇 개의 단어를 써서, 그것들도 정서 반응을 일으키는가 어떤가를 볼 수가 있었다.

D. 직관

융에 의하면 지금까지 설명해 온 테스트·실험·분석·관찰 이외에 콤플렉스를 인식하는 방법이 또 한 가지가 있다. 그것은 다른 사람의 가장 사소한 감정의 동요를 지각하는 자연스런 자발적인 능력인데, 이것은 모든 사람에게 갖춰져 있다. 이 능력은 '직관'이라고 불린다. 직관이 고도로 발달해 있는 사람이 있는가 하면, 별로 발달해 있지 않은 사람도 있다. 상대를 잘 알게 되면 될수록 직관은 한층 더 민감하게 되고 정확하게 된다. 깊은 관계를 가지고 있는 두 사람은, 상대가 콤플렉스의 지배 밑에 있으면 거의 금방 인식할 수가 있다.

4. 동량의 원리

정신 역학은 정신의 여러 구조들 속의 에너지 분배와, 구조에서 구조로의 에너지 이동을 문제로 삼는다. 융의 정신 역학은 두 기본적 원리를 사용한다. 둘 다 물리학에서 빌려온 것들인데, 즉 '동량의 원리'와 '엔트로피의 원리'이다.

동량의 원리에 의하면, 어떤 정신적 요소에 맡겨진 에너지의 양이 줄거나 사라지면, 동량의 에너지가 다른 정신적 요소에 나타난다. 즉, 정신에서는 에너지가 상실되는 일이 없다는 말이다. 어떤 위치에서 다른 위치로 이동했을 뿐이며, 실제로 에너지는 몇 개의 요소 사이에 분배된다. 물리학을 배운 사람이라면 알겠지만, 이 원리는 열역학의 제1법칙 또는 에너지 보존의 법칙이다.

어떤 사람이 구두 한 켤레를 사고 10달러를 치렀다고 하자. 이 돈이 없어진 것이 아님은 분명하다. 결국 그것은 몇 사람들에게 — 주인, 점원, 기타의 사무원, 도매업자와 그 사용인, 제조업자와 그 사용인, 가죽 생산자, 각종 세금 징수원 등 — 분배된다. 이와 마찬가지로 어떤 가치의 에너지는 다른 똑같은 가치, 또는 수많은 갖가지 가치로 전이이동된다. 전이 그 자체는 조금도 에너지를 사용하지 않는다. 점원한테 돈을 주더라도, 10달러의 가치가 줄지 않음과 마찬가지다.

정신이 무엇을 하기를 멈추면, 반드시 그대신 다른 무엇을 한다. 이를테면 어떤 소년이 모형 비행기·만화책·경찰관과 도둑놀이에 흥미를 잃기 시작하면, 대신에 자동차·소설·소녀에 흥미를 가지기 시작하기 마련이다. 어떤 것에 대한 흥미의 상실은 다른 무엇인가에 대한 흥미의 발생을 뜻한다. 지쳐서 곯아떨어졌을 때조차도 마음은 매우 복잡한 환각을 계속 만들어 낸다. 낮에 생각하고 느끼고 행동하기 위하여 사용되는 에너지는, 밤에는 꿈을 꾸기 위해 사용된다.

그렇지만 어떤 양의 에너지가 다른 곳으로 전이된 것이 아니라, 아주 사라진 것처럼 보이는 경우가 있다. 이런 경우에는 그 옮겨진 에너지가 의식적 자아에서 개인 무의식 또는 집합 무의식으로 전이된 것이다. 무의식의 이 두 수준을 성립시키고 있는 구조들도 그 활동을 하기 위하여 종종 다량의 에너지를 필요로 한다. 이 활동들은 직접 관찰할 수는 없고, 당사자의 행동에서 추측해야 한다. 의식에서 무의식으로의 변화를 뚜렷히 볼 수 있는 예는 어린이가 부모로부터 독립하기 시작할 때이다. 아이는 대리 부모를 공상하기 시작하여 조만간 그것을 선생, 코치, 부모의 연상의 친구 등 현실의 인물에 투사한다. 이것은 무의식적 가치가 얼마나 일찍이 의식적 가치가 지니고 있던 바와 똑같은 특징을 가지고 있는가를 보여주는 것이다. 어린이는 부모한테서 독립하면, 그들에게 가치를 두지 않게 된다. 이 가치는 무의식적으로 되어 공상의 형태로 표현된다. 그 후 그것은 새로운 대상 ─ 원래의 가치와 아주 비슷한 가치를 간직하고 있는 대상 ─ 을 얻어 다시금 의식적으로 된다. 만약 어떤 사람의 성격이 돌연 변했다면 ─ 예를 들어 지킬 박사에서 하이드 씨로 ─ 그 변화는 가치의 재분배 때문이라고 말할 수가 있다. 따라서 이 정도로 명백하지 않은 것이라면, 행동에 대한 무의식적 가치의 영향은 늘 작용하고 있다. 이 무의식적 가치는 대개 꿈의 내용을 결정한다. 공포증·강박 관념·강박 행위 등의 신경증적 증상, 환각, 망상, 현실로부터의 극단적인 도피 등의 정신병적 증상이 생기는 것도 이 무의식적 가치 때문이다. 퍼스낼리티의 정신 역학은 정신병원과 정신과 의료실에서 가장 명확히 관찰된다. 그렇지만 융이 되풀이해서 지적했던 바와 같이 범죄·전쟁·편견·차별 등 광범위한 여러 가지 현실 사회에서도 예술·종교·신비주의 등은 나타나는 것이다.

어떤 상황에서 쓸 수 있는 퍼스낼리티 체계 속의 에너지의 분량은 한정되어 있으므로, 자연히 이 에너지를 둘러싸고 각종 구조들 사이에 경쟁이 일어날 것이다. 다시 말해서 어떤 구조가 많은 에너지를 얻으면, 다른 구조가 쓸 수 있는 에너지는 그만큼 적어질 것이다. 일상 생활에서 비유를 들어보자. 어떤 사람이 매달 쓸 수 있는 돈이 결정되어 있다면, 그는 원하는 것을 모두 살 수는 없다. 그래서 그는 자기의 여러 가지 필요와 욕망에 대해 돈을 어떻게 분배하느냐를 정해야 한다. 이와 마찬가지로 정신 체계도 여러 가지 구조에 대해 에너지를 어떻게 분배하느냐를 결정해야 한다. 실제로 이 결정은 또 하나의 역학적 원리에 의해 이루어진다.

그리고 융은 한 구조에서 다른 구조로 에너지를 옮기면, 첫째 구조의 약간의 특징이 둘째 구조로 옮겨진다전이된다고 지적하고 있다. 이를테면 권력 콤플렉스에서 성 콤플렉스로 에너지가 옮기면, 권력에 놓여 있던 가치의 일면이 성적 가치에 나타난다. 그렇게 되면 당사자의 성 행동에는 성 대상을 지배하고 싶어하는 몇 가지 특징이 들어 있는 것이다. 그러나 융은, 첫째 콤플렉스의 특징이 모두 전이된다고 가정하지 않는다. 둘째 콤플렉스는 역시 그 독자적인 특성을 나타내므로 융은 이렇게 말하고 있다. "어떤 정신적 활동의 리비도가 본래 물리적인 흥미로 이동하는 경우가 있다. 당사자는 새로운 구조도 마찬가지로 정신적인 것으로 믿는데 그것은 잘못이다." 즉, 융은 둘 사이에 비슷한 점이 있을지도 모르지만, 거기엔 본질적인 차이가 있다고 말한다.

정신 에너지가 어떤 구조에서 다른 구조로 전이되는 경우, 양은 변하지 않을 때뿐이다. 즉, 어떤 사람이 다른 사람의 대상 또는 활동에 강한 집착을 가지고 있다면, 그 대리가 될 수 있는 것은 그만큼 강한 가치를 가진 그 어떤 것뿐이다. 그렇지만 반드시 모든 에너지가 새로운 가치에 사용되지는 않는다. 이 경우, 여분의 에너지는 무의식적 요소로 흘러들어간다.

이제까지는 주로 정신적 가치에 관한 문제를 논의해 왔는데, 이제 퍼스낼리티의 주요한 구조 — 자아·아니마·그림자 등 — 에 관해 논의해 보겠다. 대량의 정신 에너지가 자아에서 제거되어 페르소나에 보태지면, 당사자의 행동에 그 영향은 매우 선명히 나타날 것이다. 그는 이미 '자기 자신'이 아니라, 남들이 원하고 있는 — 그럴 것이라고 그가 생각하고 있는 — 대로의 인간이 될 것이다. 그의 퍼스낼리티는 더욱더 '가면'과 같은 특징을 지닐 것이다.

한 체계가 고도로 발달하면, 그것이 다른 체계들로부터 가능한 모든 에너지를 빼앗는다. 다른 체계에 에너지가 묶여 있을 때에는 그렇게 하기가 어렵지만, 떠돌아다니는 에너지가 있거나, 에너지가 한 체계에서 다른 체계로 흐르는 도중에 있거나 하면, 아주 쉽게 그렇게 할 수가 있다.

앞에서 정신 에너지가 자아에서 페르소나로 어떻게 손쉽게 흐를 수 있는가를 설명했는데, 에너지는 항상 이처럼 직접적으로 재분배되지는 않는다. 자아가 에너지를 잃고, 그 에너지가 한 체계에만이 아니라 몇 개의 체계에 재분배되는 경우도 있을 수 있다. 또 외적 근원으로부터의 새로운 에너지가 계속해서 정신에 보태지고 있으므로, 그 새로운 에너지 때문에 어떤 체계의 에너지 수준이 오르는 경우도 있다.

요컨대 동량同量의 원리에 의하면, 정신 에너지가 정신의 어떤 구조에서 다른 구조로 전이되더라도 에너지의 가치는 항상 같다. 즉, 정신 에너지는 소멸될 수 없어서, 경험에 의해 정신에 보태질 수는 있지만, 정신에서 제거할 수는 없다.

5. 엔트로피의 원리

동량의 원리로는 체계 안에서 이루어지는 에너지의 교환은 설명할 수 있지만 에너지가 흐르는 방향은 설명하지 못한다. 왜 에너지는 자아로부터, 즉 그림자나 아니마로가 아니라 페르소나로 흐를까? 이는 어떤 사람에게, 왜 책이나 과자가 아니라 구두를 샀느냐고 묻는 것과 같다. 그는 아마 "책이나 과자보다 구두가 필요했으므로"라고 대답할 것이다. 이 대답은 정신 속의 에너지의 교환과도 같다. 에너지가 자기에서 페르소나로 흐르는 까닭은, 페르소나가 아니마나 그림자보다도 에너지를 필요로 하고 있기 때문이다. 페르소나가 에너지를 필요로 하는 까닭은 자아, 아니마 또는 그림자보다도 적은 양의 에너지를 가지고 있기 때문이다.

물리학에서는 에너지가 흐르는 방향이 '엔트로피의 원리'라고 불리는 열역학 제2법칙에 의해 개념화되어 있다. 이 원리에 의하면 온도가 다른 두 물체가 접촉하면, 열 — 열에너지 — 은 두 물체의 온도가 같아질 때까지 뜨거운 물체에서 찬 물체로 흐른다. 그리고 수위가 같아질 때까지 늘 높은 수위에서 낮은 수위로 흐른다. 이렇듯 항상 에너지는 강한 물체에서 약한 물체로 흐른다. 즉, 엔트로피의 원리가 작용함에 따라 양쪽 힘의 균형이 생긴다.

융은 엔트로피의 원리를, 퍼스낼리티의 역할을 설명하기 위하여 응용한 셈인데 그것에 의하면, 정신 내부의 에너지의 존재는 정신의 모든 구조들 사이의 균형 내지 평균을 찾는다. 가장 단순한 경우를 말한다면, 두 에너지의 강도가 다르면, 에너지는 균형이 회복될 때까지 강한 가치에서 약한 가치로 흐른다. 다시 말해서더 엔트로피는 균형잡힌 체계를 완전히 달성하기 위해서, 퍼스낼리티 전체 속에서 에너지를 교환하고 있다. 물론 이 목표는 절대로 완전히 실현되지 않는다. 만일 그것이 실현된다면, 이미 에너지의 교환은 없게 되며, 정신은 그 기능을 멈추게 된다. 만일 완전한 엔트로피가 달성되면, 물리적 세계는 얼어붙을 것이다. 그와 마찬가지로, 정신도 얼어붙을 것이다. 모든 것이 정지할 것이다.

정신에 그런 일은 일어날 수 없다. 정신은 완전한 폐쇄 체계가 아니기 때문이다. 즉, 정신에는 외계로부터의 새로운 에너지가 늘 보충되고 있음을 뜻한다. 이 보충된 에너지가 불균형을 만들어 낸다. 여러 구조들 사이에 어느 정도의 균형이 있어서 퍼스낼리티의 역학이 비교적 고요히 있더라도, 새로운 자극이 균형을 무너뜨려 고요의 감정은 긴장과 갈등의 감정으로 교체된다. 긴장·갈등·스트레스 등은 전부 정신 안의 불균형에서 생기는 감정이다. 구조들 사이의 에너지가 불평등하면 할수록, 당사자는 더욱 큰 긴장과 갈등을 경험한다. 그는 그런 내적 갈등 때문에 자기가 산산이 부서진 것처럼 느낄지도 모르며, 때로는 실제로 그렇게 되어 버린다. 압력이 극히 크면 화산은 폭발하는데, 그와 마찬가지로 긴장이 극히 크면 퍼스낼리티는 파괴된다.

그렇지만 융이 지적하고 있듯이, 본래 에너지량이 매우 달랐던 두 가치 또는 구조 — 한쪽은 퍽 낮고 다른 쪽은 퍽 높은 — 가 똑같은 에너지량이 된 경우에는, 그 가치 또는 구조들이 쉽사리 무너지지 않는 강한 결합체로 이루어질 수 있다. 예컨대 그림자가 강하고 아니마가 약한 남성을 생각해 보자. 약한 아니마는 강한 그림자로부터 에너지를 끌어당기려고 한다. 그러나 그림자에서 에너지가 제거되더라도, 그 이상의 에너지가 외계에서 그림자에 보충된다. 그 때문에 일방적일지라도 심한 갈등이 생긴다. 이 갈등이 마침내 해결되어 두 구조 사이에 일종의 균형이 달성되면, 이 균형은 간단히 무너지지 않는다. 이런 경우의 두 대립물 — 그림자와 아니마 — 의 통일은 유난히 강한 것이 될 것이다. 이런 남자는 강박적인 남자다움이 아니라, 그 행동에 있어서 소위 남자다움과 부드러움, 힘과 인정, 결단력과 세련된 감정의 혼합을 가지게 된다. 이런 결과가 되면 다행이지만, 갈등이 지속되고 대립물이 통일되지 않는 경우도 매우 많이 있다.

그림자와 아니마와 같은, 대립하는 두 구조 사이에는 오히려 강한 결속이 이루어질 수 있는데, 이같은 일이 인간 관계에서도 이루어질 수 있다. 처음에는 날카롭게 대립하고 있던 두 사람 사이가, 가장 친한 관계로 발전하는 경우가 종종 있다. 두 사람은 숱한 투쟁을 거쳐야 했지만, 어느 날 모든 투쟁이 해결되어 영속적인 우정이 공고히 확립된다. 물론 이것 역시 항상 그렇게 된다고는 단정 지을 수 없다. 투쟁이 계속되거나, 또는 더욱더 심해져 관계가 끝나 버릴 수도 있다.

그런데 정신 내부의 갈등과 인간 관계의 갈등과의 비교는 단순한 비유가 아니다. 융이 지적하고 있듯이, 타인 — 또는 동물과 사물 — 과 우리와의 갈등은 종종 우리 자신의 퍼스낼리티 내부의 갈등의 투사이기 때문이다. 아내와 싸우고 있는 남편은 자기 자신의 아니마와 싸우고 있는 것이다. 어떤 일을 죄악 내지 배덕으로 인정하여 맹렬히 광신적으로 반대 운동을 하고 있는 사람은 자기 자신의 그림자와 싸우고 있는 것이다.

이미 말한 바와 같이, 외계로부터의 자극이 에너지를 추가해서 정신 내부에 긴장이 생긴다. 정상적인 조건 밑에서 이 새로운 에너지는 정신 속에 잘 수용되어, 심각한 혼란을 자아내지는 않는다. 그러나 에너지의 분배가 고르지 않기 때문에 이미 정신이 불안정하거나 자극이 처리할 수 없을 정도로 강하거나 하면, 당사자는 자기 자신의 둘레에 울타리를 침으로써 자기를 보호하고자 한다. 융은 정신병원에 근무하고 있었을 때, 정신병 환자의 무감각한 감정을 관찰하였다. 그들이 정상이라면 정서 반응을 일으킬 만한 상황에 맞닥뜨려도, 그들은 계속 멍청하다. 이 과정이 지났을 때에만 종종 감정이 세차게 분출한다.

정신 이상이 아닌 사람들도 마음을 교란시키는 상황에서 자기 자신을 보호하기 위해 여러 가지 방법을 쓴다. 말하자면 그들은 마음을 닫고, 자기가 믿고 있는 바를 어지럽히는 일에 귀를 기울이지 않으려고 한다. 종종 그들은 뿌리 깊은 편견을 가지게 된다. 보수적이며, 변화를 받아들이지 않는다. 고정된 정신 상태로 있는 편이 마음이 가라앉고 편안하기 때문에 그들은 새로운 경험에 대해 마음을 닫음으로써 완전한 엔트로피의 상태에 접근할 수가 있다. 그렇지만 이미 말한 바와 같이, 그런 상태는 폐쇄 체계에서만 일어날 수 있다.

우리는 '청춘의 폭풍' 또는 '중년의 안정'이라는 말을 한다. 청춘이 요란스러운 까닭은 외부 세계와 신체적 근원에서 대량의 에너지가 정신으로 흘러들어오기 때문이다. 이를테면 사춘기에 일어나는 생리학적 변화와 가족과의 유대가 느슨해지기 시작함에 따라서, 청소년이 만나는 숱한 새로운 경험을 생각해 보자. 엔트로피의 원리는 정신으로 흘러들어오는 대량의 에너지를 직절히 처리할 수 있을 정도로 신속하게 작용하지 못한다. 그 까닭은 새로운 경험에 의해 줄곧 새로운 가치가 만들어지기 때문이다. 엔트로피의 원리는 방금 만들어진 새로운 가치를 금방 처리하려고 하지만, 그 일이 완료하기도 전에 새로운 경험의 결과로서 다른 새로운 가치가 나타난다.

또는 두 가치가 어떤 종류의 균형에 도달하지만, 그때엔 제2의 가치가 나타나서 처음의 두 가치 사이의 에너지 분배를 다시 하게 된다. 요컨대 불확실·당황·갈등·불안정·불안·혼란의 감정이 투사되어 반역·당황과 예측 불가능한 뜻밖의 충동적 행동 등의 형태를 취한다. 융이라면, 청년의 정신 속에 있는 에너지가 무질서한 찰나 동안에는 어떤 일이라도 일어날 수 있다고 말할 것이다.

소위 '중년의 안정'에 관해 말한다면, 실은 나이는 아무 관계도 없다. 연장자가 안정되어 있는 까닭은 여러 가지 일을 경험하고, 그 경험들과 대결하고 또 어느 정도 조화시켜서 퍼스낼리티 속에 섞어 넣었기 때문이다. 연장자에게 있어서 새로운 경험이 청년의 경우처럼 혼란을 야기시키지 않는 까닭은 그 경험이 주는 새로운 에너지가 정신 속의 전체 에너지의 양에 비해 적기 때문이다.

퍼스낼리티의 역학 속에서 엔트로피의 원리가 작용하는 것을 방해하는 요인이 또 하나 있다. 어떤 한 구조가 고도로 발달하여, 정신 가운데서 큰 힘을 가진 자리를 차지하고 있을 때, 그것은 정신의 나머지 부분에서 독립하여 분리되기 쉬운 경향이 된다. 그 구조는 독재자처럼 다른 구조들로부터 더욱더 힘 — 에너지 — 을 빼앗고, 게다가 정신으로 들어오는 새로운 에너지까지도 독점한다. 강한 구조로부터 약한 구조로의 에너지의 흐름이 차단될 뿐만 아니라 그 정반대가 된다. 그 결과 정신은 몹시 불균형하게 된다. 하나의 지배적 구조가 점점 강해지고, 나머지 약한 구조는 점점 약해진다. 이를테면 하나의 강한 콤플렉스가 새로운 경험의 대부분을 끌어당긴다. 마치 풍족하고 강한 나라가 새로운 부의 원천을 발견하여 독차지함으로써 더욱더 부강해지고 더욱더 강해지는 것과 같다. 퍼스낼리티 내부의 이런 독재는 일시적으로는 안정 요인이 될지도 모른다. 그렇지만 엔트로피 원리에 의해, 지배적인 콤플렉스가 뒤엎어질 위험성은 항상 있다. 강한 체계로부터의 에너지의 갑작스런 흐름은 댐이 무너지는 것과 마찬가지로 마침내는 비참한 결과를 불러들일 것이다.

융이 지적하고 있듯이, 극단적인 상태라는 것은 모두 그 대립물을 그 안에 가지고 있기 때문에, 대단히 지배적인 어떤 가치가 느닷없이 정반대의 가치로 뒤바뀌는 것은 흔히 있는 일이다. 이를테면 강한 권력 콤플렉스를 가지고 있는 사람이 돌연 매우 굴종적으로 되는 경우가 있다. 또는 페르소나가 몹시 발달해 있는 사람이 탈을 벗어던지고, 사회의 위협이 되기도 한다. 정신분석자로서 융은 환자의 퍼스낼리티가 별안간 변화하는 모양을 관찰할 기회가 많았다. 이런 퍼스낼리티와 행동의 극적인 변화는 엔트로피 작용에서 유래한다. 어떤 콤플렉스 또는 기타의 구조에 많이 축적된 에너지가 돌연 그 콤플렉스에서 흘러나와 다른 대립물로 흘러들어간다. 지나치게 발달한 구조가 으레 불안정한 까닭은 여기에 있다.

심리적 측면에서 엔트로피 원리를 대표하고 있는 것이 바로 '자기'이다. 이미 말한 바와 같이, 자기란 퍼스낼리티의 여러 가지 구조를 통합하는 것을 구실로 삼는 태고유형이다. 거기에다 융은 제3의 통합 기능, 즉 '초월적 기능'을 추가하고 있다(이 점에 관해서는 다음 장에서 설명하겠다).

6. 전진과 퇴행

정신 에너지의 전진과 퇴행은 정신 역학의 가장 중요한 개념 중의 하나이다. 전진이란 당사자의 심리학적 적응을 진보시키는 나날의 경험이다. 어떤 종류의 퍼스낼리티는 심리학적 진보를 완전하게 달성하고 있는 듯이 보이지만, 이 당사자의 의식적 행동을 실제의 정신적 적응으로 잘못 알고 있다. 환경과 경험은 끊임없이 변해 가므로, 인간의 전진은 연속적 과정이며, 따라서 그 적응은 절대로 달성되지 않는다.

리비도의 전진은 환경 조건의 요청과 일치한다. 태어난 그 순간부터 인간은 특정한 심적 기능을 발휘하는 소질에 의해 하나의 세계와 만난다. 처음부터 특정한 지향을 가지고 있으므로, 정신은 하나의 방향으로 나아간다. 이 기능의 일면성이 전진의 과정을 거쳐 '지나치게' 지배적으로 된다. '지나치게' 강하게 되면, 그 기능은 가능한 한 모든 경험과 정신 에너지를 끌어당길 것이다.

그런데 그동안 이 기능으로는 적응할 수 없게 되어서, 새로운 기능을 필요로 할 때가 온다. 이를테면 감정이 지배적인 기능일 때, 새로운 상황에 대한 적절한 적응을 위해서는 감정보다는 생각이 필요할지도 모른다. 이 경우 감정 태도는 그 힘을 잃고, 그 기능에의 정신 에너지는 더이상 전진하지 않는다. 그때까지 존재해 있던 안전성과 확실성은 무너지고, 그 뒤에 무질서한 정신적 가치들이 뒤범벅으로 되어 당사자는 오리무중이 된다. 그래서 온갖 주관적인 내용과 반응이 쌓이고, 정신은 긴장으로 가득해진다.

리비도를 그런대로 전진시키기 위해서는 대립하는 두 기능 ─ 감정과 생각 — 을 통일할 필요가 있다. 생각과 감정은 서로 작용하며 서로 영향을 끼치는 상태에 이르러, 정신 기능의 발달이 불균형하게 됨을 방지해야 한다. 이것이 이루어지지 않으면, 정신 에너지는 혼돈 상태에 빠져 두 대립물은 조정될 수 없다. 여기서 만일 '퇴행'의 과정이 끼어들어서 갈등을 저지하지 않으면, 대립물의 투쟁은 한없이 계속될 것이다. 퇴행이란 리비도의 후퇴 운동이다. 대립물은 충돌하고 상호작용을 거듭하면서, 퇴행 과정에 의해 서서히 그 에너지를 잃는다. 전진은 정신요소에 에너지를 보태지만, 퇴행은 정신 요소에서 에너지를 빼앗는다. 이 위기 동안, 퇴행 과정에 의해 대립물은 꾸준히 가치를 잃고, 서서히 새로운 기능이 발달한다. 이 새로 발달한 기능은, 처음에는 우리의 의식 행동에 간접적으로만 모습을 나타낸다. 즉, 새로운 기능이란 사고인데, 그것이 감정을 대신하려는 것이다.

사고라는 이 새 기능은 퇴행 덕분에 활동을 시작한다. 의식에 도달했을 때 사고는 다소 생소하고 위장되고 거친 형태로 나타난다. 또는 융의 아름다운 표현을 빌린다면 "깊은 곳에 진흙으로 덮여 있다."[10] '깊은 곳'이란 떠오르기 전 '사고 기능'이 놓여 있던 깊은 무의식 상태를 가리키고 있다. 감정이 한수 높은 기능이었던 동안은 모두 이 기능으로 지향되어 있었다. 모든 요소는 사고 기능과 같이, 다른 기능과의 상호작용에서 제외되어 있었다. 그 때문에, 사고 기능은 발달하는 기회가 없었다. 감정 기능이 윗자리에 있었던 동안, 사고 기능은 사용되지도 훈련되지도 않고 미분화인 채로 머물러 있다.

퇴행에 의해 무의식적 기능이 활동하기 시작하면, 그 새로운 기능은 외적 적응의 문제에 직면한다. 새로운 기능이 일단 이 최초의 적응을 달성하면, 리비도의 전진이 다시 시작된다. 그전의 감정이 나날의 전진에 의해 확실감과 안정감을 발전시켰던 바와 마찬가지로, 이 새로운 사고의 지향도 확실감과 안정감을 발전시킬 수가 있다.

적응은 오직 외부 세계에서 일어나는 사건들 때문에 필요한 것만은 아니다. 인간은 자신의 내적 정신계에도 잘 적응해야 한다. 감정이 상위 기능이면, 자기 자신의 무의식에 대한 당사자의 지향은 생각에 머물러 있다. 처음에는 그것으로 충분할지 모르지만, 결국은 그것으로 늘 잘 되지는 않으므로 감정 기능의 협력도 필요하게 된다.

융의 말에 의하면, '인간이 외부 세계의 요청에 이상적으로 응할 수 있는 것은 자기 자신의 내부에 잘 적응하고 있을 때뿐이다. 바꿔 말하면 자기 자신과 조화를 이루고 있을 때뿐이라는 것이다. 반대로 인간이 자기 자신의 내부에 적응하여, 자기 자신과의 조화를 달성할 수 있는 것은 환경의 여러 조건들에 잘 적응하고 있을 때뿐이다.'[11] 이 두 가지 적응은 서로 의존하는 관계에 있어, 한쪽을 소홀히 하면 반드시 다른 쪽도 해치게 된다. 유감스럽게도 현대 생활에서는 내적인 적응 없이는 외적인 적응도 달성될 수 없다는 점이 무시되고, 외적인 적응에만 중점을 두고 있다. 좋은 적응을 위해서는 전진도 퇴행도 다 본질적으로 중요하다.

또한 융은 퇴행이 유익한 경우도 있다고 하는데, 그것은 많은 민족적 지혜를 포함하고 있는 태고유형에 활기를 주기 때문이다. 종종 이 민족적인 지혜 덕분에, 인간은 현재의 생활에서 직면하고 있는 긴급한 문제를 해결할 수 있다. 예를 들어 영웅의 태고유형에서, 인간은 절망적인 위기에 맞았을 때 용기를 얻을 수가 있다. 융이 가끔 물러나는 시기를 갖기를 권한 까닭은 생활의 여러 문제들에서 도망치기 위해서가 아니라, 무의식의 저장소에서 새로운 에너지를 끌어내기 위해서다. 사실 우리는 밤마다 자고 있을 때, 그렇게 하고 있다. 잠은 무의식 속으로 내려가는 기회, 무의식이 꿈에 나타나는 기회이다. 유감스럽게도 현대인은 자기의 꿈에 내재해 있는 힘과 지혜들에 충분한 주의를 기울이지 않는다.

융은 '전진'과 '발달'을 혼동하지 말도록 주의시키고 있다. 전진은 에너지가 흐르는 방향을 가리키며, 발달은 여러 구조의 분화 — 개성화 — 를 가리키고 있다. 퇴행과 전진은 조수의 간만 같다. 물론 전진과 퇴행은 여러 구조에 영향을 줌으로써, 간접적으로 발달에 영향을 끼친다.

그리고 전진과 퇴행은 외향과 내향적인 면에서 겉으로는 비슷한 것처럼 보이지만 혼동해서는 안 된다. 실제로 전진이나 퇴행은 각각 외향적인 성격에서도, 내향적인 성격에서도 일어날 수 있다. 전진과 퇴행은 에너지 개념이지, 정신의 형식적 구조나 요소가 아니다후자에 관한 상세한 설명이 제4장에 되어 있다.

7. 에너지의 물길 트기

물리적 에너지와 마찬가지로, 정신 에너지도 틀이 잡혀지고 전환되고 변형된다. 융의 용어로 말한다면, '물길이 트여진다'이다. 물리적 에너지와 비교해 보면, 물길 트기의 개념이 분명해질 것이다. 폭포는 구경하기에는 아름다운 경치일지도 모르지만 그 미적인 가치를 별도로 친다면, 자연인 채로는 인간에게 거의 소용이 없다. 폭포 위의 물을 발전소의 터빈에 연결되어 있는 파이프에 쏟아지게 하면, 터

빈은 돌게 되고 따라서 전기가 생긴다. 이 전기는 전선을 타고 운반되어, 각종 목적에 적절하게 사용된다. 인간은 늘 에너지를 동력화해서, 인간을 위한 유용한 일들에 사용해 왔다. 인간의 기술 가운데 더러는 돛단배를 전진시키는 데에는 바람을, 열을 일으키기 위해서는 나무와 석탄을, 물레방아를 돌리는 데에는 물을 사용하는 등 대단히 간단한 것이다. 정신도 에너지를 전환시키거나 물길을 트기도 한다. 융을 따라서 그것이 어떻게 이뤄지는가를 보자. 자연의 에너지의 근원은 본능이다. 본능 에너지도 폭포처럼 그 자신의 진로 또는 물매를 따라가지만, 역시 폭포와 같이 아무 일도 하지 않는다. 일을 하기 위해서는 이 자연 에너지를 새로운 물길로 돌려 넣어야 한다. "발전소가 폭포를 흉내내서, 그 에너지를 특별한 목적에 쓸 수 있도록 한다…… 본능 에너지의 변형은 '본능의 대상과 유사한 것'으로 그것의 물길 트기에 의해 이루어진다."[12] 이와 같은 유사물을 융은 '상징'이라고 부른다. 발전소는 폭포의 한 상징이다.

　융이 말하는 것이 무엇을 뜻하는가를 잠시 생각해 보자. 완전히 본능적인 생활을 하고 있는 사람, 즉 문명인과 비교되는 자연인은 동물과 마찬가지로 항상 자기 본능의 요구에 따라 살고 있다. 배가 고프면 먹고, 목이 마르면 마시고, 성적으로 흥분하면 성교하고, 두려움을 느끼면 도망치고, 화가 나면 때리고, 피곤하면 잘 것이다. 강이 산과 들을 지나 물매를 따라 흐르고, 연기가 물매를 따라 오르고, 연어가 강을 거슬러 올라가 알을 낳고, 철새가 겨울이 되면 남쪽으로 이주하듯이 그런 사람은 자기의 본능 에너지의 물매에 따라서 살 것이다.

　자연 상태에서는 인간은 문화·상징 형식·기술 발달·사회 체제·학교·교회 등을 일체 가지고 있지 않다. 융이 말하고자 하는 것은 자연의 에너지가 문화적 내지 상징적 물길로 돌려짐에 관한 것이다. 이 돌려짐전환은 어떻게 일어날까? 그것은 모방 또는 유사물 형성에 의해서라고, 융은 말한다. 어떤 것은 다른 어떤 것과 유사성을 띤다. 이를테면 물리학에서 힘의 개념의 기원은 우리 자신의 근육의 힘에 대한 지각 가운데서 발견된다.

오스트레일리아에서 행해지는 어떤 부족의 봄의 의식은 물길 트기의 한 예이다. '그들은 땅에 달걀 모양의 구덩이를 파고, 둘레에 덤불을 놓는다. 그것은 여자의 성기처럼 보인다. 다음에 그들은 남자의 성기를 모방해서 자기 앞에 창을 내밀고, 이 구덩이 주위에서 춤춘다. 돌며 춤추고 있을 동안, 그들은 "구덩이가 아냐, 구덩이가 아냐, 여자의 성기다"라고 외치면서, 구덩이 속에 창을 찌른다. 춤을 수단으로 삼아 성행위를 모방함으로써 에너지의 물길을 트고 본래의 대상과 비슷한 것으로 전이하는 행동임이 틀림없다.'[13]

물길 트기의 예는 이 밖에도 많이 들 수가 있었다. 푸에블로 인디언의 들소 춤은 사냥하러 나가는 젊은이를 격려한다. 오스트레일리아의 아룬타스 족은, 같은 부족의 사람이 다른 부족에게 피살되면 그 복수를 하기 위해 뽑힌 남자들의 입과 성기에 피살된 사람의 머리카락을 매고서 의식을 행한다. 이 의식에 의해 그들의 분노는 커지고 살인자를 찾아내려는 결의를 높인다. 미개 민족들 사이에는 이와 비슷한 의식이 많이 있다. 풍년, 기우, 악귀로부터의 보호, 전쟁 준비, 자식 많이 낳기, 힘과 건강을 얻기 등을 위한 의식과 춤은 허다하다. 이 의식들의 복잡성은 정신 에너지를 매일의 습관의 자연스러운 흐름에서 어떤 새로운 활동으로 돌리려면 얼마나 많은 주의가 필요한

가를 설명하고 있다. 그것은 수력을 전력으로 바꾸기에 필요한 노력과 비교해 볼 수가 있다.

이 의식들의 가치는 해야 할 일 — 들소를 죽이거나 곡식을 심기 — 로 주의를 돌리게 하여 성공의 기회를 늘이는 데 있다. 의식은 인간으로 하여금 이제부터 하고자 하는 일에 대한 마음의 준비를 시키는 일종의 준비체조이다.

융의 말에 따르면 상징은 본래의 것과 비슷하지만, 같지는 않다는 점을 잊어서는 안 된다. 양쪽 강변 사이의 강의 흐름은 전선을 타는 전류와 비슷하지만, 전기는 흐르는 물과 똑같은 것은 아니다. 춤은 성교와 비슷하지만, 성교는 아니다. 마찬가지로 나무에 구멍을 뚫어서 불을 일으키는 행위는 성행위와 비슷하지만, 성행위는 아니다. 문화적·기술적 활동은 그 기원에 있어서 본능적 활동과 비슷하지만, 일단 발명 또는 발달한 후에는 그 자체의 독립된 성질과 특징을 지니고 있다. 인간의 상징 형성에 관해서는 제5장에서 자세하게 설명하겠다.

융이 관찰하는 바에 의하면, 현대인은 의식보다도 '의지'에 의존하고 있다. 현대인은 무엇을 할 결심을 하고, 결심한 바를 실행 또는 어떻게 하는가를 배운다. 오락으로서가 아니면, 춤추거나 노래하거나 해서 시간을 낭비하지 않는다. 그렇지만 융이 날카롭게 지적하고 있듯이, 현대인도 새로운 일을 시작했다가 그것이 잘 될지, 어떨지 불안할 때에 의식과 마법에 호소하는 경우가 있다.

이런 '의지 행위'도 본래의 본능과 비슷한 것 — 상징 — 을 만들어낸다. 이 비슷한 대상이나 활동은 상상력을 자극하여 고무하는 효과가 있기 때문에 정신은 그것들에 마음을 빼앗기고, 매혹되어 사로잡히게 된다. 그것이 자극이 되어 정신은 대상에 대하여 온갖 종류의 작용을 함으로써, 그것이 없었더라면 알지 못했을 것을 발견하게 된다.

근대 과학이란 옛날의 마법에서 생겼다고 융은 말한다. 자연 현상을 지배하고 싶은 꿈이 과학 시대에 이르러 실현된 것이다. 본능에서 비롯되는 에너지를 본능의 과학적 상징으로 물길을 틈으로써 인간은 세계를 변경할 수 있게 되었다. 융의 말처럼 '상징은 단순한 본능에너지의 흐름을 유용한 일에 이용하기 위한 대단히 소중한 수단으로서 상징에 깊은 경의를 표해야 할 이유가 많은 것이다.'[14]

물리적 자연에서는 유용한, 일의 에너지로 변형시킬 수 있는 자연의 에너지는 매우 적고, 대부분이 자연 상태에 머물러 있다. 본능에너지도 똑같은 상황이다. 상징의 형성으로 돌릴 수 있는 에너지는 아주 적으며 대부분은 자연스럽게 규칙적인 삶의 행로를 유지하고 있는 것이다. 우리가 '의지의 행위'에 의하여 리비도의 일부를 변형시킬 수 있는 것은, 강한 상징을 구상하고 거기에 에너지를 돌릴 수 있을 때뿐이다.

리비도는 전적으로 퍼스낼리티 체계를 유지하기 위하여 사용되는데, 그래도 일정량의 에너지는 쓰이지 않고 남아서 새로운 상징을 만들기 위하여 쓸 수 있다. 이 남는 에너지는 퍼스낼리티 체계가 에너지 강도의 차이를 균등화하지 못했을 때에 생긴다. 예를 들면 에너지 가치가 페르소나에서 아니마로 옮겨져서 아니마가 그 에너지 가치를 완전히 편입하지 못하면 약간의 에너지가 남게 되는 것이다. 그리하여 새로운 상징을 만들어 내거나 물길을 트기 위하여 이용할 수 있는 것은 바로 이 에너지의 여분인 것이다.

그러한 상징은 새로운 활동과 흥미와 발견과 새로운 생활 양식을 불러일으킨다. 인간은 여분의 에너지 덕분에 자연적 동물 상태로부터 미신과 마법의 시대를 거쳐서, 현대의 과학과 기술과 예술의 시대에 도달할 수가 있었다. 물론 여분의 에너지가 파괴적인 목적을 위해 사용되는 경우도 많았다. '의지의 행위'는 창조하기 위해서도 파괴하기 위해서도 쓰일 수가 있기 때문이다.

8. 요약

정신은 상대적인 폐쇄 체계이다. 정신은 주로 감각 기관을 통하여 정신으로 들어오는 경험으로부터 그 에너지를 끌어낸다. 그 다음은 본능 에너지이지만 그 에너지의 대부분은 본능적 생활을 위해서만 사용된다. 정신의 어떤 요소에 주어진 에너지를 그 요소의 '가치'라고 한다. 가치의 정도는 절대적이 아닌 상대적으로 평가될 수 있다.

정신 내부의 에너지 분배는 두 가지 원리에 의하여 결정된다. 첫째, 동량의 원리에 의해서는, 어떤 정신요소에서 잃은 에너지와 같은 양의 에너지가 다른 정신요소에 나타난다. 둘째, 엔트로피의 원리에 의해서는, 에너지는 높은 가치의 요소에서 낮은 가치의 요소로 두 가치가 같아질 때까지 흐른다.

리비도는 두 방향 중 어느 쪽으로도 흐를 수 있다. 외적 상황에 적응하는 방향으로 흐르는 경우를 '전진'이라고 하며, 무의식적 자료를 활동시키는 방향으로 흐르는 경우를 '퇴행'이라고 한다.

새로운 활동이 본능적인 활동과 비슷할 때 본능 에너지를 그 새로운 활동에 돌려쓸 수 있는데, 이것을 '물길 트기'라고 한다.

이렇게 리비도, 가치, 동량, 엔트로피, 전진과 퇴행, 그리고 물길 트기가 융의 정신 역학의 중심 개념이다.

3

퍼스낼리티의 발달

    심리 치료를 하는 사람이 어째서 퍼스낼리티의 발달 과정을 환히 파악하고 있어야 하느냐에 관해서는 두 가지 이유가 있다. 그 첫째 이유는, 심리 치료가가 대하는 환자들은 어린이로부터 늙은이에 이르기까지 나이에 관계 없이 걸쳐 있다는 점이다. 청년의 정신 상태는 늙은이의 정신 상태와 다른 발달 단계에 있다. 따라서 젊은이가 심리 치료가에게 가져오는 문제는 늙은이가 도움을 필요로 하고 있는 문제와 똑같지 않다. 인생의 전반기에 있는 사람의 문제는 본능의 적응과 관계가 있으며, 인생의 후반기에 있는 사람의 문제는 자기 자신의 존재에 대한 적응에 관계가 있다.

    둘째 이유는, 심리요법이 효과를 거두기 위해서는 환자의 성장을 촉진시켜야 한다는 점이다. 성장한다는 것은 무슨 뜻인가, 성장 과정이란 대체 무엇인가, 성장을 촉진시키려면 어떻게 해야 하는가를 알고 있어야 함은 심리 치료가의 입장에서는 지극히 중요한 일이다.

    수많은 경험에 의해, 융은 퍼스낼리티의 발달에 관한 기본 개념을 만들었다. 이 장에서는 이 개념들을 검토하기로 하겠다.

1. 개성화

개인의 인생은 미분화된 전체성의 상태에서 시작된다. 그 후 씨가 식물로 자라듯, 개인은 충분히 분화하여 균형 잡힌 통일된 퍼스낼리티로 발달한다. 그러나 완전한 분화·균형·통일의 목표에 도달한 사람은 극히 드물며, 융에 의하면 예수나 석가모니밖에 없다는 것이다. 완전히 자기인 상태 또는 자기 실현에의 이 노력은 태고유형의 강한 영향을 피할 수 있는 사람은 없지만, 그 표현이 어떤 과정을 더듬어 그 목표의 실현에 얼마만큼 성공하는가는 사람에 따라 다르다.

융의 중심적인 발달 개념은 '개성화'이다. 제1장에서 설명한 갖가지 퍼스낼리티 체계는 일평생 동안 더욱더 개성화되어 간다는 것이다. 즉, 각각의 체계가 다른 모든 체계들에서 분화되어 갈 뿐만 아니라, 각각의 체계는 그 자체 안에서도 분화해 간다. 애벌레가 나비가 되듯이, 체계는 단순한 구조에서 복잡한 구조로 발달하여 간다. 복잡한 구조란, 여러 가지 방법으로 자기 자신을 표현할 수 있는 구조를 뜻한다. 예컨대 미발달된 자아가 의식화되는 방법은 단순하며 아주 조금밖에 없다. 개성화됨에 따라 자아의 의식적 행위의 종목은 많이 확대된다. 개성화된 자아는 여러 가지 지각을 세밀히 분별할 수가 있으며, 여러 생각들 사이의 미묘한 관계를 파악하고, 객관적 현상의 깊은 의미를 찾아낸다.

마찬가지로 페르소나·아니마·그림자 등 집합 무의식의 태고유형과 개인 무의식의 콤플렉스도 개성화됨에 따라 미묘하며 복잡한 방식으로 표현되게 된다. 융이 말한, 인간은 항상 더욱 좋은 상징을 계속 찾고 있다고 하는 의미는 개성화가 진행됨에 따라 더 정교하고 더 세련된 배출구가 필요하다는 뜻이다. 이를테면 어린이는 단순한 자장가나 놀이로 만족하지만, 개성화된 어른은 그것으로 만족하지 않고 종교·문학·예술·사회제도 등의 더 복잡한 상징 체계를 필요로 한다.

개성화는 타고난 자율적인 과정이다. 바꿔 말하면 그것이 생기기 위하여 외적 자극은 필요하지 않다. 개인의 퍼스낼리티는 몸이 성장하도록 작정되어 있음과 마찬가지로 틀림없이 개성화하도록 정해져 있다. 그렇지만 몸이 건전하게 성장하기 위해서는 적절한 음식물과 운동이 꼭 필요하듯이, 퍼스낼리티가 건전하게 개성화되기 위해서는 적절한 체험과 교육이 필요하다. 또한 음식물이 부적당하거나 운동이 부족하거나 하면 몸이 발육 부진, 기형, 병의 원인이 될 수 있듯이, 경험과 교육에 결함이 있으면 퍼스낼리티는 일그러진다. 말하자면 현대 세계는 그림자의 태고유형의 개성화를 위한 적절한 기회를 마련하고 있지 않다고, 융은 지적하고 있다.

어린이가 동물적인 본능을 표현하면 대개 부모의 꾸중을 듣지만, 그렇다고 해서 그림자의 태고유형이 없어지는 것이 아니라 억압될 뿐이다. 그림자는 퍼스낼리티의 무의식 영역으로 되돌아와서 원시적 미분화 상태에 머무른다. 그 후 억압의 장벽을 깨뜨리면 그림자는 흉악하고 병적인 몰골로 나타난다. 근대의 야만적인 사디즘sadism과 에로 문학의 노골적인 외설은 미분화된 그림자의 작용의 좋은 예이다.

퍼스낼리티의 체계는 의식화됨으로써만 개성화될 수가 있다. 아마 교육의 궁극의 목표는 무의식적인 것을 의식화하는 데 있으며 또한 그래야 할 것이다. 교육*이란 그 낱말의 어원이 가리키고 있듯이 이미 생겨나려는 상태에 있는 것을 개인으로부터 끌어내는 것이지, 빈 그릇에 지식을 채우는 것이 아니다.

건전한 발달을 위해서는 퍼스낼리티의 모든 면에 평등하게 개성화의 기회를 주어야 한다. 퍼스낼리티의 한 면이 등한시된 사람은 비정상적인 표현을 나타내게 될 것이다. 한 체계가 지나치게 팽창하면 균형 잃은 퍼스낼리티가 생긴다. 어린이를 기르는 사람이 인습적인 행동 기준에 중점을 둔 경우를 가정해 보자.

그 어린이는 좋아하지 않는 것을 좋아하는 체하며, 좋아하는 것을 좋아하지 않는 체하게 된다. 그 어린이는 전통적인 가치 체계에 따라서 생각하며 행동하도록 교육받을 것이다. 융의 용어로 말한다면, 그 어린이는 '팽창된 페르소나'를 발달시킨다. 이런 식으로 자란 사람의 의식적 행동의 특징은 열의·활기·자발성의 부족이다. 그는 가면에 불과하며, 사회의 꼭두각시이다.

심리요법은 첫째로 개성화의 과정이다. 《심리학과 연금술》 속에서, 융은 한 환자의 꿈과 환상에 표현된 개성화의 과정을 추구하고 있다. 또 〈개성화 과정의 연구〉라는 논문[15] 속에서, 개성화는 융의 치료를 받고 있던 중년 여성이 그린 수채화에 표현되어 있다. 그림은 만다라의 모양을 하고 있다.

만다라는 정신을 나타내고 있는 원인데, 묘하게 균형 잡힌 무늬를 포함하고 있다. 연속된 무늬를 분석해 보면, 이 여성의 개성화의 이야기가 만들어진다. 환자들은 이따금 만다라의 그림을 그리면 정말 효과가 있음을 인정한다고 융은 말한다. 융의 논문 〈만다라의 상징에 관하여)[16]에는 53개의 만다라 그림이 포함되어 있다.

2. 초월과 통합

퍼스낼리티의 통합은 융 심리학의 두드러진 테마들 중의 하나이다. 퍼스낼리티가 그처럼 서로 다른 많은 체계들로 이뤄져 있을 때, 그 통합은 어떻게 달성될까? 이를테면 어떻게 그림자와 페르소나가 통일적 전체의 두 부분으로 될 수 있는가는 상당히 알기 어렵다.

통합에의 제1단계는 퍼스낼리티의 모든 면들의 개성화이다. 제2단계는 융이 '초월 기능'이라고 부르는 것에 여러 경향들을 통일하고, 전체성의 목표로 나가는 능력을 갖추고 있다. 융의 말에 의하면, 초월 기능의 목적은 본래 태아의 배아싹 속에 감춰져 있던 퍼스낼리티를 모든 면에서 실현하고, 본래 잠재해 있던 전체성을 펼쳐서 결실을 맺는 데 있다는 것이다.

초월 기능에 의하여, 통일 또는 자기의 태고유형은 실현된다. 개성화의 과정과 마찬가지로, 초월 기능도 인간이 본래 타고난 것이다. 분화와 통합은 퍼스낼리티 발달에서 나란히 보조를 맞춰나가는 공존 과정이다. 두 과정이 함께 되어서 궁극적으로 완전한 자기의 상태를 달성한다.

남성 퍼스낼리티의 사내다운 측면과 아니마의 통합을 살펴서 초월을 설명해 보자. 이 두 요소는 억압되기보다는 오히려 의식적 행동에 표현됨으로써 점점 개성화되어 가는 동시에 혼합체까지도 이룬다. 즉, 의식적 행동은 남성 본성의 두 측면을 표현하게 되는데, 대립이나 분리가 아니라 조화를 이룬 혼합이 이뤄진다. 자기의 아니마를 남자다움과 통합한 남성은 가끔 남성적으로 행동하고, 가끔 여성적으로 행동하는 사람이 아니다. 그는 부분적으로 남성, 부분적으로 여성이 아니고, 오히려 대립물의 진정한 통합이 달성된다. 즉, 초월이 생물학적 의미 이외의 성별을 없애 버렸다고 말할 수 있다. 물론 완전한 자기의 상태란, 퍼스낼리티가 그것을 향해 나가는 이상일 뿐이며, 달성하기가 어렵다.

그러므로 퍼스낼리티의 완전한 개성화와 통합의 실현을 방해하고 있는 것은 어떤 요인인가를 살펴야 한다. 융은 한쪽으로만 기울어진 퍼스낼리티의 밑바닥에는 유전이 있을지도 모른다고 생각하였다. 개인은 외향성 또는 내향성으로의 강한 소질을 선천적으로 가지고 있을지도 모른다. 그의 아니마나 그림자는 선천적으로 강할지도 모르며, 또는 약할지도 모른다. 그러나 퍼스낼리티에 대한 유전적 영향에 관해서는 대부분은 거의 모르고 있다.

퍼스낼리티의 발달에 큰 영향을 주는 또 하나의 요인은 물론 환경이다. 융은 사회비평가로서 퍼스낼리티의 발달을 방해하고 망가뜨리는 환경 요인을 탐구하여 분석했다. 물론 환경은 퍼스낼리티의 발달을 돕기도 한다. 그것은 환경이 개인의 타고난 성질들을 키우고, 그것들 사이의 균형을 만들어 낸다. 환경이 발달을 방해하는 경우는 개인으로부터 영양을 빼앗거나 잘못된 영양을 줄 때이다.

A. 부모의 구실

사실상 퍼스낼리티의 발달을 연구한 모든 심리학자들은, 부모가 어린이들의 성격의 발달에 극히 중요한 구실을 한다는 명백한 전제를 강조하고 있다. 부모는 어린이가 나쁜 짓을 하면 비난하고, 좋은 일을 하면 칭찬을 한다. 물론 융은 이 명백한 진리를 인정하고 있다. 그렇지만 융은 어린이의 퍼스낼리티에 대한 부모의 행동의 영향에 관해 상당히 새로운 의견을 내놓고 있다.

우선 어린이는 출생 후 몇 년 동안 별개의 '자기 동일성'을 가지고 있지 않다는 것이다. 이 시기에 어린이의 정신은 부모의 정신의 반영이다. 따라서 어린이의 정신에는 부모의 어떠한 정신적 혼란도 반영된다. 그래서 어린이의 심리 치료법을 위해서는 주로 부모를 분석해야 한다. 어린이의 꿈은 어린이 자신의 꿈이라기보다는 부모의 꿈이라고까지 융은 말한다. 어떤 예에서는, 어린이들의 꿈을 통해서 아버지가 분석되었다. 아들의 꿈은 그때 당시의 아버지의 정신 상태의 거울이었다.

학교에 갈 나이가 되면 부모와의 동일화는 약해지기 시작하고, 어린이의 개성이 발달하기 시작한다. 물론 부모가 어린이를 지나치게 보호하고 어린이에게 부모의 결정을 강요하며, 어린이가 광범위한 경험을 가지는 것을 방해함으로써 어린이를 계속 지배하려는 위험성이 있다. 이런 환경 아래에서는 어린이의 개성화는 방해당하고야 만다.

그리고 양친 또는 그 한편이 어린이에게 자기의 성품을 강요하려고 하거나, 부모 자신의 정신에 결여되어 있는 면을 지나치게 어린이의 퍼스낼리티에서 발달시키려 하는 경우에도 어린이의 개성화는 방해받는다. 이를테면 내향적인 부모는 어린이가 부모와 똑같이 되기를 바랄지도 모르며, 또는 외향적으로 되기를 바랄지도 모른다. 그 어느 경우에도 어린이의 퍼스낼리티는 불균형불안정하게 될 것이다. 부모가 각각 자기의 판이한 정신 구조를 어린이에게 투사하려고 애써 어린이를 부모의 싸움터로 만든다면 그 결과는 분명히 더 한층 해로움을 초래하게 될 것이다.

어머니의 구실과 아버지의 구실은 완전히 다르다. 어머니와의 관계는 사내아이의 '그림자'의 발달 방향을 결정한다. 마찬가지로 여자아이의 경우는 그 반대이다. 양친은 모두 여자아이의 '페르소나'의 형성에 중요한 구실을 한다.

B. 교육의 영향

융은 학교에 다니고 있을 동안, 특히 그를 이해하지 않았던 교사들과의 관계로 숱한 불쾌한 경험을 했다. 공부해야 했던 과목의 대부분은 지루하였다. 융은 교육자들에게 들려준 여러 담화 속에서, 아동기와 청년기의 정신 발달을 이해해야 한다고 강조하고 있는데, 아마 자신의 학생 시절의 일을 회상하고 있었을 것이다. 학생의 퍼스낼리티 발달에 대한 교사의 영향은 그 지적 발달과 학업 성적에 대한 영향과 동일한 중요성을 가지고 있다고, 융은 느끼고 있었다.

따라서 교사가 배워야 할 과목에는 심리학을 포함시켜야 하며, 더 중요한 점으로서 교사가 되려는 사람에 대한 교육은 자기 자신의 퍼스낼리티를 알 필요가 있음을 강조했다. 그렇지 않으면 교사는 교단에 섰을 때, 자기 자신의 콤플렉스와 문제를 휴대하여 학생들에게 그것들을 투사할 것이다. 어린이가 부모의 정신적 문제를 반영하듯이 학생은 교사의 정신적 문제를 반영한다.

"모든 교사에게 분석 치료법을 받게 하는 것은 무리지만, 적어도 교사는 자기의 꿈을 기록하여 매일 밤 분출하는 무의식을 통해 자기 자신에 관한 그 무엇을 배우도록 최대한 힘써야 한다"라고 융은 권고

하였다.

교사는 어린이의 개성화에 대해 가장 강한 — 부모보다도 강한 — 영향력을 가지고 있음을 융은 조금도 의심하지 않았다. 교사는 학생의 무의식을 그 자아에게 인식시키도록 훈련되어 있다. 아니, 훈련되어야 한다. 그리고 교사는 본능에서 에너지를 끌어당길 새로운 풍부한 상징을 학생에게 제공하고, 학생의 의식을 넓혀주어야 한다. 교사는 학생의 퍼스낼리티에 있어서의 부조화를 인식하여, 그 약한 요소를 강화하도록 도와야 할 입장에 있다. 지나치게 발달한 '사고적인 유형'의 학생에게는 덜 발달된 감정 기능을 표현하도록 격려하고, 내향적인 학생에게는 그 약한 외향성을 발달시키도록 격려해야 한다. 여교사는 남학생의 아니마의 상태를, 남교사는 여학생의 아니무스의 상태를 알아두는 것이 특히 중요하다. 그렇지만 교사의 가장 중요한 구실은 학생들 개개의 개성을 인식하여 이 개성의 균형 잡힌 발달을 돌보는 데 있다.

C. 기타의 영향

개인이 살고 있는 넓은 사회도 개인의 퍼스낼리티의 통합에 큰 영향을 끼친다. 어떤 퍼스낼리티의 유형을 더 좋아하는가에 관한 유형의 변화가 있다고, 융은 지적하고 있다. 역사 속의 어떤 시대에서는 감정이, 다른 시대에서는 사고가 일반적인 기능이 될지도 모른다. 아니마는 어떤 시대에는 억압되고, 어떤 시대에는 찬양될지도 모른다. 이러한 유형의 변화에서 자주 퍼스낼리티의 불균형이 생긴다. 1960년대 후반에는, 남성의 아니마와 여성의 아니무스가 종전보다도 더 급격히 개성화하기 시작했다. 그와 동시에 페르소나가 오그라들기 시작해, 의식의 확장이 전후에 일어난 세대의 목적이 되었다.

그리고 서로 다른 문화는 서로 다른 퍼스낼리티의 유형을 형성한다고, 융은 말한다. 이를테면 동양에서는 내향성과 직관을 좋아하며, 서양에서는 외향성과 사고가 존중된다. 개성화는 개인의 경우에만 작용하고 있는 과정이 아니라 인류의 세대에서 세대로 걸쳐, 그리고 문명인과 미개인 사이에서 작용하고 있다. 현대인은 고대인보다 개성화되어 있으며, 문명인은 미개인보다 개성화되어 있다. 이것은 실제적으로 말해서 낡은 사고 형식과 행동 형식으로는 현대인의 퍼스낼리티의 요청들을 충족시키지 못한다는 뜻이다.

옛날에는 현대보다 종교가 개인의 개성화와 퍼스낼리티의 통합을 보조하는 데 훨씬 큰 구실을 하고 있었다. 그 까닭은, 종교가 개인에게 자기인 상태를 실현하기 위한 힘찬 상징을 제공하고 있었기 때문이다. 종교 조직이 사회 개혁 등의 사회적 문제에 말려들어, 태고유형적 상징의 활력을 유지하는 것에 덜 관심을 두게 됨으로써 개인의 정신 발달에 대한 종교의 가치는 줄어들었다. 심리학과 종교에 관한 융의 많은 저서 속에 나타난 견해는 목사들에게 강한 영향을 주었다.

분석심리학의 훈련을 받은 목사가 종교의 테두리를 벗어나지 않는 범위 안에서 카운슬링을 하는 '목사 카운슬링'이 발달한 것은 그 성과 중의 하나이다. 특히 젊은이들간에 각종 유형의 종교적 체험에 대한 흥미가 일어나는 것은, 어느 정도 융의 저서의 영향 때문일지도 모른다.

3. 퇴 행

퇴행의 개념에 관해서는 앞장에서 논의하였다. 퍼스낼리티의 역학의 입장에서 말한다면, 퇴행이란 리비도의 역류를 가리키고 있다. 이장에서는 퇴행을 발달의 입장에서 논의해 보겠다.

발달은 앞으로 향하는 전진적 방향, 뒤로 향하는 퇴행적 방향이 있다. 전진이란 의식적 자아가 현실의 환경을 정신 전체의 욕구들과 잘 조화시키고 있음을 뜻한다. 환경에서 기인하는 욕구 불만 때문에 이 조화가 깨지면, 리비도는 환경의 외향적 가치에서 되돌려져 무의식의 내향적 가치에 주어진다. 리비도를 이처럼 자기한테로 되돌리는 것을 융은 '퇴행'이라고 부른다. 욕구 불만이 있는 개인이 그 문제의 해결을 무의식 속에서 발견한다면, 퇴행은 적응에 도움이 될 수 있다. 무의식은 민족적 과거의 지식과 지혜를 담고 있다. 융은 조화와 통합을 달성 또는 유지하는 수단으로써, 이따금 세상의 소란에서 물러나 조용한 명상에 잠기기를 적극 권하고 있다. 대부분의 창조적인 사람들은 무의식의 거대한 자원에 참여함으로써 생기를 되찾기 위해, 정기적으로 세상의 소란에서 물러나 있다. 융도 볼링겐의 별장에 들어앉아 남들에게 권고했던 바를 몸소 실행했다.

물론 우리는 밤마다 잠 속으로 물러난다. 밤은 마음이 거의 외부로부터 차단되어 그 자체 속에 들어앉아 꿈을 만들어 내는 시간이다. 밤마다 이와 같이 무의식 속으로 퇴행함으로써, 개인은 어떠한 장애물이 발달을 방해하고 있는가에 관해 유익한 정보를 얻고, 어떻게 하면 그 장애물을 극복할 수 있는가에 관해 암시를 받을 수가 있다. 융에 의하면, 꿈은 정신의 지혜의 풍부한 근원인데, 유감스럽게도 사람들은 자기의 꿈에 별로 유의하지 않는다. 융의 저서들 중에 퍼스낼리티의 태고유형적 기반을 이해하기 위해 꿈의 분석이 사용된 예가 나와 있지 않은 것은 거의 없다꿈에 관한 융의 견해에 관해서는 제5장에서 더 자세히 설명하기로 한다.

퍼스낼리티의 발달에 있어서의 전진과 퇴행의 상호작용은 다음 예에서 볼 수 있다. 어떤 사람이 페르소나를 지나치게 발달시켜, 사회의 인습과 전통에 따라 움직이는 로봇과 거의 다름없는 인간이 되었다고 하자. 그 결과 그는 기운이 없고 지루하고 초조하고 불만이 쌓여 우울하게 된다. 마침내 그는 현세의 생활로부터 도망칠 필요를 느끼고, 자기 혼자서 내달린다. 그는 순응의 가면을 벗어 버리고, 무의식 속에 숨겨진 자원을 발견한다. 그리고 기분을 일신하여 기운을 얻고, 더 자발적인 창조적 인간이 되어 그전과 같은 환경의 꼭두각시에서 탈피한 모습으로 다시금 일상 생활로 돌아온다. 이러한 재생의 전설은 퇴행의 이로움을 신화적인 형태로 표현하고 있다.

유감스럽게도 위의 예는 가장 이상적인 예일 뿐이며, 인습에 사로잡혀 있는 사람들의 대부분은 도박·싸움·주색 등의 기분 전환에 의지하고 있다. 그런 행위는 아무런 이득도 없는 무가치한 일이다.

4. 인생의 여러 단계

발달은 일생에 걸치는 연속적인 과정이지만, 중요한 변화기가 몇 번 있어 '인생의 여러 단계'를 형성하게 된다. 셰익스피어는 일곱 단계로 묘사했지만, 융은 네 단계로 구별하고 있다.

A. 아동기

이 단계는 출생에서 시작하여 사춘기 또는 성적 성숙기까지 계속된다. 출생 때와 그 후의 몇 해 동안은 사실상 어린아이에게 있어서 아무 문제도 생기지 않는다. 문제가 생기려면 의식적 자아가 있어야 하는데, 어린아이에게는 의식적 자아가 없다. 어린아이에게도 분명히 의식은 있지만, 그 지각은 거의 조직화되어 있지 않고, 의식적 기억은 극히 쓸모없다. 따라서 의식의 연속성도, 자기 동일성의 감각도 없다. 그래서 정신 생활이 완전히 본능에 지배되고 있는 이 최초의 몇 년 동안, 어린이는 전폭적으로 부모에게 의존하고 있어 부모에 의해 만들어진 정신적 분위기에 둘러싸여 살게 된다. 아이의 행동은 무질서하고 규율과 통제가 부족하며 혼란 상태에 있다. 아이는 정기적으로 배고픔과 목마름을 느끼고, 방광 또는 장이 가득해지면 배설하고, 피로하면 잔다. 아이의 생활 속의 질서의 대부분은 부모가 미리 정해야 한다.

이 단계의 후반이 되면, 일부분은 기억이 지속하게 된 결과로서 또 일부분은 자아 콤플렉스의 주위에 자기 동일성의 감각 — 나라는 지각 — 과 연결된 지각이 쌓여짐으로써, 자아 콤플렉스가 에너지를 공급받고 개성화되기 때문에 자아가 형성되기 시작한다. 그때 어린이는 자기 자신을 1인칭으로 말하기 시작한다. 학교에 들어가면 어린이는 부모의 닫혀진 세계, 또는 '심리적 자궁'에서 빠져나오기 시작한다.

B. 청년기와 젊은 성인기

이 단계가 시작되었음을 보이는 것은, 사춘기에 일어나는 생리적 변화이다. 생리적 변화는 거의 정신적 혁명에 가깝다. 융은 이 시기를 '정신적 탄생'이라고 불렀다. 정신이 형성되기 시작하는 것이 이 시기이기 때문이다. 청년이 맹렬한 힘과 열의를 기울여 자기 주장을 하게 되었을 때, 그것은 명백히 정신적 혁명이 시작된 것이다. 청년기 동안, 정신은 모든 문제와 여러 결단의 부담을 안고, 사회 생활에 여러 가지 방법으로 적응해 가야 한다. 인생의 갖가지 요구들에 개인이 직면되었을 때는 으레 많은 문제가 생긴다.

만일 개인의 각오·적응·자각이 충분히 발달되어 있으면, 아동기의 활동에서 직업 생활로의 변화는 별로 어려움 없이 이루어진다. 그렇지만 만일 아동기의 환상에 집착하여 현실을 인식하지 못하면, 확실히 그는 많은 문제에 부딪치게 된다.

책임 있는 생활에 들어갈 때는 누구든지 일종의 기대를 품고 있다. 이 기대가 종종 무너지는 경우, 그 까닭은 기대가 개인이 직면하고 있는 상황에 적합하지 않기 때문이다. 예를 들면 어떤 젊은이는 항공기 조종사가 되기를 꿈꾸면서 청춘을 보내고, 그 후에 시력이 나빠져 이 직업에는 부적당하다고 판명되어 그의 기대는 무너지고 만다. 이런 기대는 간단히 다른 직업으로 돌려지기가 어렵다. 기대가 무너지는 또 하나의 이유는 그가 지나친 기대를 품고 있거나, 지나치게 낙관적 또는 비관적이거나, 아니면 직면하는 문제를 얕잡아보거나 하기 때문이다.

이 제2단계에서 생기는 문제가 전부 직업이나 결혼과 같은 외적 사정과 관계가 있는 것은 아니다. 내적·정신적 문제도 생기기 때문이다. 성본능에서 일어나는 균형의 교란이 문제되는 경우가 매우 많다고, 융은 지적한다. 마찬가지로 극단적인 과민성과 불안정에서 생기는 열등감도 문제가 된다.

청년기의 문제는 무수히 있는데, 대체로 한 특징을 공동으로 가지고 있다. 그것은 아동기의 의식 수준에 매달려 있는 것이다. 우리 속의 어떤 감정 — 어린이의 태고유형 — 이 어른이 되기보다는 어린이로 머물러 있기를 좋아한다.

인생의 제2단계에서 개인이 직면하는 문제는 오히려 외향적 가치와 관계가 있다. 그는 세상 안에서의 자기의 위치를 이룩해야 하기 때문에 의지의 강화가 가장 중요하게 된다. 젊은 남녀는 합리적으로 결단을 내리고, 직면하는 무수한 장애물을 극복함으로써 자기 자신과 가족을 위한 물질적 만족을 확보할 수 있도록 충분한 의지를 가져야 한다.

C. 중년기

제2단계는 35세부터 40대 정도를 말하며, 이 나이까지 개인은 대개 어느 정도 외적 환경에 잘 적응하고 있다. 지위는 안정되어 있으며, 결혼해서 자녀가 있고, 시민으로서 사회에 적극적으로 참여하고 있다. 이따금 좌절·실망·불안은 있겠지만 그것을 제외한다면, 중년의 남녀는 인생의 후반을 비교적 안정된 상태로 살게 될 것으로 기대한다.

그러나 그렇지가 않다. 인생의 후반에는 특유한 적응 문제가 있는데, 대부분은 그것에 대해 각오가 되어 있지 않다. 이 제3단계의 주요한 일은 새로운 가치 체계를 중심으로 해서 생활을 뜯어고치는 것이다. 여태까지는 외적 적응에 사용되고 있던 에너지를 이 새로운 가치들로 돌려야 한다.

35세 이후부터 인식해야 할 새로운 가치란 어떤 성질의 것일까? 융은 그것을 '정신적 가치'라고 말한다. 이런 정신적 가치는 사실 그 전부터 정신 속에 늘 잠재해 있었지만, 젊었을 동안은 외향적·물질주의적 흥미가 팽창해 있었기 때문에 등한시되지 않을 수 없었다. 제2단계 동안에 이룩해 놓았던 낡은 물길에서 새로운 물길로 정신 에너지를 돌려야 하는 문제는 인생의 가장 큰 도전의 하나이다. 많은 사람들은 이 도전을 용케 당해내지 못하고, 인생을 파멸시켜 버리는 사람조차 있다.

심리학자들은 오히려 유년기·아동기·청년기·노년기를 집중적으로 연구하기를 좋아했으나, 이 결정적 시기에는 거의 주의를 기울이지 않았다. 융은 중년기의 심리를 이해하고자 했던 소수의 심리학자들 중의 하나이다. 그가 말하는 바에 의하면, 이 문제를 생각해야 했던 까닭은 그의 환자의 대부분이 ― 3분의 2 이상 ― 이 이 제3단계에 있었기 때문이다. 이 단계로 옮길 때의 융 자신의 경험도, 그가 이 시기에 흥미를 품게 된 한 원인이 아닌가 하고 생각한다. 프로이트와의 결별을 예고하고, 그 이후의 융의 연구와 사상의 바탕이 된 저서 《변형의 상징》을 쓴 것은 36세 때였다. 그의 자서전에 의하면, 이 책이 출판되고 난 당분간은 불모 시대가 계속되었다고 한다. 그것은 새로운 가치가 자라던 시기가 아니었나 싶다.

융이 만난 대부분의 환자들은 직업 생활에서 커다란 성공을 이루고 최고의 업적을 남겼으며, 부러운 사회적 지위에 있는 남녀들이었다. 어째서 그들은 융에게 의논할 필요를 느꼈을까? 그들이 융의 상담실에서 은밀히 고백하지 않을 수 없었던 것은 인생에서 정열과 모험심이 없어졌을 뿐만 아니라, ― 이는 그들의 나이를 생각하면 이해

될 것이다 — 그 의미도 없어지고 말았기 때문이다. 그전에는 굉장히 중요하다고 생각되었던 것이 중요하지 않은 것으로 되고, 인생은 공허하며 무의미한 것처럼 생각되었다. 그로 인해 그들은 우울 상태에 빠졌다.

융은 그들이 우울해 한 이유를 발견했다. 사회적 지위를 얻기 위해 필요했던 활동에 쏠려 있던 에너지가 그 활동에서 철수되었다. 그 까닭은, 그들의 목적이 실현되었기 때문이다. 가치의 상실은 퍼스낼리티 속에 빈 곳을 만들어 낸다.

어떻게 하면 좋은가? 대답은 명백하다. 닳아빠진 가치를 대신하여, 빈 곳을 메꾸는 새로운 가치를 가져야 한다. 그러나 단순한 흥미여서는 안 된다. 그것은 순전히 물질주의적인 과정을 넘어서서 개인의 영역을 확대시키는 가치여야 한다. 그 영역은 정신적·문화적 영역이다. 이제야말로 활동보다는 오히려, 명상에 의해 자기를 실현해야 할 때인 것이다.

융의 말을 빌린다면, "아직 적응하고 있지 않고, 아무 일도 달성하지 않은 젊은이에게 있어서는 자기의 의식적 자아를 가능한 한 효과적으로 형성하는 것, 즉 자기의 의지를 훈련하는 것이 가장 중요하다······ 그러나 인생의 후반에 있는 사람, 즉 이미 자기의 의지를 훈련할 필요가 없고 자기의 개인적 생활의 뜻을 이해하고 있으며, 자기 자신의 내적 존재를 체험해 가야 할 사람의 경우에는 그렇지 않다." 17)

D. 노년기
이것은 굉장히 늙은 시기이며, 거의 융의 흥미를 끌지 않는다. 어떤 점에 있어서, 노년기는 아동기와 비슷하다. 개인은 무의식 속에 잠긴다. 어린이는 의식으로 떠올라오지만, 노인은 무의식 속에 가라앉아 마침내 그 속에서 없어진다.

몸이 죽으면, 인간의 퍼스낼리티는 존재하지 않게 될까? 죽은 후의 삶은 있을까? 심리학자가 이런 문제를 내놓는 것은 기묘하고 괴팍하게 보일지도 모른다. 융은 내세의 문제에 대한 생각을 주저하지 않았다. 세계의 많은 사람들에 의해 믿어지고 있는 여러 종교의 제1의 요소이며, 숱한 신화와 꿈의 테마인 내세의 관념을 단순한 미신으로 경멸하여 걷어치워서는 안 된다고 그는 생각하였다.

이 관념에는 반드시 어떤 무의식적 기반이 있을 것이다. 어떤 가능성으로 보면 죽은 후의 삶이라는 관념이 정신이다. 정신은 완전한 자기 실현을 달성하지 않았으므로, 정신 생활은 죽은 후에도 계속하여 간다고 생각할 수도 있다.

5. 요약

퍼스낼리티의 성장은 섞여 짜여진 두 가지의 실로 이루어져 있다. 즉, 정신 체계를 구성하는 여러 가지 구조의 '개성화'와 통일된 전체 — 자기의 상태 — 로의 이 구조들의 '통합'이다. 이 성장 과정은 유전, 어릴 때의 부모의 경험·교육·종교·사회·나이 등 수많은 조건하에서 긍정적 또는 부정적인 영향을 받는다. 인생의 중년기에는 발달의 근본적 변화가 있다. 그것은 외부 세계에 대한 적응으로부터 자기의 내적 존재에 대한 적응으로 옮아가는 것이다.

4

심리학적 유형

　1921년에 융은 '심리학적 유형'의 연구 결과를 출간했다. 그는 머리말 속에서 이렇게 말하고 있다. "이 책은 응용심리학 영역에서의 약 20년간에 걸친 연구의 성과이다. 그것은 신경병의 치료에 종사한 정신과 의사의 무수히 많은 인상적인 경험, 사회 각계각층의 남녀들과의 교제, 친구 및 적과의 개인적 관계, 그리고 나 자신의 심리학적 특이성의 비판을 바탕으로 삼아 내 머릿속에서 서서히 자리잡고 형성되어 갔다."[18]

　융이 《심리학적 유형》 속에서 달성한 바는 두 가지 중요성을 지니고 있다. 그는 몇 개의 기본적인 심리학적 과정을 구별하고 설명하며, 이 과정들이 여러 가지 결합 속에 스며들어서 어떻게 개인의 성격을 결정하는가를 설명했다. 그는 우선 보편적인 법칙과 과정의 일반 심리학을 개인 심리학으로 변형시켜, 특정한 개인의 독특한 특징과 행동을 설명했다. 그 성과는 매우 실천적인 심리학이라고 밝혀졌다. 융은 "사람의 정신이 얼마나 엄청나게 다른가를 알아낸 것이, 내 인생에서 최대의 경험이었다"[19] 라고 말했다.

먼저 기본적인 태도와 기능을 제시하고, 다음에 그 태도들과 기능이 다양한 비율로 여러 가지로 결합되어서 생기는 인간의 모든 유형을 설명해 보자.이것은 어디까지나 일반적인 범주이므로, 거기에 들어 있는 사람들은 비슷하지만 반드시 같은 특징을 가지고 있지는 않다. 같은 범주에 들어 있는 사람들 중에서 어느 두 사람을 골라서 보아도 그 '퍼스낼리티의 원형'이 완전히 같은 경우는 없다.

1. 태도

융이 외향성과 내향성의 두 기본적 태도를 구분했는데, 우리는 '객관적'과 '주관적'이라는 두 말을 구분할 필요가 있다. '객관적'이란 개인을 둘러싼 외적인 세계, 즉 인간과 사물, 풍속과 관습, 정치적·경제적·사회적 제도, 물리적 조건의 세계를 가리킨다. 이 객관적 세계는 환경·주위, 또는 외적 현실이라고 불린다.

'주관적'이란 정신의 내면 세계, 즉 사적 세계를 가리키고 있다. 그것이 사적이라는 까닭은, 외적인 사람은 직접 접근할 수가 없기 때문이다. 무의식의 정신요소에는 심리요법 또는 자기 꿈의 분석의 도움을 빌리지 않고서는 접근하지 못하는 경우가 많다. 외향성에서 정신에너지 — 리비도 — 는 객관적 외계의 표상들로 흐르며 대상·인물·동물 등의 객관적 사실과 조건에 관한 지각·사고·감정에 맡겨진다. 내향성에서 리비도는 주관적인 정신 구조와 정신 과정으로 흐른다. 외향성은 객관적 태도이며, 내향성은 주관적 태도이다.

이 두 태도는 서로 배타적으로 번갈아 나타날 수 있으며 또 나타나지만, 함께 의식에 공존할 수는 없다. 개인이 어떤 때는 외향적이며, 어떤 때는 내향적일 수도 있다. 그렇지만 대개 어느 한쪽의 태도가 개인의 일생에 걸쳐 우위에 서 있다. 객관적 지향이 우세하면 그 사람은 '외향자'라고 불리며, 주관적 지향이 우세하면 '내향자'라고 불린다.

내향자는 자기의 내적 세계를 탐구하고 분석하는 일에 흥미를 가지고 있다. 내성적이며 신중하고, 자기 마음속의 사건들에 오로지 관심을 기울이고 있다. 그런 사람은 다른 사람들에게는 고독하고 비사교적이고 보수적으로 보일 것이다. 외향자는 자기와 타인 및 사물의 상호작용에 관심을 가지고 있다. 그는 활동적이고 사교적이며, 주위의 일들에 흥미를 가지고 있는 것처럼 보인다.

어느 쪽의 태도가 우세하다고 말하더라도, 그것은 정도의 문제이다. 개인은 다소간에 외향적 또는 내향적인 경우는 있으나, 전면적으로 외향적이거나 내향적인 경우는 없다. '외향성 메커니즘이 우위에서 있을 때만, 그 행동 형식을 외향적이라고 말한다.'[20] 게다가 의식에 표현되어 있는 태도와는 정반대의 태도가 무의식에 존재해 있으므로, 구분은 모호하게 된다. 의식에서 외향적인 사람은 무의식에서 내향적이다. 이것은 무의식이 정신 속에서 보상의 구실을 하는 일반적인 예이다.

외향적 또는 내향적인 태도는, 무의식적일 때와 의식적일 때에 판이한 특징을 가지고 있음을 잊어서는 안 된다. 의식적 외향자 또는 내향자는, 그 외향성 또는 내향성을 의식적 행동에 의해 직접 표현한다. 이 행동은 다른 사람들에게는 외향적 또는 내향적임이 금방 드러난다. 외부의 일에 말려들기를 피하고 신중하고, 소극적인 사람을 우리는 볼 수 있다. 그는 생각에 잠겨 있는 것처럼 보인다. 그의 보상적인 무의식적 태도는 억압되어 있으므로, 공공연하게 표현되지는 않는다. 그러나 그가 전혀 그답지 않은 이상한 행동을 할 때, 이 무의식적인 태도는 간접적으로 행동에 영향을 끼친다. 이를테면 외향적인 사람이 갑자기 침울해지고 외고집이 되고 비사교적으로 되면, 우리는 "무슨 기분 나쁜 일이라도 생겼나요?" 하고 묻게 된다. 기분이란 그의 무의식이다. 그는 일시적으로 억압된 내향성의 포로가 된 것이다.

무의식적 과정은 의식적 과정만큼 발달하지 않고 분화되어 있지 않으므로, 억압된 태도의 영향을 받으면 행동은 원시적으로 되고 거칠어지기 쉽다. 내향자가 아무 이유도 없는데 느닷없이 매우 난폭해지는 것은 그 극단적인 예이다. 그 밖에 융의 보상적 꿈의 이론에 의하면, 외향자는 꿈의 생활에서는 내향자이며, 반면에 내향자는 자연 외향자가 된다.

2. 기능

융의 유형학에 있어서, 태도만큼이나 중요한 것은 심리학적 '기능들'이다. 즉 사고·감정·감각·직관의 네 기능이 있다. '사고'는 여러 관념을 연결시켜서 일반 관념 또는 문제 해결에 도달하는 기능이다. 달리 말하면 사물을 이해하고자 하는 지적 기능이다. '감정'은 평가의 기능이며 어떤 관념이 상쾌한 감정을 일으키는가, 불쾌한 감정을 일으키는가에 의해 그 관념을 받아들이든지 또는 물리치든지 한다.

사고와 감정은 '합리적' 기능이라고 말하는데, 그 까닭은 두 기능이 모두 판단행위를 필요로 하기 때문이다. 사고에서는 둘이나 그 이상의 관념 사이에 진정한 연결이 있느냐, 없느냐가 판단되며, 감정에서는 어떤 관념이 유쾌한가, 불쾌한가, 아름다운가, 흉한가, 재미있는가, 지루한가가 판단된다.

'감각'이란 감관지각이어서, 감각기관의 자극에 의해 생기는 모든 의식적 경험, 즉 시각·청각·후각·미각·촉각 및 몸 안에서 비롯되는 감각을 포함하고 있다. '직관'은 사고와 감정의 결과로써 생긴다기보다는, 오히려 직접적으로 주어지는 경험이라는 점에서 감각과 비슷하다. 판단은 필요하지 않다. 직관이 감각과의 차이는 직관을 가진 당사자가 그것이 어디서 왔는지, 어떻게 생겼는지를 모르는 점이다.

직관은 갑자기 나타난다. 모든 감각은 자극의 근원을 지적함으로써 설명할 수 있다. 즉, '이가 아프다'든가, '기분이 나쁘다'든가 하는 경우이다. 그렇지만 무슨 일이 일어날 듯하다는 직관 또는 기분이 있는 경우에는 어떻게 알았느냐고 질문받더라도 '어쩐지 그런 기분이 난다'든가, '좌우간 그렇다'라고만 대답할 수 있을 뿐이다. 직관은 제6감, 또는 초감각적 지각이라고도 불리운다.

감각과 직관은 이성을 필요로 하지 않으므로, '비합리적' 기능이라고 말한다. 이 두 기능은 개인에게 작용하는 자극의 흐름에서 발달하는 심적 상태이다. 이 흐름에는 방향 또는 지향성이 없을뿐더러, 사고와 감정이 가지고 있는 목표도 없다. 무엇을 감각하느냐는 현재의 자극에 의해 좌우된다. 기분은 미지의 자극에 따라 달라진다. 융이 말하는 '비합리적'이란, 이성에 어긋난다는 뜻이 아니다. 감각과 직관은 이성과 관계가 없을 뿐이며, 말하자면 무이성적·무판단적이라는 뜻이다.

융은 네 기능을 다음과 같이 간단하게 정의한다. "이 네 가지 기능적 유형들은, 의식이 경험에 대한 그 지향을 얻는 네 가지 방법들과 일치하고 있다. '감각' — 감관지각 — 은 무엇인가 존재해 있음을 알려주고, 감정은 그것이 유쾌한가 또는 불쾌한가를 알려주며, 직관은 그것이 어디에서 와서 어디로 가는가를 알려준다."[21]

각각의 기능의 특징은 그것이 외향성과 결합하느냐 또는 내향성과 결합하느냐에 의하여 달라지므로, 가능한 한 여덟 가지 결합들을 따로따로 논의할 필요가 있다.

3. 태도와 기능의 결합

'외향적 사고'는 감각기관의 자극에 의하여 뇌에 제공되는 정보를 이용한다. 사고 과정을 활동시키는 대상은 외계에 존재해 있는 어떤 것이다. 우리들은 어떻게 씨앗이 싹터서 식물로 자라는가, 물을 어느 온도까지 데우면 어째서 증기가 되는가, 언어는 어떻게 배워지는가를 설명하려고 한다.

대부분의 사람들은 이것이 사고의 가능한 유일한 유형이라고 생각하고 있는데, 융은 그것에 대해 그렇지는 않다고 말한다. 주관적으로 생각하는 '내향적 사고'라는 것도 있다. 오직 외부 세계로부터 생기는 일에 관해 생각하는 것이 아니라, 내적인 심적 세계에 관해 생각한다. 내향적으로 생각하는 사람은 관념 그 자체 때문에 관념에 흥미를 가지고 있다. 그가 외부 세계를 탐구함은, 자기의 관념을 확증하는 사실을 찾기 위해서이다. 과학에서는, 이것은 연역적 생각이라고 부른다. 그것과 대조를 이루는 것이 관념, 가설 또는 개념이 사실의 정보에 입각해서 형성되는 귀납적인 생각이다. 내향적 생각은, 관념이 외부 세계와 관계가 있거나 또는 없거나를 무시하고 관념에 관하여 새김질을 계속한다.

외향적으로 생각하는 사람은 더 실천적이며 더 실제적이다. 그는 문제를 해결하는 사람이다. '외향적 감정'은 외적 또는 객관적인 기준에 지배되고 있다. 이를테면 어떤 것에 대해 우리는 그것이 전통적인 기존의 미적 기준에 얼마만큼 일치하는가에 따라서 아름답다든가 추하다고 느낀다. 그 때문에 외향적 감정은 인습적·보수적으로 되기 쉽다. 내향적 생각과 마찬가지로, '내향적 감정'은 내적 또는 주관적 조건, 특히 태고유형에서 생기는 원시적 이미지에 의해 생긴다. 이 이미지들은 사고이기도 하며 감정이기도 하므로 사고가 우세하면 내향적 사고가 생기며, 감정이 우세하면 내향적 감정이 생긴다. 내향적 감정은 독창적·창조적·비정상적으로 되는 경향이 있다. 일반적인 통념에서 벗어나 있으므로, 때로는 기이하게 보이기도 한다.

'외향적 감각'은 개인이 어떠한 객관적 현실에 직면해 있는가에 의해 결정된다. '내향적 감각'은 특정한 시점에 있어서의 주관적 현실에 의해 결정된다. 지각은 어떤 경우에는 대상을 직접 나타내고 있으며, 또 어떤 경우에는 정신 상태에 의해 심한 영향을 받아 정신 속의 어딘가에서 나타난 것처럼 보인다.

'외향적 직관'은 모든 객관적 상황의 가능성들을 발견하고자 하며, 외적 대상에서 새로운 가능성을 계속해서 찾고 있다. '내향적 직관'

은 심적 현상의 가능성을, 특히 태고유형에서 생기는 이미지를 찾고 있다. 외향적 직관은 대상에서 대상으로 옮기며, 내적 직관은 이미지에서 이미지로 옮긴다.

이제부터 태도와 기능의 결합이 개인의 행동에 어떻게 의식적으로 표현되는가를 살펴보기로 하자. 융에 의하면, 인간에게는 여덟 가지 유형이 있다.

4. 인간의 유형

A. 외향적 사고형

이 형의 사람은 객관적 사고를 지배적인 위치로 높여 놓고 있다. 이 형의 표본은, 객관적 세계에 관해 최대한도로 많이 배우는 데 전력을 기울이고 있는 과학자이다. 자연 현상의 이해, 자연 법칙의 발견, 이론 구성이 그의 목적이다. 외향적 사고형이 가장 발달한 사람은 다윈이나 아인슈타인과 같은 사람이다. 외향적으로 생각하는 사람은 자기 성질의 감성적 측면을 억압하기 쉬우므로, 남들에게는 인간적 온정이 없어 보이며, 냉혹하고 오만하게조차 보일지도 모른다.

만일 억압이 너무 심하면, 감정은 옆길로 벗어나지 않을 수 없으므로 때로는 편견을 갖고, 때로는 비정상적인 성격이 형성되고 만다. 그들은 독선적이고, 고집통이고, 허세로 가득하고, 미신적이고 비판을 받아들이지 않을지도 모른다. 감정이 부족하므로, 그들의 사고는 아주 빈약하고 메마른 것으로 되기 쉽다. 그 극단적인 예는, 이따금 정신병적 괴물로 변하는 지킬 박사와 같은 '미친 과학자'이다.

B. 내향적 사고형

이 형의 사람은 생각이 내면 쪽으로 향해 있다. 자기 자신의 존재의 현실을 이해하고자 하는 철학자나 실존심리학자가 그 표본이다. 극단적인 경우에는, 그들은 현실과 거의 관계가 없는 사람으로, 마침내 정신분열증에 걸려 현실과의 연결을 끊게 될지도 모른다. 그들은 외향적 사고형과 동일한 성격 특성을 많이 가지고 있다. 왜냐하면 그것은 무의식속으로 억압한 감정으로부터 자기 자신을 보호해야 하기 때문이다. 그들은 감동이 없으며 쌀쌀하게 보인다. 인간에게 가치를 두고 있지 않기 때문이다. 그들은 자기와 같은 유형인, 소수의 열렬한 신봉자를 가지고 있을지도 모르지만, 자기의 생각을 사람들에게 인식시키는 일에 별로 관심이 없다. 그들은 완고하고 고집 세고 분별없고 거만하고 쌀쌀한 경우가 많다. 내향적 성격형이 강화되면, 사고는 더욱더 이상하고 당돌한 억압된 감정 기능의 영향을 받게 된다.

C. 외향적 감정형

이 형은 융에 의하면 여성 쪽에 많은데, 생각보다 감정을 더 위에 놓고 있는 유형이다. 이 형의 사람은 변덕이 매우 심한데 그 까닭은, 상황이 변하면 그것에 따라 그들의 감정도 변하기 때문이다. 상황 속에 약간의 변화만 있어도, 그들의 감정도 변한다. 그들은 잘난 체하며 감정적이며 사치스러우며 기분파이다. 그들은 사람들에게 강한 애착을 표하지만 그 애착은 무상한 것이며, 사랑은 간단히 미움으로 변한다. 그들의 감정은 아주 평범한 동시에 늘 최신 오락과 유행을 좇는다. 사고 기능이 몹시 억압되어 있는 경우, 외향적인 감정형의 사고 과정은 원시적이며 미발달인 상태이다.

D. 내향적 감정형

이 형도 여성에게 많다. 과장해서 표현하는 외향적 감정형과는 달리, 내향적 감정형은 자기의 감정을 남들에게 감추고 있다. 그들은 말수가 적고, 접근하기 어렵고, 무관심하고, 그 마음을 헤아릴 수 없다. 우울하거나 또는 의기 소침에 빠져 있는 것처럼 보이는 경우가 많다. 그렇지만 또 내적 조화, 침착, 자부심이 강한 인상을 주는 경우도 있다. 종종 그들은 남들의 눈에는 신비로운 힘 또는 카리스마를 가지고 있는 듯이 보인다. 그들은 '조용한 물은 깊다'는 말을 듣는 사람이다. 실제로 그들은 매우 깊고 열렬한 감정을 가지고 있기 때문에, 이따금 그것이 폭발하면 격정의 폭풍이 되어 주변 사람들을 깜짝 놀라게 한다.

E. 외향적 감각형

외향적 감각형의 사람은 주로 남성인데, 외계에 관한 사실들을 모으기에 흥미를 가진다. 그들은 현실주의적·실제적이며 빈틈이 없지만, 사실이 무엇을 뜻하는가에 관해서는 별로 관심이 없다. 앞일을 생각하거나 그다지 깊이 생각하지 않고서 세상을 있는 그대로 받아들인다. 그렇지만 호색·방종하며, 스릴을 즐기는 경우도 있다. 그들의 감정은 깊이가 없으며, 단지 인생에서 끌어낼 수 있는 감각을 위해 살고 있을 따름이다. 극단적인 경우에는 호색가 또는 의젓한 탐미주의가 된다. 그 관능적 성향 때문에 그들은 여러 종류의 중독·도착·강박에 걸리기 쉽다.

F. 내향적 감각형

이들도 모든 내향적인 사람과 마찬가지로 외적 대상과 거리를 두고서, 자기 자신의 정신적 감각에 몰두하고 있다. 그들은 자기의 내적 감각에 비해 외부 세계는 평범하며, 재미 없다고 생각한다. 예술을 통해 표현하는 경우를 빼고는, 자기 자신을 표현하기에 곤란을 느끼는데, 그들이 만들어 낸 것은 거의 무의미하며 공허한 것이다. 그들은 남들에게는 늘 조용하고 피동적이고 자제심이 있는 듯이 보이지만, 실제로는 그 순간 무관심할 따름이다. 그 이유는 사고와 감정에 결함이 있기 때문이다.

G. 외향적 직관형

외향적 직관형은 일반적으로 여성들에게 많으며 경솔함과 불안정이 특징이다. 그들은 외부 세계에서 새로운 가능성을 발견하기 위하여 여기저기로 뛰어다닌다. 한 세계를 다 정복하기도 전에 다른 세계를 늘 찾고 있다. 사고 기능에 결함이 있으므로, 자기의 직관을 오랫동안 유지하지 못해 새로운 직관에 덤벼들어야 한다. 새로운 기업과 이론의 추진자로서 각별한 봉사를 아끼지 않을지도 모르지만, 그것에 오랫동안 흥미를 유지하지 못한다.

정해진 일에는 곧 싫증을 느낀다. 신기한 일이 그들의 생명의 양식이다. 그들은 잇달아 일어나는 직관에 생명을 낭비하고 만다. 무슨 좋은 일이 있을 성싶어 열렬히 새로운 관계에 뛰어들지만, 믿음직한 친구가 되지 못한다. 따라서 관계가 오래 가지 않기 때문에 의도적은 아니지만, 종종 사람들을 해롭게 한다. 취미는 많지만 금방 싫증을 낸다. 한 가지 일을 장기간 계속하기가 어렵다.

H. 내향적 직관형

예술가가 이 형의 대표자들인데 몽상가·예언가·망상가·괴짜 등도 이 형에 속한다. 내향적 직관형인 사람은 친구들에게 종종 수수께끼의 인물로 보이며, 자신은 남들이 이해 못하는 천재인 줄 생각한다. 그는 외적 현실이나 관습과의 접촉을 유지하지 않으므로 같은 형의 사람과도 충분히 의사 소통을 하지 못한다. 그는 원시적 이미지의 세계 속에 고립해 있는데, 그 이미지들의 뜻은 그들 자신도 모른다. 외향적 직관형과 마찬가지로 새로운 가능성을 찾아 이 이미지에서 저 이미지로 뛰어다니지만, 실제로 자기의 직관을 조금도 발전시키지 못한다. 그는 한 이미지에 오래 흥미를 유지할 수가 없으므로, 내향적 사고형과 같이 정신 과정의 이해에 크게 공헌하는 일도 없다. 좋은 직관을 가질 수는 있다. 그러나 그것을 쌓아올려 발전시키는 사람은 남들이다.

이것으로 여덟 가지 성격형의 설명을 끝내기로 한다. 다시 한 번 말해 두지만, 여기서 기술한 각 유형의 예는 극단적인 예이다. 극단적인 예에서는 의식적 태도가 고도로 발달해 있으며, 무의식에 억압된 태도는 사실상 '미발달'인 상태이다. 정상적인 경우처럼, 무의식적 태도가 저항 또는 균형 효과를 나타내지 않으므로 의식적 태도는 극단적으로 된다. 이 성격들의 묘사는 실제의 성격보다는 풍자에 가깝다.

인간은 외향적인 동시에 내향적이며, 여러 가지 비율로 모든 기능을 사용하고 있는 경우가 훨씬 많다. 그렇지만 일반적으로 개인은 내향적이라기보다는 외향적이며, 또는 그 반대이다. 두 형의 태도가 완전히 균형을 잡고 있는 경우는 드물 것이다. 마찬가지로 개인은 한 기능을 다른 세 기능보다 많이 사용하고 있을 것이다. 융은 그것을 '주요 기능'이라고 부른다.

그 밖에 '보조 기능'이 있는데, 보조 기능은 주요 기능에 봉사한다. 보조 기능은 그 자체의 독립성을 가지고 있지 않으므로 주요 기능에 대립하지 못한다. 사고와 감정은 모두 합리적 기능이므로 대립하기 쉽다. 사고와 감정은 서로 상대의 보조 기능이 될 수는 없다. 감각과 직관의 두 비합리적 기능의 경우도 마찬가지다. 감각 또는 직관은 사고 또는 감정의 보조 기관이 될 수 있다. 반대의 경우도 마찬가지다.

이를테면 어떤 사람의 주요 기능이 사고라고 하자. 그는 감각에서 얻은 정보를 사고의 보조로 쓸 수가 있다. 직관도 예감이나 통찰을 제공하여 사고의 보조 기능으로서 소용이 될 수 있다. 그리고 직관은 사고에 의해 철저히 검토되고 다져진다. 사실 가장 훌륭한 재능의 소유자들 중에는 사고와 직관의 결합을 이용하고 있는 사람이 많다. 감정과 직관의 사고에 관해서도 같은 말을 할 수 있다. 사고와 직관이 결합하면 위대한 과학자와 철학자가 생기고, 감정과 직관이 결합되면 위대한 예술가가 생길 것이다. 이상적으로는 두 태도가 네 기능을 동일하게 발달시켜 골고루 이용할 수 있음이 유리하겠지만, 실제는 그렇게 되지 않는다. 정신이 하나의 전체로서는 조화와 균형을 구하고 있다 하더라도 정신의 갖가지 요소 사이에는 항상 불균형이 존재한다.

태도 또는 기능의 어느 하나가 빠져 있는 경우는 없지만, 각자 사람마다 자기 자신의 독자적인 태도와 기능의 표본을 가지고 있다. 만일 어떤 태도 또는 기능이 의식에 존재해 있지 않은 것이 확실하게 무의식에서 발견되면 그것이 행동에 영향을 끼치고 있는 것이다. 융이 항상 주장하고 있던 바와 같이, 무의식적인 것은 개성화될 수 없어 미발달인 원시적 상태에 머문다. 무의식적인 것이 억압을 받았을 때에는 당사자의 행동을 혼란시키고 좌절시키며, 이상적인 또는 도착적인 행동을 야기시키기조차 한다. 이와 같이 미발달한 무의식적 기능은 의식에 대해 잠재적으로 위협하고 있다.

그러므로 개인의 성격을 알기 위해서는 각각의 태도와 기능이 어느 정도 각각 분화된 의식 상태 또는 미분화된 무의식 상태에 있는지를 판단해야 한다. 개인을 장기간에 걸쳐 관찰하고 철저히 분석하지 않고서는 올바른 판단을 내릴 수 없다. 이러한 판단 절차를 단축하고, 의식적 표현의 강도를 재기 위한 테스트가 고안되었는데, 그 테스트에서는 피실험자의 기호·취미·행동 습관에 관한 일련의 질문이 제시된다. 이를테면 피실험자가 모임에 가기보다도 집에 앉아서 독서하는 편이 좋다고 대답하면, 이 대답은 내향성의 표시이다. 여러 가지를 체험하기를 좋아한다는 대답이면, 그것은 감각형의 표시이다.

5. 실제적 고찰

개인의 태도와 기능의 표본은 무엇에 의하여 결정될까? 융에 의하면, 그것은 타고난 요인에 의해 결정된다. 그 요인들은 어린이의 인생의 아주 이른 시기부터 모습을 나타낸다. 이 타고난 표본은 부모, 또는 기타의 사회적 영향에 의해 수정을 당한다. 같은 부모의 어린이들이라도 각각 유형이 다르며, 또 부모의 유형도 서로 다른 경우가 있으므로, 가족들로부터 매우 큰 압력이 어린이에게 가해져 어린이의 성향이 바뀔 수도 있다. 예컨대 내향적 감정형의 어머니는 외향적 직관형의 딸을 자기와 똑같은 형으로 만들려고 할지도 모른다. 또는 외향적 사고형의 아버지는 내향적 감각형의 아들에게 자기와 똑같이 되기를 바랄지도 모른다.

개인의 타고난 성질을 근본적으로 바꾸려고 함은 어떠한 경우에도 해롭다는 입장에서, 융은 이런 부모가 실제로 영향력을 가지면 어린이는 종종 후일의 인생에 있어서 노이로제로 되고 만다고 생각하였다. 융에 의하면, 부모의 구실은 자기 자신의 내재적 성질의 방향으로 발달하는 어린이의 권리를 존중해 주고, 그것을 위한 온갖 기회를 어린이에게 주는 데 있다. 부모 — 자식 사이의 갈등의 대부분은 성격 유형이 상반되는 데에서 비롯된다.

또 융은 어떤 시기에서는 어떤 성격형이 다른 성격형보다 호감을 사는 경우가 있다고 지적하고 있다. 즉, 20세기 전반에서는 외향형, 특히 생각과 감각의 외향형에 가치가 놓여지고 내향형은 경시되어 있었으므로, 오늘날 내향적인 사람은 사회적 멸시의 무거운 짐을 지고 있다. 내향적인 사람은 그 리비도를 바깥으로 방향을 바꿔, 사회적으로 인정된 '건강한' 외향적인 사람의 판에 박힌 형식에 맞춰야 할 것인가? 만약 그런 짓을 하면 거짓 구실을 하는 셈이 되어, 욕구 불만과 갈등이 더욱 심해질 뿐이다. 그러나 만일 사회적 비난에도 불구하고 내향성을 계속 드러내면, 줄곧 사회와 대립하는 결과가 될 것이다. 그렇지만 자기의 본성에 충실한 편이 정신 위생을 위해서는 좋다.

그리고 어떤 유형의 사람과 사랑하여 결혼하느냐 하는 일도 정신 위생을 위해서 매우 중요하다. 정반대의 유형끼리가 같은 유형끼리보다 화목하다든가, 그렇지 않다든가를 일반 법칙으로서 말할 수는 없다. 그것은 그 결합이 서로 보충적인가, 아닌가에 많이 좌우된다. 외향적 사고형이 내향적 감정형과 결혼하면, 자기 퍼스낼리티의 등한시되거나 억압된 면을 표현하고 있는 사람과 함께 살게 되므로 거기에서 대리 만족을 얻을지도 모른다. 그렇지만 만일 외향적 사고형의 남편이 내향성의 감정을 거부하고 있으면, 아내의 행동에 그것들이 표현되어 있음을 보고서 항상 초조감을 느낄 것이다.

예를 들면 말수가 적은 내향적 감정형과 스릴을 찾는 외향적 감각형의 결혼, 또는 변덕스런 외향적 직관형과 냉정한 외향적 사고형의 결혼이 어떤 결과가 되는가를 생각해 보자. 그들은 서로 상대의 약점을 보충하지 않으면, 영락없이 상대의 신경을 건드릴 것이다. 결혼한 후 상대의 성격을 고치려고 하는 것은 불가능한 일이라고, 융은 말한다. 그렇다고 해서 같은 형끼리면 화목하게 된다는 보증도 없다. 의식적으로는 그들은 같은 태도·흥미·가치 체계를 가지고 있어 그 점이 화목한 관계를 촉진할 것이다. 그러나 두 사람이 서로 상대의 지배 태도와 지배 기능을 강화하여, 다른 태도와 기능들이 더욱 억압당하게 되는 위험도 있다. 그렇게 되면 억압된 태도와 기능들이 점점 강해져서 별안간 폭발적·파괴적 행동으로 나올 위험이 커진다. 또 두 사람의 퍼스낼리티가 너무나 비슷한 점이 많기 때문에 오히려 서로 신경을 건드리는 경우도 있을 수 있다.

융에 의하면 조화는 마땅히 개인 속에서 확립되어야 하며, 타인과 서로 보충하는 관계를 만듦으로써 확립하려고 해서는 안 된다는 것이다. 두 태도와 네 기능에 골고루 에너지를 분배한다는 뜻으로의 완전한 정신적 조화를 달성하기는 불가능하지만, 모든 태도와 기능을 최대한 개성화해서, 그 어느 것도 너무 심하게 억압하지 않음으로써 불균형을 최소한으로 만들 수는 있다. 한쪽으로 치우치면, 해로운 또는 비참한 결과를 가져올 뿐이라는 것이 융의 일반적 견해이다. 각자의 퍼스낼리티의 모든 태도와 기능이 발달하여, 충분히 개성화된 두 사람 사이에서야 말로 최선의 우정과 애정이 성립된다.

각 유형들은 일정한 형의 노이로제 또는 정신병으로 되는 경향이 있다. 외향적 감정형은 히스테리, 내향적 감정형은 신경쇠약이 될 소질이 있다. 심한 피로, 낮은 에너지가 신경쇠약의 증상이다. 감각형은 공포증, 강박 노이로제가 될 소질이 있다. 이 병리 현상들은 대체로 환경의 극단적인 압력의 결과로서 또한 심한 억압에서 생긴다.

그래서 직업을 고를 때는 자기의 성격 유형을 고려할 필요가 있다. 내향적인 사람이 자동차 세일즈맨이 되려고 하거나, 외향적인 사람이 장부 담당자가 되려고 함은 절대로 좋지 않다. 감각형은 매우 훌륭한 경찰관이나 소방관이 될지도 모르지만, 정해진 반복 작업을 하는 단순직으로는 맞지 않을 것이다. 감정형은 지속적이며 추상적인 생각을 필요로 하는 직업을 피해야 하며, 사고형은 감정적 문제에 말려들기 쉬운 직업을 피해야 한다.

불행하게도 사회적 압력, 자기 중심성, 기타 여러 가지 영향 때문에 자기의 성격형과 상반되는 직업을 택하는 사람이 있다. 그 결과 그는 불행하게 되고, 불만과 정서 장애에 빠지고 만다. 자기의 정신적 안정을 희생하면서 그 직업을 계속한다면, 그는 영락없이 정신적 질환에 걸릴 것이다. 그것은 치명적이 될지도 모른다. 소크라테스의 유명한 교훈, '너 자신을 알라'는 모든 사람들에게 중요한 가르침이다.

끝으로 지적해 두고 싶은 것은, 융의 유형학은 심리학자들의 맹렬한 비판을 받았다. 인간은 8종 또는 80종으로 확실히 구분되는 것이 아니라, 한 사람 한 사람이 독자적인 존재이며, 특정한 범주에 속해 있지 않다고 그들은 말한다. 이런 비판은 융을 잘못 이해하고 있는 것이다. 융이 개별적인 정신의 독자성을 논의하지 않은 것은, 그에게 있어서 그것은 뻔한 것이었기 때문이다. 그의 유형학은 사람들이 서로 어떻게 다른가에 대한 그 특징적인 체계를 제시하고 있다. 그 비율은 다르며, 각각의 의식 수준 또는 무의식 수준도 다르다. 그리고 개성화되어 있는 정도도 가지각색이다. 융의 유형학은 특히 개인차를 묘사하기 위한 체계이지, 결코 모든 사람을 여덟 종의 고정된 어떤 유형에 집어넣기 위한 체계가 아니다.

6. 요약

융의 유형학은 외향성과 내향성의 두 태도와, 거기에 각기 사고·감정·감각·직관의 네 기능으로 성립되어 있음으로써, 통틀어 여덟 가지의 성격형이 있다. 이 태도와 기능들이 각각 어느 정도 의식적으로 발달해 있거나, 무의식으로 머물러 있음으로써 미발달의 정도 차이가 결국 개인과 개인의 광범한 차이를 만들어 낸다.

5

상징과 꿈

　융은 상징화 과정의 연구에 큰 공헌을 했다. 그는 어떤 심리학자들 보다도, 이 문제에 관해 깊이 연구하고 많은 저서를 남겼다. 그는 18 권의 저작집 중의 5권에서 오직 종교와 연금술에 있어서의 상징 체계를 다루고 있으며, 사실상 그가 쓴 모든 것에 있어서 이 테마는 종종 논의되고 있다. 융의 중요한 두 개념은, '태고유형'과 '상징'이라고 말해도 과언이 아닐 것이다. 이 두 개념은 밀접하게 연결되어 있다.

　상징은 태고유형의 외적인 표현이다. 태고유형은 집합 무의식 속에 깊이 파묻혀 있으므로, 개인은 그것을 모르기도 하거니와, 알 수도 없다. 따라서 태고유형은 상징을 거쳐서만 표현될 수 있다. 그렇지만 태고유형은 개인의 의식적 행동에 늘 영향을 미치고 있다. 집합 무의식에 관해 다소라도 알기 위해서는 상징·꿈·공상·환상·신화·예술을 분석하고, 해석하는 이외에는 달리 방법이 없다.

　이것은 바로 융이 초기의 저서, 《변형의 상징》에서 한 일이다. 1911 년에 씌어진 이 책은 프로이트의 가르침으로부터 융의 이탈을 암시하는 것으로, 그 직후 이 두 사람의 완전한 결별을 가져왔다. 이 책은 융의 연구에 있어서 아주 중요한 것으로, 훗날 정신 영역에 있어서 융의 여러 발견들의 기반이 되었다.

1. 확대법

《변형의 상징》은 어떤 젊은 미국 여성의 잇따른 공상들에 철저한 분석이다. 융은 이 실례와 그 후의 연구들에서 사용한 분석법을 '확대법amplification'이라고 불렀다. 이 방법에 의하면, 분석자는 특정한 언어 요소 또는 이미지에 관해 가능한 한 지식을 모두 모아야 한다. 이 지식은 여러 근원에서 얻을 수가 있다. 즉, 분석자 자신의 경험과 지식, 그 이미지를 낳은 사람으로부터 얻어지는 정보와 연상, 역사상의 참고 자료·인류학적 또는 고고학적 발견들, 문학·예술·신화·종교 등이다.

예를 들면 한 젊은 여성이 〈나방과 태양〉이라는 제목의 시를 썼다. 이 시는 태양한테서 단 한 번이라도 '기쁨의 시선'을 받으면 죽어도 한이 없다고 생각하는 나방에 관한 시였다. 융은 태양을 구하는 나방의 이미지를 확대하는 데 38페이지에 이르는 문장을 쓰고 있다. 확대 과정에서 융은 괴테의 《파우스트》, 아우렐리우스의 《황금의 당나귀》, 기독교의 《성경》, 이집트와 페르시아의 경전 구절, 마틴 부버, 토마스 카알라일, 플라톤, 근대시 니체의 《어떤 정신분열병자의 환상》, 바이런의 《시라노드 베르주락》, 기타 많은 참고 자료에 대해 언급하고 있다.

확대법은 분석자의 상당한 학식과 박식을 필요로 하는 일임을 알 것이다. 융은 자기가 여러 분야에 관한 방대한 지식을 가지고 있는 까닭은 많은 종류의 환자를 다루어 왔기 때문이라고 말했다. 그들은 대개 고도의 교육을 받았으므로, 융은 그들의 꿈과 상징을 확대하기 위해서는 그들의 전문 분야에 대해서 공부해야 했다. 예컨대 융의 분석을 받고 있는 이론물리학자는, 그 콤플렉스와 태고유형을 현대 물리학의 용어와 개념으로 표현할 것이다. 확대의 목적은 꿈·공상·환각·그림 등 인간이 만들어 낸 모든 것의 상징적 의미와 태고유형적 근원을 이해하는 데 있다. 이를테면 융은 나방의 시에 관해서 이렇게 쓰고 있다.

"우리는 〈나방과 태양〉의 상징의 밑바닥을 깊이 정신의 역사적 여러 층까지 파고 내려가는 발굴 도중에서, 묻혀 있던 어떤 우상, 태양 — 영웅, 즉 '벌겋게 달아오르는 듯한 머리카락 위에 새빨간 왕관을 쓴 아름다운 젊은이'를 발견했다. 숙명적으로 죽음을 안고 있는 인간은 영원히 접근할 수 없지만, 지구의 주위를 돌아 낮 다음에 밤을, 여름 다음에 겨울을, 삶 다음에 죽음을 끌어들이고, 다시금 광채를 되찾아서 새로운 세대에 빛을 준다. 이 시를 쓴 여성은 진심으로 그태양를 애타게 그리워하며, 그 여자의 영혼나방의 날개는 그를 위해 타버리는 것이었다."[22] 태양영웅 속에서 우리는 어떤 태고유형의 표현, 즉 태양의 위대한 힘과 광채를 체험해 온 무수한 세대의 인간의 산물을 본다.

융은 연금술에 깊은 관심을 가졌다. 중세기의 연금술사들은 일반 쇠붙이를 금으로 변화시키려 했다고 일반인들은 믿어 왔지만, 사실 연금술은 화학 실험을 거쳐서 표현된 매우 복잡한 철학이었다. 중세기의 철학자와 과학자들은 연금술을 몹시 진지하게 받아들이고 있으며, 이 문제에 관해서 방대한 문헌이 씌어져 있다. 즉, 근대 화학은 연금술에서 생겨났다.

융이 연금술에 매력을 느낀 까닭은 연금술의 철학과 실험의 상징 체계가 인간의 유전적 태고유형을 많이 드러내고 있다고 느꼈기 때문이다. 융은 그의 독특한 학문적 정열을 쏟아, 방대한 연금술의 문헌을 읽고 심리학에 대한 연금술의 의의에 관해 두 권의 책을 저술했다.

《심리학과 연금술》은 심리학자에게 특히 흥미를 준다. 그 속에서 융은, 20세기에 정신분석을 받고 있으므로 연금술에 관해서는 아무것도 모르는 환자의 꿈과 환상 가운데, 중세기 연금술의 상징 체계가 어떻게 재현되어 있는가를 보여주고 있다. 어떤 꿈에서 몇 사람이 네모진 광장을 왼편으로 걷고 있다. 꿈을 꾸고 있는 당사자는 한쪽 모퉁이에 서 있다. 긴팔 원숭이를 다시 조립해야 한다고, 걷고 있는 사람들이 말한다. 네모진 광장은 더 완전한 금속을 재합성하기 위한 전 단계로서, 원재료 속의 무질서한 금속 덩어리를 네 원소로 분해하는 연금술사의 작업을 상징하고 있다. 광장을 걷는 것은 재합성해서 만들어지는 금속을 나타내고 있으며 긴팔원숭이는 낮은 금속을 금으로 변화시키는 물질을 나타내고 있다.

융에 의하면, 이 꿈은 환자 ― 합성 작업 옆에 떨어져 있는 사람 ― 가 그 퍼스낼리티에서 의식적 자아가 지나치게 지배적인 구실을 하는 것을 허락함으로써 자기 본성에 있는 그림자의 측면을 개성화하여 표현하기를 게을리하고 있었음을 뜻하고 있다. 이 환자는 마치 연금술사가 낮은 금속의 적절한 혼합에 의해서만 목표에 도달할 수 있었던 것처럼, 자기 퍼스낼리티의 '모든'요소를 통합함으로써만 내적 조화에 도달할 수 있다.

또 다른 꿈의 예를 보면, 꿈을 꾸고 있는 당사자 앞의 책상에 젤리 같은 물질이 가득 들어 있는 컵이 놓여 있다. 여기에서 컵은 연금술사가 증류를 위해 사용했던 도구를 나타내고 있으며, 컵 속의 것은 연금술사가 현인賢人의 돌로 변화시키고자 했던 무형의 물질을 나타내고 있다. 현인의 돌은 낮은 금속을 금으로 변화시키는 힘을 가지고 있다. 이 꿈을 꾼 환자는 자기 자신을 더 초월한 — 통합된 — 사람으로 변형시키고자 하는 것 또는 변형시켜야 함을, 이 꿈의 태고유형적 상징을 보여주고 있다.

물의 꿈은 연금술사의 독한 술aquavitae이나 생명수의 재생력을 표시하고 있다고 말한다. 파란 꽃을 발견하는 꿈에선, 꽃은 현인賢人의 돌의 산지를 표시하고 있다. 금화를 땅에 내던지는 꿈은 완전히 합성된 물질을 만들어 내고자 하는 연금술사의 이상에 대한 비웃음을 표현하고 있다. 융은 환자가 수레바퀴를 끄는 꿈을 꾸면, 그 수레바퀴는 물질을 변형시키려고 한 증류 현상 속의 순환 과정을 나타내고 있는 연금술사의 수레바퀴와 관계가 있다고 본다. 마찬가지로 환자의 꿈에 나타나는 알은 연금술사가 일을 시작할 때 제일 먼저 손대는 금속을 나타내고 있으며, 다이아몬드는 연금술사가 몹시 탐냈던 돌을 나타낸다고 융은 해석한다.

모든 꿈에 있어서 환자가 자기 문제와 목표를 나타내기 위해 사용한 상징과, 중세기의 연금술사가 그 작업을 나타내기 위해 사용한 상징은 아주 비슷하다. 오히려 연금술사가 사용한 도구와 물질을 고스란히 그리고 있는 것이 이 꿈들의 두드러진 특징이다. 융은 연금술사의 문헌들을 잘 알고 있었기 때문에, 그 문헌들의 도해 속에 나와 있는 것이 그대로 꿈에 나타남을 보일 수가 있었다.

이 연구에서 그는, 그 화학 실험에 투입된 중세기 연금술사의 노력과 환자들의 노력은 완전히 같은 것이라고 결론을 내렸다. 연금술사가 물질을 개성화 — 변형 — 해서 완전한 물질을 얻고자 했던 바와 마찬가지로, 환자는 그 꿈속에서 자기 자신을 개성화해서 통합을 달성하고자 했다. 꿈에 나오는 모든 이미지와 연금술사의 작업 및 도구가 부합되어 있음은 보편적인 태고유형의 존재를 보이는 증거라고, 융은 믿고 있었다.

게다가 융은 아프리카와 기타 지역에서 인류학적 조사를 함으로써 이와 같은 태고유형이 미개 민족의 신화에도 표현되어 있음을 발견했다. 태고유형은 고금의 종교와 예술에도 표현되어 있다. 그는 이렇게 결론을 내렸다. "각 개인에게 있어서의 태고유형적 체험의 표현 형식은 가지각색으로 무한히 많지만, 연금술사의 상징과 똑같이 그것들 전부는 일정한 중심적 유형의 변형이며, 이 중심적 유형은 보편적이다."

융은 더 흥미 깊은 논문들 중의 하나 속에서 현대의 신화 '하늘을 나는 원반UFO'의 상징을 논의하고 있다. 그는 그것이 정말 하늘을 나는 원반인가 어떤가를 증명하려고는 하지 않고, 오히려 "어째서 그처럼 많은 사람들이, 자기는 하늘을 나는 원반을 목격했다고 믿을까?"라는 극히 심리학적인 문제를 내놓는다. 이 문제에 대답하여 — 심리학자가 논의할 수 있는 것은 이 문제뿐이라고 그는 말한다 — 그는 꿈, 신화, 예술, 역사적 참고 자료를 바탕으로 해서 하늘을 나는 원반은 전체성의 상징임을 증명한다. 그것은 빛을 내는 원반이며 만다라이다.

그것은 다른 유성 ─ 무의식 ─ 에서 지구로 왔으며, 그 속에는 기묘한 생물 ─ 태고유형 ─ 이 있다.

융의 이 전형적인 분석확대은 순전히 심리학적이며, 하늘을 나는 원반이 실재하는가, 어떤가와는 관계가 없다. 만약 그것이 실재해 있다면, 그것을 발명한 사람과 그것을 본 사람은 동일한 '통합'의 태고유형에 지배되었다고 덧붙일 수가 있을 것이다. 심리학자가 흥미를 가지는 실재는 정신의 실재뿐이다.

융에 의하면, 1950년대에 정점에 다달았던 하늘을 나는 원반 ─ UFO미확인 비행물체 ─ 에 대한 관심은 세계의 혼란과 대립의 결과였다. 사람들은 냉전과 국제 분쟁의 무거운 짐에서 해방되어, 조화와 통합을 달성하기를 바라고 있었다. 혼란의 시기에는 새로운 상징이 고안되거나 낡은 상징이 되살아난다고, 융은 지적한다. 이를테면 불안정한 비인간적인 시대에는 자기의 개별성을 찾아내고자 점성술에 의지하는 사람들이 생긴다. 또 자기라는 상징적 표현을 구하는 수단으로써 동양 종교와 철학 또는 원시 기독교에 의지하는 사람들도 있다.

2. 상징

융의 상징 이론을 더 체계적으로 논의해 보자. 융에 의하면, 꿈에 나오는 것이건 낮의 깨어 있는 생활에서 사용되는 것이건, 상징은 주요한 두 가지 목적을 갖고 있는데, 그 하나는 상징은 좌절되었던 본능적 충동을 만족시키고자 하는 시도를 나타내고 있다. 이것은 상징이 충족되기를 구하는 소망의 위장으로 보는 프로이트의 의견과 일치한다. 대부분 낮 생활에서는 금지되는 경우가 많은 성적 소망과 공격적 소망에 의해, 꿈의 대부분을 설명할 수 있다.

융에 의하면, 상징은 위장 이상의 것이며 원시적 본능 충동이 변형한 것이기도 하다. 상징은 본능적 리비도를 문화적 또는 정신적 가치로 물길을 트려고 한다. 문학이나 예술과 마찬가지로, 종교도 생물학적 본능의 변형이라는 것은 잘 알려진 의견이다. 이를테면 성 에너지가 딴데로 돌려져 예술의 한 형식인 무용이 되고, 공격 에너지가 딴데로 돌려져 경기가 된다. 그렇지만 상징이나 상징적 행동은, 본능 에너지를 그 본래의 대상에서 대리 대상으로 바꿔 놓는 단순한 방법이 아니라고, 융은 말한다. 예를 들면 무용은 성활동의 단순한 대용품이 아니라, 그 이상의 어떤 것이다.

융의 상징 이론의 본질적 특징은 그의 다음과 같은 말에 나타나 있다. "상징은 모든 사람이 알고 있는 어떤 것을 덮어 감추는 기호가 아니다. 상징의 가치는 그런 데 있지 않다. 오히려 상징은 미지의 영역에 전적으로 속해 있는 어떤 것 또는 장차 속해야 할 어떤 것을, 유사성을 통해서 해명하고자 하는 시도를 나타내고 있다."[23] 앞서 제2장에서 우리는 에너지의 물길 트기와 관련해서, 상징화에 의한 유사성의 형성을 논의하였다.

'완전히 미지이며, 형성 과정에 있을 따름인 것'은 무엇일까? 그것은 집합 무의식에 묻혀 있는 태고유형이다. 상징이란 무엇보다도 태고유형을 표현하고자 하는 시도이다. 그러나 그 결과는 늘 불완전하다. 융의 주장은 인간의 역사는 더 좋은 상징, 즉 태고유형을 의식적으로 완전히 실천하는 — 개성화하는 — 상징을 찾아온 역사라는 것이다. 역사상의 한 시대, 이를테면 초기의 기독교시대와 르네상스에는 많은 '훌륭한' 상징들이 생겨났다. '훌륭한'이란 인간성의 여러 면을 실현시켰다는 뜻이다. 특히 20세기에 있어서 상징은 거의 쓰이지 않는 경향이 있다. 현대의 상징은 주로 기계·무기·과학 기술·국제 기업·정치 조직으로 이루어져 있어 그림자와 페르소나의 표현과 정신의 다른 면을 소홀히 다루고 있다. 인류는 전쟁으로 자멸하기 전에 더 좋은 — 통합적 — 상징을 창조해야 한다고, 융은 간절히 바랐다.

융이 연금술의 상징 체계에 매력을 느낀 까닭은, 거기에 인간성의 모든 면을 에워싸고 대립하는 힘들을 버리고 하나의 통일체를 만들려는 노력을 보았기 때문이다. 만다라 또는 마법의 원은 이 초월적 자기의 중심적 상징이다. 결국 상징이란 정신의 표현이며, 인간성의 모든 면의 투영이다.

상징은 민족적 및 개인적으로 획득하여 저장된 인류의 지혜를 표현하려 할 뿐만 아니라, 개인의 미래 상태를 미리 결정하는 발달 수준들을 나타낼 수도 있다. 인간의 운명, 즉 그의 정신의 발전은 상징에 의하여 그 사람에게 제시된다. 그렇지만 상징에 포함되어 있는 지식은, 인간에게 직접 알려져 있지는 않다. 그 중요한 메시지를 발견하기 위해서는 확대법에 의해 상징을 해독해야 한다.

상징에는 본능에 의하여 이끌어지는 과거 지향적 측면과 초월적 퍼스낼리티의 궁극적 목표에 의해 이끌어지는 미래 지향적 측면이 있는데, 이것은 동전의 양면과 같다. 그러나 동전의 어느 면을 써서도 상징을 분석할 수는 있다. 과거 지향적 분석은 상징의 본능적 기반을 해명하며, 미래 지향적 분석은 완성·재생·조화·순화 등에 대한 인류의 동경을 명백하게 해준다. 전자는 인과론적·환원적 분석이며, 후자는 목적론적 분석이다. 상징의 완전한 해명을 위해서는 둘 다 필요하다. 융의 생각은, 상징은 넘쳐흐르려 하는 본능적인 충동과 소망의 산물에 불과하다는 견해가 주류를 이루어, 상징의 미래 지향적인 측면이 무시되어 왔다는 것이다.

상징의 강도는, 항상 그 상징을 만들어 낸 원인의 가치보다 크다. 즉, 상징이 성립되는 배후에는 추진력과 견인력이 있다는 뜻이다. 추진력은 본능 에너지에서, 견인력은 초월적 목표에서 온다. 어느 한쪽만으로는 상징을 만들지 못한다.

3. 꿈

1900년에 프로이트의 《꿈의 해석》이 발간되자, 융은 그것을 읽고서 1902년에 발표한 박사 논문 속에서 자주 그것을 인용하였다. 그렇지만 융의 정신관은 궁극적으로 프로이트의 정신관과 상당히 다르기 때문에, 융은 프로이트의 정신분석에서 떠나 독자적인 사상과 개념을 발전시켰다. 그리하여 융의 꿈의 이론도 빈의 정신분석자들의 이론과 날카롭게 대립하는 것이 되었다.

프로이트와 마찬가지로, 융에게 있어서도 꿈은 무의식적인 마음의 가장 명확한 표현이다. 그의 말을 빌리면 "꿈은 무의식적 정신의 공정한 자발적인 산물이다…… 꿈은 꾸미지 않은 자연스런 진리를 보여준다."[24] 꿈을 고찰하고 있을 동안에, 우리는 우리의 기본적 본성을 고찰하고 있는 것이다.

모든 꿈이 한결같이 이 목적을 위해 유용하지는 않다. 꿈의 대부분은 그날의 걱정거리와 관련이 있으며, 꿈을 꾼 사람의 정신의 심층에 빛을 던지는 일은 거의 없다. 간혹 당사자의 생활에서 너무 동떨어지고 너무 '신령적'이고 — 강렬한 감동적 체험을 가리키는, 융이 애용하는 용어 — 너무 기이하고 무시무시하기 때문에 당사자는 꿈이라고는 생각되지 않는 꿈이 있다. 그것은 다른 세계로부터의 방문과 같다. 바로 그대로이다. 다른 세계란 지하의 무의식 세계이다. 고래로 어떤 민족에게는 그런 꿈은 신이나 조상으로부터의 전갈 혹은 예언으로 인정되고 있기도 하다.

융은 이런 종류의 꿈을 '큰' 꿈이라 부르고 있다. 그런 꿈을 꾸는 것은 무의식에 혼란 또는 파탄이 있을 때이다. 자아가 외계를 잘 다루지 못하면, 그렇게 된다. 정신분석을 받고 있는 사람은 종종 '큰' 꿈을 꾸는데, 그 까닭은 치료가 무의식을 뒤흔들기 때문이다. 제1차 세계대전 이후, 융은 독일인 환자들이 자기에게 이야기한 꿈들에 입각해서 '금발의 야수'가 지하의 감옥에서 뛰어나와, 세계를 황폐시키려고 기회만 노리고 있다고 예언했다. 이 예언을 한 것은 히틀러가 권력을 잡기 몇 년 전의 일이었다.

이미 말한 바와 같이, 상징은 억압된 소원의 위장된 표현이라는 프로이트의 기본적인 의견에 융은 반대했다. 융의 입장에서 보면 꿈의 상징도, 기타의 어떠한 상징도 아니마, 페르소나, 그림자, 기타의 태고유형을 개성화하고 그것들을 통합하여, 균형 잡히고 조화를 이룬 전체를 만들어 내고자 하는 시도이다. 실제로 꿈은 과거를 깊이 파고들어가서 옛 기억을 소생시킨다. 가장 중요한 점을 말한다면, 꿈 — 적어도 그 일부 — 은 퍼스낼리티를 발전시키려는 목표를 실현하고

자 하는 시도이다. 꿈은 해독해야 할 전갈이며, 따라가야 할 길잡이다. "미래 지향적 기능은 미래의 의식적 성과의 무의식에로의 앞당김이며, 예비 연습 또는 초벌 그림, 미리 대충 정한 계획과 같은 것이다. 꿈의 상징적 내용은 이따금 갈등에 있어서 해결의 실마리를 보여주고 있다……"[25)

그러나 융은 모든 꿈을 미래 지향적으로 보지 말라고 경고하였다. 이 유형에 속하는 꿈은 조금밖에 없기 때문이다.

다른 관점에서 보면 꿈은 보상적이다. 꿈은 미분화된 정신의 측면을 보상하고, 그렇게 함으로써 잃어버린 균형을 만들어 내고자 한다. "꿈의 일반적 기능은 정신 전체의 균형을 바로잡는 꿈의 자료를 만들어 냄으로써, 심리학적 균형을 회복하고자 하는 것이다."[26)

연속되는 꿈

융은 프로이트처럼 하나의 꿈을 분석할 수 있을 뿐만 아니라, 개인이 일정한 기간에 걸쳐 꾼 잇따른 꿈을 분석할 수 있다고 처음으로 주장한 심리학자이다. 실제로 융은 한 가지 꿈에만 중점을 두지 않고, 환자에게 주의깊게 꿈의 일기를 쓰도록 요구했다. 잇따른 꿈은 한 권의 책이 여러 장으로 구분된 것과 같다. 각 장은 이야기 전체에 새로운 것을 덧붙이며, 전부가 연결되면 하나의 일관성 있는 퍼스낼리티 상像이 형성된다. 그것은 마치 조각 맞추기의 단편을 전부 연결하면 하나의 완성된 그림이 되는 것과 마찬가지다. 게다가 잇따른 꿈은 꿈을 꾼 당사자에게 여러 번 반복되는 테마, 즉 주요한 관심거리를 드러낸다. 우리는 꿈의 연구에 있어서 연속되는 꿈의 방식을 사용함으로써 훌륭한 성과를 얻었다.[27)

융의 입장에서, 연속되는 꿈을 분석한 예를 몇 개 들겠다. 어떤 엔지니어가 몇 해 동안 자기의 꿈을 기록했다. ― 그는 당시 30대였다. 그는 되풀이해서 몇 명의 여자 친구와 친밀한 성관계를 갖는 꿈을 꾸었다. 결혼한 이후 그의 성생활은 빈번한 자위를 제외한다면 사실상 존재하지 않았다. 자위 때에는 꿈을 꾸는 것과 같은 공상에 빠졌다. 그는 결혼 전에는 어떤 종류의 성관계도 없었고, 결혼 후에도 아내 이외의 여자와는 일체 성관계로 하지 않았는데 아내와의 관계는 점점 불만스러운 것으로 되어 갔다. 아내가 강경히 권하는 데 따라 그는 정관 수술을 받았다. 더 이상 자녀를 두지 않기 위해서였다고 짐작된다.

수많은 성몽性夢들은, 그가 낮의 생활에서 부족했던 것을 보상하는 것이다. 성몽의 대부분은 매우 사실적이며 상세하며 격렬하였다. 그것이 프로이트가 말하는 소망 충족이었음이 틀림없다. 그렇지만 융의 입장에서 볼 때, 그 꿈들은 그가 왜 만족을 얻을 수가 없는가의 이유를 가리키고 있었다. 그는 생활을 철두철미하게 억제하며, 퍼스낼리티의 그림자 쪽을 포기하고 있었다.

그는 일 잘하는 지적인 사람이며, 자연스런 충동을 금지하는 도덕률에 따르고 있었다. 그 결과 그는 낮에는 성적 공상으로, 밤에는 성몽으로 시달리게 되었다. 자기의 본성의 일부를 소홀히 하면, 반드시 생활이 엉망이 된다는 것을 꿈이 그에게 일러주려 하고 있었다. 실제로 이 억압은 그의 결혼, 일, 인간 관계에 비참한 영향을 끼쳤다. 그의 성몽은 미분화된 꿈의 특징인 조잡한 강박적 성질을 지니고 있었다.

또 한 예로 결혼 생활이 원만치 못했던 어떤 젊은 여성은, 남자들과 싸우며 심지어는 남자들에게 공격당하는 꿈을 자주 꾸었다. 낮 생활에서 그녀의 남자 관계 역시 매우 불만스런 것이었는데, 그것은 그녀가 복종과 지배 사이를 오락가락하고 있었기 때문이었다. 그녀는 때로는 애정 깊고 동정심 있고 상냥하지만, 때로는 빈정거리며 이기적이며 따지기를 좋아했다.

융이라면 그런 여성은 아니무스, 즉 그녀의 퍼스낼리티가 남성적인 요소의 포로가 되어 있다고 말할 것이다. 그녀는 자기의 남자다움을 부정하고 있었다. 그녀는 그것을 내부에 있는, 파괴해야 할 이질적인 것으로 생각하고 있었다. 물론 의식적으로 명확히 그렇게 생각하고 있지는 않았지만……

그녀는 꿈속에서와 마찬가지로, 낮 생활에서도 만족한 생활을 누릴 수가 없었다. 그녀에게 있어서 남자들이란 그녀 자신의 가증스런 남성적 요소의 화신이었기 때문이다. 자고 있건 깨어 있건 그녀의 아니무스가 주제넘게 나설 때, 그녀의 행동은 평소 소홀히 하고 있던 것을 과잉 보상했다. 그래서 그녀는 지나치게 남자답게, 바꿔 말하면 지나치게 고집스러웠다. 그리고 그 후에는 온순과 굴종으로 도망치는 것이었다. 그녀는 방금 전에는 남자다움의 화신이었는데, 이번에는 여자다움의 화신이 되었다.

그녀의 성관계가 불만스러웠던 까닭은, 그녀는 성행위를 남성적 요소에 의해 몸이 침해되는 걸로 인식했기 때문이다. 그녀는 그 느낌을 알고 있었다. 그녀가 의식하지 못한 것이 꿈속에서만 나타났던 것은, 그녀가 자기 자신의 아니무스에 의해 정신이 침해됨을 두려워하고 있었던 것이다. 종종 그녀는 자기의 미발달한 원시적 아니무스에 위협당했다. 그녀의 남자 관계가 원만치 않았던 것은 이 아니무스와의 관계가 나쁘기 때문이었다. 우리는 우리의 정신 상태를 남들에게 투영하므로, 남들과의 관계가 나쁠 때에는 항상 우리의 정신 속에서 그 원인을 찾아야 한다는 것이 융 심리학의 본질이다.

그녀가 자기의 남성적인 요소를 거부한 것은 어릴 때부터였다. 당시 그녀의 어머니가 그녀에게 남자들에 대한 비난과 독설을 자주 들려주었기 때문에 가증스런 남자의 이미지가 그녀의 마음속에 새겨졌다. 남자들과의 경험이 이 이미지를 확인시켜 주었고, 그녀는 더욱더 강하게 자기의 아니무스를 거부하게 되었다. 동시에 그녀의 어머니는 그녀에게 숙녀다운 행동을 자주 강조했다. 그래서 즉, 거짓 여자다움의 페르소나가 그녀의 가면이 되었고, 겉모양은 자연스러운 모습으로 바뀌어졌다.

외적 갈등은 반드시 퍼스낼리티 안에서의 부조화된 투영이라고 융은 주장한다. 갈등은 외적 증상만을 치료한다고 해서 해소되는 것이 아니다. 표면화된 갈등을 개선하기 위해서는 내적 부조화를 다루어야 한다. 요컨대 퍼스낼리티의 본질을 이루고 있는 태고유형의 기본적 실재에서는 도망칠 수 없다. 모든 일은 자업자득인 것이다.

우리는 어떤 사업가의 꿈을 분석하면서, 그의 아니마 문제를 별난 방법으로 해결한 일이 있다. 어릴 때부터 그는 자기 속에 여성적 성격의 다른 사람이 살고 있음을 알고 있었다. 그는 이 퍼스낼리티를 여자 이름으로 부르기조차 하였다. 그렇지만 그는 강한 남성적인 성격을 가지고 있었다. 그래서 낮에는 남자로서 장사패거리들과 지내고, 저녁에 귀가해 있을 때에는 여자로서 생활한다는 것이 그의 해결법이었다. 그의 아내는 이런 일을 허용했을 뿐만 아니라, 여자답게 몸치장하고 행동하려면 어떻게 하면 좋은가를 보여주고 그것을 격려했다. 그들 부부는 자매 같았다. 그렇지만 성관계에서 그는 남자였다.

장난꾸러기가 나오는 몇 개의 꿈을 연구해서, 우리는 그 사람 자신이 어린아이라는 결론을 내렸다. 그의 여성적 성격은 어른이 되어 있지 않았다. 그는 다른 어린이들과 성적인 놀이를 하는 어린이였다. 융 식으로 말한다면, 그는 어린이의 태고유형의 포로였다. 어린이의 태고유형이 그의 정신을 지배하고 있었다. 그 까닭은, 지나치게 보호하는 어머니, 유혹적인 아버지 때문이었다.

융은 꿈의 해석에 고정된 상징 체계나 책에 씌어 있는 고정된 논리들을 적용해서는 안 된다고 생각하고 있었다. 꿈을 꾼 당사자의 개인적 사정과 심적 사정에 많은 것이 달려 있기 때문이다. 예컨대 특정한 꿈의 요소를 분석할 때에는 꿈을 꾼 당사자의 나이·성별·인종을 고려해야 한다. 같은 요소라도 사람이 다르면 다른 의미를 가질 수 있으며, 또 사람이 같더라도 시기가 다르면 다른 의미를 가질 수 있다.

융은 꿈의 의미에 대해 늘 개방적으로 생각하려 했고, 그것을 미리 구상된 이론적 틈에 억지로 넣으려고 하지 않았다. 꿈의 의미에 관하여 알아내고자 할 때에는 꿈 가까이에 머물러야 하며, 꿈을 꾼 사람의 자유 연상에 끌려서 멀리 떨어져서는 안 된다고 융은 생각하고 있었다. 융은, 꿈을 꾼 당사자는 종종 자유 연상에 의해 관계 없는 것들을 끌어들임으로써 꿈을 이해하려는 목표를 밀어내려 한다고 느끼고 있었다. 그러므로 꿈의 요소들을 확대하는 방법을 쓰면 꿈을 꾼 당사자를 꿈 내용과 결부시킬 수 있었다.

융 자신의 통계에 의하면, 그 직업에 종사하는 동안에 융은 8만 개 이상의 꿈을 해석했다고 한다. 이 점을 고려한다면 어째서 그가 모든 시대를 통틀어 꿈의 최고 전문가로 간주되고 있는가를 이해할 수 있다.

6

심리학에서의 융의 위치

이 장에서는 심리학과 사회에 있어서 중대한 의미를 지닌 몇 가지 이론들에 관하여, 융의 입장에서 논의되는 바를 살펴보자.

최근까지 심리학은 물리학이나 생리학과 같이, 통제된 실험실의 학문에 지나지 않았다. 바꿔 말한다면 예전의 심리학자들은 오직 통제 가능한 실험실의 조건 아래서만 실험을 함으로써, 인간의 심리 상태와 행동을 이해하고자 했던 것이다. 특정한 형태의 행동을 일으키려면 그에 작용하여 변화를 일으키는 일정 변수가 중요하다는 것이 판명되었다. 과학적 심리학의 목표는 수학에서 사용하는 용어들과 같이 행동의 일반성을 공식화하는 것이었다.

심리학자들이 심리학을 과학적 측면에서 확립하고자 노력하고 있을 때, 의학에서는 정신의학이 독립된 한 분야로 확립되어 가고 있었다. 정신의학에서는 정신질환자를 치료하였지만, 실제로 정신과 의사의 도움을 청하는 사람들의 대부분은 일반적으로 생각하기에 병이라고까지는 할 수 없는 상태였다. 그들은 다만 불안하고 불만스럽고 불행하다고 생각하는 사람에 불과하였으며, 따라서 내과의와 외과의는 그들에게 별 도움이 되지 못했다.

정신과 의사에게 필요했던 것은 인간의 정신 생활에 관한 지식이었고, 그것은 다른 분야의 의학이 신체에 관한 지식들을 필요로 했던 것과 같았다. 과학적 심리학은, 정신과 의사가 환자를 다루기 위해 절대적으로 필요한, 인간의 정신에 관한 적절한 지식이나 이해가 부족했다. 따라서 정신과 의사는 각자가 노력해서 심리학자가 되어야 했다. 그들은 인간의 행동과 인간성에 관한 정신들을, 실험을 통한 것이 아닌 환자들의 상담을 통해서 연구했다.

그들은 환자들이 말하고 행동하는 하나하나에 귀를 기울여 조심스럽게 질문을 하고 모든 것을 주의깊게 관찰하고 분석했다. 그리고 환자를 통해 얻은 자료에서 추측과 해석을 대조해 보았으며, 그것들을 개념화하고 공식화하여, 후에 그 개념을 종합해서 일반 심리학 이론을 만들기 시작했다. 요컨대 한편은 실험실에서 자란 심리학이었고, 다른 한편은 정신과 의사의 진료에서 자란 심리학이었던 것이다.

이후 이 두 심리학은 한 개의 심리학으로 통합되었는데, 정신과 의사가 공식화한 법칙들은 실험실과 자연 조건 아래서 그 타당성 여부를 검토 중이며, 과학적 심리학이 공식화한 법칙들은 치료 과정에서 실험중이다. 진료를 통해 형성된 개념들을 실험실에서 연구 검토하는 것이나, 실험실에서 형성된 개념들을 진료에 도입하여 적용시키기란 그리 쉬운 일이 아니다. 심리요법가는 개인과 그 인성人性에 관해 요점을 두고 관찰하며, 종종 실험실의 심리학자는 지각·학습·기억과 같은 특수한 심리 과정과 통계들에만 흥미가 있다고 말한다. 실험실의 심리학자는 요법가를 과학적이 아니며, 소수의 환자에만 기초하여 주관적 일반화를 꾀하고 있다고 비난한다. 특히 융의 개념들은 실험실에서만 연구하기는 힘들다. 또한 그는 색다른 것들에 흥미가 있었으므로 일부에서는 그를 신비주의자라고 비난하였는데, 이 비난에 대한 대답은 그가 1930년에 쓴 다음과 같은 글 속에서 찾아볼 수 있다.

"우리 시대에 신비주의는 눈부신 발전을 이룩하였고 그 때문에 서양 문명의 영광은 그 빛을 잃게 되었다. 지금 나는 우리 학문의 위치와 명예 따위는 생각하고 싶지 않다. 그저 평범한 사람들과 접촉하고 있는 의사로서, 이제 우리는 대학이 전파자 역할을 중지하였다는 것을 알고 있다. 사람들은 학문의 세분화·합리주의·주지주의에 지쳐 있으므로, 한정하지 않고 그저 나타내기만 하는 진리, 숨겨져 있지 않고 밝게 빛나는 진리, 물처럼 새어나가지 않고 뼛속을 파고드는 진리를 듣고자 한다. 다만 이 소망은 수많은 이름도 없는 민중으로 하여금 길을 잃게 할 위험이 너무도 크다."[28]

융도 초기에는 얼마 동안 실험실에서 실험을 하고 있었는데, 그가 결정적인 심리학 지식들을 얻은 것은 주로 환자와의 접촉에서였다. 그는 이렇게 쓰고 있다. "나는 처음부터 의사였으며, 실천적 심리요법가였다. 우리의 심리학적 공식은 전부 정신과 의사라는 직업 생활을 통하여 얻은 경험에 그 기반을 두고 있다."[29]

융의 심리학은 진료실 밖에서도 그 자료를 얻고 있다. 서로 다른 문화들의 관찰, 종교·신화·상징·연금술·신비주의의 비교 연구들이 그 자료 속에 포함되어 있다. 그러나 그는 그 자료들이 절대적인 것은 아니고, 2차적인 것에 지나지 않음을 명백히 밝히고 있다.

"정신 구조의 이론은 옛날 얘기나 신화에만 의거하지 않으며 의학적·심리학적인 연구 분야에 있어서의 경험적 관찰에 입각해 있으며, 매우 동떨어진 분야에 있어서의 비교상징학의 연구에 의해 2차적으로 확증되었을 뿐이다."[30]

융은 역사·인류학·고고학·비교해부학 기타의 학문에서 사용되고 있는 비교연구법은 정신과 의사들이 이용할 수 있는 과학적 방법 중에서 최상의 것이라고 느끼고 있었다. 그렇지만 융은 한 이론에만 치우쳐서는 안 되듯이, 한 방법에만 의존해서도 안 된다고 생각하였다. 그는 이렇게 말했다.

"심리학적 이론은 매우 성가신 것이다. 지향과 발견의 실마리를 얻기 위해 일정한 관점이 필요한 것은 명백한 사실이지만, 그런 관점은 언제라도 버릴 수 있는 보조 개념으로 보아야 한다. 인간의 정신에 관해서 아직은 충분한 연구가 되지 못한 상태이므로, 우리가 일반 이론을 세울 수 있을 정도로 진보해 있다고 생각하는 것은 아직 이르다. 정신의 현상학의 경험적 범위조차 정하지 못하고 있으면서 어떻게 일반 이론을 꿈꿀 수 있을까? 아마 이론이란 경험 부족과 무지를 감추기 위한 최선의 가면일 것이다. 그러나 그 결과는 비참할 뿐만 아니라, 완고·괴팍함·천박·학문의 파벌 등 슬프기 짝이 없다."[31]

융은 경험적인 관찰을 할 때 한 방법에만 집착하지 않았듯이, 심리요법을 할 때에도 한 방법에만 의존하는 것은 좋지 않다고 생각했다. 융이 환자들을 치료함에 있어서 표준이 되는 치료법이 없었던 것은 그 때문이다. 그는 환자에게 적당하다고 생각되는 것이면, 프로이트의 것이든 아들러의 것이든 그 자신이 개발한 방법이든 모두 다 사용했다.

융이 고안해 낸 방법에는 꿈의 해석, 상상 활동 촉진법환자가 정신 집중을 해서 이미지를 형성하거나, 그림을 그리거나, 상징을 확대하거나 하는 방법과 언어 연상 테스트가 포함되어 있으며, 주일마다 환자와 상담하는 횟수를 환자의 상태에 따라 달리했다. 그는 되도록이면 그 횟수를 줄이려 했고, 환자를 격려하여 환자 스스로 자기의 분석에 점점 더 책임을 느끼도록 만들었다. 융의 부드러운 성품과 넓은 도량은 요법가로서, 또 정신의 탐구가로서 실로 크나큰 재산이 아닐 수 없었다. 그는 분석심리학이 판에 박힌 고정된 원리와 방법이 되는 것을 몹시 두려워했으며, "정신의 본질 속으로 점점 깊이 들어가면 들어갈수록 인간의 다양성과 다차원성에 입각하여 말함으로써 각종 정신 경향에 적절히 대처하기 위해서는 여러 가지 관점과 방법이 반드시 필요하다는 확신이 점점 굳어졌다"[32] 고 했다.

이런 융 심리학의 여러 가지 관점은, 융 학파의 심리요법가들이 다수파가 아닌 이유를 잘 설명해 주고 있다. 융이 내놓은 방법들은 인간에 관해 매우 다양한 지식을 갖고 있기 때문에, 더 명확히 말한다면 융 파의 요법가는 환자 개개인의 상태를 좀더 명확하게 파악하기 위해 인간에 관한 보편적 지식들을 가져야 했던 것이다. 융 파의 심리요법이 가치가 있는 까닭은 많은 가능성과 다양한 방법을 갖고 있기 때문이다.

과학의 정의에 관한 융의 견해는 매우 넓다. 융이 학생 시절에 알고 있었던 과학적 분위기에서는 인과론이 퍼져 있었다. 그것은 모든 것에 원인이 있다는 뜻이다. 그것을 심리요법에서 설명한다면, 환자의 현재가 곤란한 원인을 그 과거의 생활에서 알아내고자 했다는 것이다. 프로이트가 어른 노이로제의 원인으로서 아동기의 정신외상을 가장 큰 이유로 보았음은 인과론적 관점의 한 실례이다. 융은 인과론을 부정하지 않은 동시에 다른 과학적 입장의 타당성도 인정했다. 이 입장을 '목적론' 또는 '목적 원인론'이라고 부른다.

이것을 심리학적 입장에서 설명하면, 인간의 현재 행동은 미래에 의해 결정된다는 것을 뜻한다. 개인의 행동을 올바르게 이해하려면 과거의 행적만이 아니라, 미래의 목표도 고려해야 한다. 정신 발달에 관한 융의 개념의 대부분을 차지하는 개성화·통합·퍼스낼리티 등은 발달 과정에 있는 인간성이 겨누는 목표라는 뜻에서 목적론적이다. 반드시 의식적으로 모습을 나타내지는 않더라도 행동을 보면 추구하는 것이 무엇인지를 알 수 있다. 꿈조차 미래 지향적 기능을 가지고 있다. 꿈은 과거의 기억 이미지이기도 하지만, 미래의 발달 과정의 이미지이기도 하다. 융은 심리학에서는 인과론과 목적론의 두 태도를 취할 필요가 있다고 느꼈으며, 그는 이렇게 쓰고 있다.

"정신은 한편에서는 전에 있던 것의 잔재와 흔적을 묘사하지만, 다른 편에서는 정신이 그 자신의 미래를 창조하는 한, 여기서 오는 것의 윤곽을 같은 환상 속에 표현하고 있다."[33]

지금도 마찬가지이지만 목적론은 여러 과학자들이 받아들이지 않았다. 그러나 융은 여론에 좌우되지 않았으며, 인기가 없는 의견이라도 고려해서 적극 응용하였다. 그는 실용주의자였기 때문에 환자를 이해하고 도울 수 있는 의견이라면 어떤 것이든 이용했다.

결국은 인과론도 목적론도, 관찰하기에 편한 현상으로 정리하기 위하여 과학자가 제 나름대로 채택한 사고 형식이라고 융은 지적했다. 자연 속에서는 인과론도 목적론도 그 자체는 발견되지 않는다. 융은 또 환자를 목적론적 태도에 입각해서 다룰 때의 실용적 가치도 지적했다. 인과론의 관점에 서면 환자는 과거에만 집착하게 되므로, 인과론적 태도만으로는 환자에게 좌절과 절망감을 갖게 할 수도 있다. 실패는 이미 저질러져 있으며, 그 실패를 회복하기도 어렵다. 반면에 목적론적 태도는 환자에게 희망과 나아가야 할 목표를 제공한다.

만년에 융은 인과론도 목적론도 아닌 하나의 원리를 제창했는데, 그것을 그는 '동시 발생론'이라고 불렀다. 이 원리는 동시에 일어나지만, 인과 관계가 전혀 없는 사건에 적용된다. 어떤 사고가 객관적 사건과 동시에 일어나는 경우, 대부분의 사람들은 이러한 발생을 동시에 경험하고 있다. 어떤 사람의 일을 생각하고 있었더니 정말로 그 사람이 모습을 나타냈다거나, 그 사람의 편지를 받았다거나 한다. 또는 친구나 친척의 병 내지 죽음의 꿈을 꾸었는데, 꿈꾼 바로 그 시간에 실제로 그 일이 일어났음을 나중에 알게 되는 경우가 있다.

융은 심리학에 동시 발생론의 원리를 끌어들일 필요성은 정신 감응, 투시, 기타의 특수 현상에 관한 방대한 문헌들이 뒷받침해 준다. 이 경험들은 우연의 일치라는 말로 설명하기엔 부족하고, 우주에는 인과론으로만 설명할 수 있는 질서라는 다른 질서가 있음을 암시하고 있다고 융은 생각했다. 그는 동시 발생론을 태고유형의 개념에 적용하여, 이 태고유형은 외부 세계에서 물리적으로 표현될 수 있다고 주장했다. 태고유형이 두 현상의 원인은 아니며, 오히려 한쪽 현상이 다른쪽 현상과 평행해서 일어난다.

심리학자, 특히 환자를 다루는 심리학자는 사회비평가가 되기 쉽다. 그 이유는 심리학적 치료를 받으러 오는 사람들의 생활에서 그들이 처한 사회의 결함을 발견할 수 있기 때문이다. 융은 현대 사회의 격렬한 비판자가 될 수 있었다. 그는 가끔 매우 비판적이 되어 날카로운 의견을 표시했는데, 그 한 예로서 다음과 같은 글이 있다.

"우리의 문화적 업적은 무엇을 가져왔을까? 이에 대한 무서운 해답이 우리를 기다리고 있다. 인간은 이로 인해 결코 해방되지 못했다. 소름끼치는 악몽이 세계를 덮고 있으며, 여태까지 이성은 비참한 패배를 맛보고 모든 사람이 피하길 원했던 바로 그것이 활개를 치고 있다. 인간은 쓸모있는 것들을 허다하게 만들어 냈지만, 오히려 그것이 화근이 되어 심연의 구덩이를 크게 파고 말았다. 장차 인간은 어떻게 될까? 어디서 멈출 수 있을까? 세계대전 이후, 우리는 위성에 희망을 걸었고 지금도 계속 그렇게 하고 있다. 그러나 이미 우리는 핵 분열의 고능성에 매혹되어, 황금 시대를 기대하고 있다. 이는 아주 보기 싫은 황폐가 무한대의 범위로 퍼지는 결과를 기대하는 것과 같다. 누가 또는 무엇이 원인일까? 그것은 바로 악의가 없이 독창적인 발명을 한, 재주가 많고 상냥하고 이성적인 인간인데, 불행하게도 자기가 악마에 사로잡혀 있는 점에 대해서는 절망적인 정도로 깨닫지 못하고 있다. 그런데 더욱 나쁜 일은 이런 종류의 인간들은, 자기에게 정면으로 피해를 주는 것은 모두 피하고자 하고 있으며, 우리는 모두 미친 사람처럼 그들을 돕고 있다. 다만 하늘은 우리를 심리학 ― 자기 인식을 가져올지도 모를 그 악덕 ― 에서 보호해 주고 있다. 그보다는 차라리 전쟁을 하자! 전쟁은 항상 다른 사람의 책임이니까. 온 세계 사람들이 그 무엇에 쫓기고 있는데, 불행하게도 아무도 그것을 모르고 있다."[34]

이것이 씌어진 시기는 1948년이다. 융이 살아 있어 오늘날 이 글을 쓴다 하더라도 이와 똑같았을 것이다. 융이 이렇게 항상 비판적인 생각만 한 것은 아니었다. 자신의 인생을 심연의 바닥에서 건져내고, 인간의 마음속에는 악마가 살아 그것을 외부 세계에 투영하기는 하지만, 성실과 불굴의 정신을 가지고 달성할 수 있는 여러 환자를 융은 다루고 있었다. 융은 다음과 같이 쓰고 있다.

"심리치료법의 첫째 목적은 환자를 보장할 수 없는 행복의 상태로 보내려는 것이 아니라, 고난에 직면하여도 확고부동한 이성적인 인내를 갖도록 돕는 데에 있다."[35]

그러나 인간의 문제에 관한 융의 발언 중에서도, 아마 다음과 같은 발언이 인간이 가져야 할 용기를 표현하고 있는 가장 감명적인 것이다.

"퍼스낼리티는 모든 살아 있는 인간들에게 있어서 개성의 최고 실현 형태이다. 퍼스낼리티는 인생에 직면하는 고도의 용기이며, 그것은 개인을 구성하는 요소의 절대적 긍정이다. 또한 보편적인 생활 조건에 대한 가장 훌륭한 적응이며, 그와 동시에 가능한 최대의 자기 결정의 자유이다."[36]

융의 심리학은 앞으로 어떻게 될까? 그는 심리학에 있어서 그리 큰 자리를 차지하지 못하고 있으며, 또는 망각의 심연에 빠져 역사책의 각주에 이름을 남기는 것으로 그치게 되지 않을까? 예언은 위험한 일이다. 우리가 보기에 융의 사상은 특별히 젊은이들로부터 더욱더 주목을 받고 있다. 이것이 금방 사라져 갈 일시적인 현상인지, 아니면 사람들의 항구적인 사고 방식의 경향의 징조인지는 알 수 없다.

물론 우리는 후자이기를 바라고 있다. 때로는 예언이 예언한 것을 불러들이는 경우가 있다. 다만 예언하였을 뿐인데 그것이 실현된다. 우리는 진심으로 우리의 예언이 맞기를 바라고 있다. 융의 저서는 인류에 의해 인정되기를 고대하고 있는, 중요한 사상의 밑거름이라고 느껴지기 때문이다. 융의 저서를 읽는다는 것은, 특이한 경험이며 처음엔 이해가 잘 안 될지도 모르지만, 그의 논문과 저서들을 읽어보면 확실히 알게 될 것이다. 융이라는 고독한 사람은 인간 정신의 기본적 진리에 관해 논리와 양식, 정열과 동정을 가지고 연구했으며, 그것을 자신있게 주장했다는 점을 독자가 알기 시작할 것이다.

또한 독자는 인식의 충격을 체험하여 여태까지 알고는 있었지만, 말로는 미처 표현하지 못했던 진리를 인식할 것이다. 우리와 마찬가지로, 독자들도 또한 융의 사상의 대부분이 후일 저술가들의 사상을 지배하고 있음을 알고서 놀랄 것이다. 심리학과 그 관련 영역의 새로운 경향의 대부분은 융으로부터 비롯되었는데, 융이 또한 맨 먼저 그것의 방향을 제시해 주었다. 융의 저서는 무궁무진한 지혜와 영감의 샘이며, 우리는 책 속에서 자기 자신과 세계에 관해 새로운 그 무엇을 배울 수가 있다. 융의 저서를 읽음으로써 마음의 양식이 풍부해지고 시원해지는, 특이한 경험을 하게 되는 까닭은 바로 그 때문이다.

제3장 융 심리학 이론의 응용

Jacobi

1

이론의 개설

융 심리학의 양면성

융의 심리요법은 과학적이고 의학적인 방법을 철저히 따르고 있다. 그러나 그 언어 사용의 일반적인 의미를 보면, 그것이 어떤 하나의 분석적인 방법으로 이루어진 것이 아님을 알 수 있다. 그것은 치료 방법과 '인간을 구제하는 방법'이라는 뜻을 가진 독일어의 'Heilsweg'를 말하는 것으로, 인간의 육체적인 고통과 함께 정신적인 고통도 치료하는 방법을 말한다.

또한 융의 심리요법은 신경성 질환의 원인이 되기도 하지만, 사소하게 여겨지는 심리적 불안의 해소에서부터 가장 심각하고 중대한 정신병의 치료를 위한 모든 수단을 제공하고 있는 것이다. 더욱이 그것은 개인으로 하여금 자기 자신이 스스로를 구원하게 하는 수단, 즉 그의 정신적 노력으로 자신의 성격을 이해하게 하며, 완성으로 이끌게 하는 수단과 방법을 가지고 있다. 그런데 이 방법은 그 자체의 성격상 추상적으로 설명하는 것이 불가능하다. 또한 융의 사고 체계는 어떤 일정한 범위까지만 그 이론적 설명이 가능하다.

그것을 완전히 알기 위해서는 우리가 자발적으로 직접적인 행위를 경험해 보거나, 그러한 상황에 빠져야만 하는 것이다. 그래서 인간을 변모시키는 다른 모습과 마찬가지로, 사고 체계를 자세히 설명하기는 어려운 일이다. 다만 우리는 그 희미하고 보편적인 윤곽만을 알 수 있을 뿐이다. 다른 심리학과 마찬가지로 그 경험은 다분히 개인적인 것이다. 즉, 사고 체계가 가지고 있는 효과는 주관적인 성격을 띤다. 아무리 자주 반복된다 하더라도 그러한 심리적인 경험은 개별적으로 유일한 것이며, 따라서 주관적인 범위 내에서 이해하는 것이 요구되는 것이다.

이런 의미에서 융의 심리요법은 의학적인 면을 떠나서 하나의 교육적·정신적 지도 체계라 할 수 있으며, 인간의 성격 형성에 있어 보조적인 수단이 되는 것이다. 그런데 모든 사람이 치료에 있어서 성공을 거두는 것은 아니다. 단지 어느 정도의 사람만이 그것을 택할 수 있는 것이다. 그래서 약간의 사람들은 고통에 가까운 내면적 요구에 의해 이 치료 과정을 밟게 되는데, 이 과정이라는 것은 마치 칼날과도 같이 예리한 것이기 때문이다.[37]

융은 그의 치료를 받고 있는 많은 다양한 환자들에 대해 일률적인 처방을 하지 않았다. 그의 치료 방법은 각 환자에게 필요한 조건과 환자의 심리 구조에 의해 다양하게 결정되는 것이다. 한편 융은 성욕의 중요성과 권력 투쟁의 중대성을 인식하여, 그와 같은 요인을 근거로 정신 혼란의 요인을 밝혔기 때문에, 프로이트적인 방법과 아들러적인 방법의 유사함을 가지고 있다. 따라서 프로이트적인 관점과 아들러적인 관점에서 정신 혼란을 연구하는 것이 가능하다는 말이다.

그런데 융은 프로이트의 성욕, 아들러의 권력욕과 더불어 그 이외의 다른 심리적 동기 역시 중요하다고 보았으므로, 어느 하나의 요인으로 정신 혼란의 원인을 파헤치는 견해를 부인하였다. 융은 그 두 요인 이외에도 인간의 독특하고 중대한 심리요소의 하나로, 선천적으로 주어진 정신적이고 종교적인 욕망을 들고 있다. 이 같은 견해는 그의 이론의 가장 중요한 부분으로, 타 이론과 구분되는 것이며, 그의 이론의 전개를 종합적인 것으로 만드는 역할을 하고 있다. 이것은 '정신적인 욕망은 심리 가운데 있는 하나의 본능으로서, 실제적인 정열로 표출되는데 그것은 다른 본능에서 유래한 것이 아닌 독특한 것으로 필요불가결한 것이다'[38] 라는 그의 말 속에도 나타나 있는 것이다.

자연적인 본능의 세계와 인간의 원시적이며 생리적인 성격에 대해서, 융은 그와 동일한 수준으로 존재하는 또 하나의 요소가 있다고 주장하였다. 그 요소는 인간의 독특한 것으로서 원시적인 성격을 형성시키며, 나아가 그것을 발전케 하는 구실을 하는 것이다. "원시인의 본능적인 성격을 가진 다형 현상poly-morphism과 반대되는 개체화의 조절 원리가 있다……이 두 가지는 본능과 정신의 양극을 형성하는데, 이 양극의 관계는 정신 에너지가 흐르는 긴장의 표현인 동시에 그 바탕이 되는 것이다"[39] 라고 그는 말하고 있다.

그것은 복잡한 심리 구조에 있어 그 토대를 이루는 기본적인 두 가지 성격을 말하는 것이다. 이렇게 보면 심리 작용은 그것이 정신적으로 나타내지는가, 혹은 본능적으로 나타내지는가 하는 문제가 그대로 존재한다 할지라도, 그것이 정신과 본능 사이에 존재하는 에너지의 균형이라는 것을 알 수 있을 것이다. 그런데 이러한 해석에 대한 평가는 전적으로 관점과 의식적 마음 상태에 따라 좌우되는 것이다. 그러므로 심리 과정은 의식의 방향과 같이 움직이게 된다. 어떤 때는 심리 과정이 본능의 세계에 근접해 있어 그 영향을 받게 되고, 어떤 때는 정신이 본능적인 작용을 지배하고 마침내 동화시켜 다른 방향으로 접근하게 하는 것이다.[40]

그런데 여기서는 '본능'과 '정신'에 대한 의미를 우리가 일반적 의미에서 사용하는 철학적 용어로 이해해서는 안 된다. 'trieb본능 또는 충동'라는 말에 대해 융은 정확한 정의를 내렸는데, 그것은 본능적인 행동이나 작용, 즉 의식적인 동기가 없는 자율적인 기능으로 사용하였다. 따라서 그가 충동과 정신 사이의 긴장이라 할 때 그 의미는, 의식과 무의식 혹은 본능 사이에서 나타나는 양극 관계를 말하는 것이다. 예를 든다면 본능이 역력히 존재하는 것을 우리는 실증적으로 나타낼 수가 있다. 융은 "원형적인 표현과 본능적인 지각에 있어서, 정신과 물질은 심리 세계에서 서로 접하고 있다"고 말하였다. 물질과 정신은 한 영역 내에서 의식적 내용의 특수한 모습으로 나타나게 되는 것이다. 그 두 요소의 궁극적인 성질은 초월적인 것으로 표현할 수가 없는 것인데, 그것은 어떤 매개체를 통해서만 나타나는 것으로, 그 자체로서 표출되는 것은 아니기 때문이다.[41]

정밀 과학과의 관계

우리들은 이제 여기서, 융의 전체적인 이론에 방향과 깊이를 부여하여, 심리세계에 있어 모든 독특하고 자발적으로 일어나는 문제를 제외시키지 않으면서도, 그의 이론의 전체적인 체계를 밝히고자 한다. 아마도 주의력 있는 독자는 융의 저서에 이론적 모순이 있다고 생각할지도 모르겠다. 그러나 그러한 것을 연구하고자 하는 사람은 사실을 있는 그대로 보아야 한다. 융이 말했던 대로 '양자와 그리고 혹은'과 같이 하나만 보지 말고 전체를 보아야만 한다. 융의 진리 탐구는 하나의 인식이며 비전이다. 그와 같은 융의 이론이 신비주의적이라고 비난하는 사람이 있다면, 그는 현대 과학의 가장 엄격한 이론인 이론물리학이 융의 심리학 못지않게 신비적 성격을 띤다는 사실을 모르는 사람일 것이다.[42]

융의 비평가들이 흔히 그에게서 지적하는 모순의 이원적인 개념은, 오늘날 어쩔 수 없이 물리학에서도 받아들이고 있는 것이다. 예를 들어 빛의 성질에 관한 연구를 살펴보자. 그에 관해 현대 물리학은 두 가지의 모순된 가설, 즉 파동 이론과 분자 이론을 가지고 연구를 해야만 하는 것이다. 그래서 상대성 이론과 양자론陽子論과의 논리적 연결을 시도해 보았으나 성공하지 못하였다. 그렇다고 현대물리학자들의 논리가 타당하지 못하며, 혼란한 상태에 있다고 비난할 사람은 아무도 없다. 왜냐하면 물리적인 사실을 볼 때, 그것은 논리를 부정하는 것처럼 보이기 때문이다. 물리학자들은 앞으로 언젠가는 그런 두 가지 현상의 모순을 해결할 수 있을 것으로 기대하고 있기는 하지만, 그들은 어떤 일정한 현상은 매우 독자적인 것이라고 생각하고 있는 것이다.

심리학에 있어서의 어려움은 실증적인 바탕에 있는 것이다. 그러한 경험을 언어로서 표현할 때, 필연적으로 생겨나는 실제와의 차이에언어는 대상 그 자체를 표현하는 것이 아니고, 다만 그 근사치로서만 표현되므로 어려움이 있다는 것이다. 이런 의미로 볼 때, 융은 자연과학만큼이나 형이상학과도 거리가 멀다. 왜냐하면 그의 진술은 계속해서 실증적인 자료에 관한 것뿐이기 때문이다. 그렇다고 융의 이론을 현대 자연과학과 같은 것으로 취급하기에는 어려운 점이 있다. 그것은, 융의 이론은 형이상학적인 면을 가지고 있기 때문이다. 프랭크·하트만·우에츠퀼·에딩턴1882~1944, 영국의 천체 물리학자과 같은 사람들의 견해도 위와 같은 견해를 가지고 있다. 그러나 일정한 과학적 원칙에 따라 융의 심리학이 연구되어 온 경험 영역은, 순수한 논리적인 접근 방법을 주장한다는 점에서 옛날의 과학적 방법에 가까운 것이다이것은 현대 과학 중 물리학만이 구체적인 사실로 증명될 수 없는 대담한 가설을 순수 수학의 자유연상언어로 구성해 내는 가능성을 지니고 있는 것이다.

이와 같이 현대의 심층심리학은 어쩔 수 없이 야누스의 이중성을 가져야만 한다. 야누스의 두 얼굴 중 하나는 실제의 경험을, 다른 하나는 추상적 사고와 인식을 향하고 있는 것이다. 파스칼·키에르케고르, 그리고 융과 같은 많은 위대한 사상가들조차 명확한 대답을 하지 못한 문제, 즉 정신 현상의 양면성을 논할 때면 모순으로서만이 그 문제를 제대로 설명할 수 있다는 것은 결코 우연한 일은 아닐 것이다.

융은 위대한 진보적인 업적을 이루었다. 그가 사용하였던 '통합'이란 용어의 의미는, 그가 전통 심리학의 직선적이고 유치한 수준에서 벗어났다는 것을 나타내 주고 있다. 즉, 정신을 절대시하는 것에서 탈피하여, 그것을 하나의 다른 것의 부현상으로 보았으며, 그 나름의 특색을 지닌 외부 세계의 본질로서 파악했던 그의 통찰력을 보여 주는 것이다. 섣불리 언급해서는 안 되겠지만, 정신은 현대 물리학의 발달로 인해서 그것의 논리적 설명이 불가능한 것처럼 보인다.

물리 작용의 해석에 있어서, 원인과 결과에 대한 엄밀한 개념은 단순한 순서적인 개념으로 대체되어야만 한다. 30여 년 전, 자연과학에서 일반적으로 사용하였던 인과 관계의 개념은 심리학에서는 적용되지 않는다. 융은 그의 저서 《분석심리에 관한 논문집》[43] 서문에서, 다음과 같이 말하고 있다. "인과 관계는 다만 하나의 원칙이다. 그런데 심리학은 원인과 결과의 방법만으로는 충분히 연구될 수 없다. 왜냐하면 마음이란 여러 가지 목적을 가지고 있기 때문이며, 이 목적은 우리의 의식이 가까이하기 힘든 어떤 내면적인 법칙으로, 무의식의 세계 속에서의 상징적인 움직임과 표현에 기초하고 있는 것이다."

　융은 비인과 관계에 관한 수많은 문제를 논문으로 발표하였다. 그 속에서 그는 〈중대한 의미의 일치〉라는 제목으로, 일정한 현상에 대한 해설 원칙으로서 비인과 관계를 설명하고 있다. 사실 우리의 정신 현상에 있어서 청각적 표현이 인과 관계만을 가지고 설명되는 것은 아니다. 융은 또한 다음과 같이 말하였다. "이러한 중요한 점에 있어서, 심리학은 자연과학의 범위에 속한다고 할 수 없는 것이다. 비록 사물을 관찰하는 방법과 실증적인 방법을 사용함에 있어 자연과학적이라고 할 수 있으나, 외면적으로는 아르키메데스287?~212 B. C. : 고대 그리스의 자연과학자 적인 명확성을 찾아볼 수 없다. 따라서 객관적인 측정의 가능성은 적은 것이다.[44] 그리고 심리라는 것은 그 표현이 명확하게 나타나는 것이 아니어서, 판단을 가능케 하는 아무것도 없는 것이다. 정신 현상은 심리학의 목적이며, 동시에 그 대상이다. 그렇기 때문에 이와 같은 사실에서 벗어날 수가 없는 것이다."[45] 왜냐하면 에딩턴이나 화이트헤드1861~1947 : 영국의 수학자 · 철학자 같은 사상가들이 물리학으로부터 끄집어낸 결론을 보더라도 그것은 본원적이며 창조적이고 정신적인 힘을 말하기 때문이다. 또한 신비적이라고도 부를 수 있다.

그런데 우리가 그 '신비적'이라는 말에 대해서 습관적인 두려움에 젖을 필요는 없는 것이다. 또한 어느 값싼 비합리주의와 혼동해서도 안 된다. 왜냐하면 이성 그 자체만으로 신비적인 것의 자율성을 부정하는 것은 아니기 때문이다. 현대 논리학은 이성의 한계를 정직하게 확정시키려 하여, 그것을 지식에 대한 적절한 정의에서 나온 최상의 법칙과 같은 것으로 파악하는 것이다.

'심층심리학'의 자체적인 성격상 그것을 명확히 개념화하기는 어려우며, 때로는 불가능하기까지 한 인식과 경험 사이의 경계 지점에서, 융은 완전하지는 못하나마 필요하고 적절한 구분을 지으려 노력하였다. 형이상학자들의 특징은 인식과 경험을 혼동하여 경험을 개념화시키려 하는 경향에서 나타난다. 그러나 융은 이러한 오류를 피하고자 했다.

현대 논리와 융의 심리학의 해답이 동일할 수는 없겠으나, 경험에 대해서 모두 초월적인 문제로 취급하였던 점은 일치하며 그것이 우연한 일은 아닐 것이다. 이것은 융의 심리학과 그의 심리학적 지침을 구성하는 문제이다. 여기서 주의하여야 할 것은, 우수한 과학자들을 포함한 모든 인간들에게 적용되는 개인의 차이가 어떤 역할을 하고 있다는 사실이다.

궁극적 인과 관계

여기서 현대 심리요법의 주요한 세 가지 특색을 살펴보면 다음과 같다.

첫째, 프로이트의 정신요법은 정신병의 실제적 원인을 규명하는 데 그 특색이 있다. 둘째, 아들러의 요법은 그가 '궁극적 의미의 원인'으로 보았던 실제적인 상황을 연구하는 데 있다. 이 두 사람은 공통적으로 본능을 진료의 원인으로 보았다. 셋째, 융 역시 궁극적 의미가 나타내는 바를 궁극적 원인인 동시에 결론[46]으로 보았으나, 그는 여기에 형성 원인을 첨가하였던 것에 그 특색이 있다. 그것은 중대한 의의를 가지는 것이다. 그 형성력은 무의식과 의식 사이, 그리고 심리의 양극 관계 사이에 존재하는 상징으로 구성되어 있다.

융의 심리학은 분석의 최종 결과를 염두에 두고 무의식의 근본적 사고와 충동을 일정한 미래 발전을 암시하는 상징으로 보았다. 그런데 그러한 절차를 왜 사용해야만 하는가에 대한 의문을 과학적으로 설명할 수는 없다. 오늘날의 과학은 주로 인과 관계의 법칙에 기초를 두고 있기 때문이다. 그러나 인과 관계란 단지 하나의 원칙에 불과한 것이다. 그래서 심리학은 인과 관계의 방법만으로는 설명이 불가능하다. 왜냐하면 마음이란 그것이 가지고 있는 특이한 목적에 따라 존재하는 것이기 때문이다. 그런데 그러한 철학적인 설명 이외에 그 타당성을 입증해 줄 수 있는 다른 설명이 있는데, 이것은 대단히 유용한 것이며 꼭 필요한 논증이기도 한 것이다. 즉, 사람은 유아적인 쾌락주의적 충동과 욕망만으로는 살 수가 없다.

이러한 사실을 인정하려면 상징적으로 생각할 필요가 있는데, 유아적인 경향을 상징적으로 표현할 때, 철학적 혹은 종교적이라 부르는 것이 가능하게 된다. 이러한 말은 개인의 성장 발달의 방향을 나타내 주고 있는 것이다. 인간은 고정불변한 존재가 아니며, 지극히 변하기 쉬운 실체이다. 원인에 대한 환원법에 의해 원시적 성향이 보강되는데, 그것은 그 원시적 성향을 띠는 상징적 가치 인식에 의해서 균형이 이루어질 때에만 유용한 것이 된다. 분석과 환원법은 인과의 진리에 따르게 되는데, 그 자체가 우리의 실제 삶에 어떤 도움을 주는 것은 아니며, 오히려 체념과 절망을 가져다 줄 뿐이다. 반면, 어떤 상징의 본질적 가치를 인식하는 것은 건설적인 효과를 나타내어 우리의 생활에 도움을 준다. 즉, 희망을 불러일으키며, 발전의 가능성을 발견하게 해주는 것이다.[47]

융은 그의 저서 《심리의 구조와 동태》에서 다음과 같이 말하고 있다. "어떤 심리학적인 사실을 설명해야 할 때, 심리학적인 데이터는 인과 관계의 시점과 궁극성의 시점이 일치되는 이중적 복합 시점이 요구된다. 내가 여기서 말하는 궁극성이란 단순히 어떤 목표에 대한 내재적인 심리학적 노력을 말하는 것이다. 그것은 어떤 목표에 대한 노력이라기보다 목적 감각이라고 말할 수 있다."[48]

프로이트의 방법이 환원적이라 한다면, 융의 방법은 미래적이라 할 수 있다. 프로이트는 대상을 분석적으로 취급하여 현재로서 과거를 해결하려 하였으며, 융은 대상을 종합적으로 다루어 영원한 심리적 균형을 세울 바탕을 개인에게 부여하고자 했다. 융은 또 의식과 무의식, 정신의 양극 사이의 상관관계를 세워 현재의 상황으로 미래를 건설하고자 하였던 것이다.

변증법적 과정

융의 방법은 그것이 두 사람 사이의 대화이기 때문이 아니라, 두 심리 조직 사이의 상호작용 때문에 변증법적이라 할 수 있다. 또한 본질적으로 볼 때도 융의 방법은 변증법적이라 할 수 있다. 왜냐하면 융의 방법은 의식의 내용, 그리고 자아와 비자아의 양자를 결합시키고 초월하는 제3의 용어인 통합을 얻기 위한 어떤 상호작용을 일으키게 하는 과정이기 때문이다.

치료 방법의 관점에서 볼 때, 변증법적인 원칙을 이해하고 그에 따르는 것은 심리학자의 의무와도 같은 것이다. 심리학자는 대상과 떨어져서 그것을 이론적으로만 분석해서는 안 된다. 그는 환자와 마찬가지로, 그 스스로 환자와 그 분석 작업에 개입해야 한다. 이와 같은 이유로, 또 무의식의 자율적 기능 때문에 환자의 감정이 분석자에게 전이된다든가, 혹은 그대로 투영되는 것이 융의 분석 방법에 있어서는 다른 분석 방법에서와 같이 그렇게 언제나 필요불가결한 것은 아니다. 융은 오히려 그것을 효과적인 치료의 방해물로 여겼다.

정신질환의 분석적인 해결 혹은 정신적인 발달을 촉진시키는 무의식과의 대화에서 가장 중요한 것은 애착, 즉 애정 관계라고 그는 믿었다. 프로이트처럼 정신질환의 근원이 이미 지나간 시절에 입었던 외상적인 감정을 재생시키는 것이 아니라, 어떤 구체적인 대상과 함께 문제를 극복해 나가려고 하는 과정으로 이해하는 것이다. 그런데 여기에서 분석자와 피분석자 두 사람이 언제나 충실하며 또한 객관성을 잃지 않도록 주의하여야 한다. 한쪽 사람은 상대방에게 무의식적으로 영향을 끼치게 되는 것이다. 그리고 그것은 치료에 기초적으로 필요한 것이기도 하다. 두 개의 성격이 만나는 것은 두 개의 화학적 물질이 혼합하는 것과 마찬가지다. 만약 어떤 반응이 일어나게 되면, 최초의 그 두 형태는 다른 것으로 변화하게 된다.

의사는 변증법적인 절차로, 그의 환자가 해주기를 바라는 바처럼 자신을 드러내고 설명해야 한다.[49] 이와 같이 융의 방법에서 심리를 분석하는 사람의 역할은 상당히 능동적인 것이다. 프로이트는 주로 수동적인 태도만을 분석자에게 요구하는 데 비해, 융은 개인적인 타협에 있어서 능동적으로 그것을 지도하고 격려하며 참여하게끔 하는 것이다. 그리고 그러한 심리적 변형 과정을 조절하는 의사는, 다른 치료요법에서보다 더 많은 심적 능력과 열의를 가지고 환자를 대해야 한다. 의사 스스로도 생성 과정 속에서 하나의 다른 생성 과정에 영향을 끼치는 것이기 때문이다.

그래서 융은, 의사는 환자에게 심리요법 치료를 시작하기에 앞서 먼저 자신이 철저한 분석을 받을 것을 주장하였다. 즉, 의사 스스로가 우선 철저한 심리 분석을 받아야만 의사로서의 기술 조건이 마련된다는 것이다. 심리 분석자가 자신의 능력 이상으로 환자에게 정신적인 도움을 줄 수는 없는 것이며, 마찬가지로 아무리 의사가 뛰어나더라도 환자가 가지고 있는 그 이상의 것을 끄집어 낼 수는 없다. 아무리 치료를 한다 하여도 심리의 그 본래적인 한계를 넓힐 수는 없는 것이다.

무의식에로의 여러 통로

융은 환자에게 직접 나타나지 않는 것을 알아내는 방법에는 네 가지가 있다고 하였다.

첫째, 가장 간단한 방법으로 연상법이다. 그 방법은 연상 실험을 통하여 착란을 불러일으키고, 그것으로 중요한 콤플렉스의 내용을 아는 것이다. 이 방법은 분석심리학과 콤플렉스 치료학의 기초로서 그 방면에 관여하는 사람에게 있어서 꼭 필요한 것이다.

둘째, 징후 분석을 말하는데, 이것은 단지 역사적인 의미를 가지고 있는 것이다. 이것은 최면술적인 암시를 주어 환자로 하여금 일정하게 요구되는 기억을 되살리는 방법을 사용한다. 이 방법은 충격, 정신적 상처, 혹은 외상이 정신질환의 원인으로 작용한 환자에게 효과가 있다. 일찍이 프로이트는 그의 외상 논리를 말하였는데, 바로 이 방법에다 근거를 두고 히스테리에 대한 논리를 폈던 것이다.

셋째, 추억 분석으로서, 그것은 치료의 방법과 연구 과제로서 중요한 것이다. 이 방법은 말 그대로 추억을 조심스레 회상하거나 또는 역사적인 정신질환의 발달 과정을 재구성하는 것이다. 이 방법은 환자에게 그 정신 상태의 중요한 요소를 이해하도록 함으로써, 그의 태도에 결정적인 변화를 가져오게 할 수 있어 자주 커다란 치료 효과를 보는 방법이다. 이 과정에서 의사는 환자가 의식하지 못하는 중요한 문제를 깨닫도록 질문을 던지며, 힌트를 주기도 하고 설명을 하기도 한다.

넷째, 무의식의 분석으로, 이것은 의식적 분석이 불가능할 때 시작하게 되는 방법이다. 회상적인 방법이 자주 이 방법의 앞선 단계로서 사용되는데, 이 단계에서의 개인적 접촉은 상당히 중요하다. 그 이유는 개인적 접촉에서 무의식을 포착할 수 있는 근거가 형성되기 때문이다. 그러나 그러한 접촉은 대단히 어려운 것이다. 여기에서 두 개의 시점을 주의깊게 비교해 보고 편견에서 벗어난 상호 자유에 의해서만 무의식의 분석이 가능하게 된다.

이제 우리는 살아 있는 심리 작용 그 자체인 꿈에 대해 알아보자.[50]

2

꿈

무의식의 메커니즘과 그 내용을 연구하는 데 가장 용이하고도 효과적인 방법은 꿈을 연구하는 방법이다. 꿈의 세계는 의식과 무의식의 두 요소로 되어 있다. 이들 요소는 다양하게 혼합되는데, 과거 경험의 가장 깊이 있는 무의식의 모든 근원들에서부터 연유한 것인지도 모른다. 융에 의하면, 그 꿈속의 세계를 구성하는 요소들이 인과관계나 공간적·시간적 순서에 따라 결정되는 것은 아니다. 꿈의 용어는 상징적이며 고대형의 논리 이전의 언어로서, 심상의 언어이다. 따라서 그 언어의 의미는 어떤 특수한 방법에 의해서만 밝혀낼 수 있는 것이다.

융은 꿈을 대단히 중요시하였다. 꿈을 무의식으로 통하는 길로 보았을 뿐만 아니라, 무의식이 그것을 통해 조정 활동을 행하는 것으로 보았다. 왜냐하면 꿈은 의식적 태도의 표면, 즉 무의식의 한 단면을 나타내는 것이기 때문이다.[51]

융은 다음과 같이 말하였다. "만약 꿈에서의 행동을 어떤 공식으로 나타낸다면, 보상의 개념이 가장 적합한 것 같다. 왜냐하면 그것만이 꿈속에서의 행동 방식을 요약해 주기 때문이다. 그런데 보상의 개념과 보충은 구분되어야 한다. 보충의 개념은 좁고 제한적이어서 꿈의 기능을 설명하기에는 부족하다. 그것으로는 단지 서로의 기계적 보충을 의미하는 어떠한 관계만을 규정할 수 있기 때문이다. 이와 반대로 보상이란 개념은 조정과 수정을 이룩하기 위하여 서로 다른 데이터나 시점을 조정하고 비교하는 것을 의미한다."[52]

개별화 작용, 즉 각 개체 단위로 완성을 향해 나아가려는 심리의 선천적인 보상 기능이 인간에게는 주어진 것 같다. 이와 같은 것을 인간적이라는 특별한 심리적 활동으로 말할 수도 있다.

욕망과 소원 등 모든 심리 행위에 영향을 주는 꿈의 보상 기능에 대해 융은 그 '표준 상징'이 무엇이라고 정하기를 거부하였다. 무의식의 내용은 언제나 다의적多儀的 : 여러 가지 의미의 종합이기 때문이다. 그 의미는 꿈꾸는 사람의 외면적이고 내면적인 상황과 꿈의 흐름에 따라 다르게 이해되어야 하는 것이기 때문이다. 어떤 사람의 꿈은 한 개인의 문제를 넘어서 인류 역사에 관한 인류 전체의 문제를 나타내기도 한다. 또 꿈은 가끔 예언적이다. 그래서 원시인들은 꿈을 종족 전체의 관심으로 보기도 했다. 그들은 꿈을 거대한 '의식의 흐름'으로 파악했던 것이다.[53]

융은 꿈 이외에 무의식을 표현하는 것으로서 환상과 비전을 들었다. 이것들은 꿈과 연관성을 가지고 의식이 줄어든 상태에서 나타나게 된다. 거기에는 잠재적인 의미와 표시된 의미가 있는데, 그것은 개인 무의식이나 집단 무의식의 반영이다. 그래서 심리학자들은 환상과 비전을 꿈과 같은 선상에서 바라보게 되는 것이다. 그것은 일반적인 망상에서부터 황홀한 비전에 이르는, 상당히 의미 깊고 다양한 변화를 나타낸다.

이와 같이 융은 꿈을 그의 치료 방법의 중요한 수단으로 보았다. 꿈은 무의식에로의 통로를 제공하는 심리적 현상으로, 그것이 갖는 보상 기능은 의식하지 않는 것과의 가장 밀접한 관계의 표시로써 꿈을 형성한다는 것이다. 꿈의 분석에 대한 문제는 이런 전제하에서 그 성공과 실패가 좌우되는 것이며, 그런 전제가 없다면 꿈은 단순히 자연적 진화의 장난이고 낮에 받았던 여러 가지 무의미한 인상이 집합된 현상이라고밖에 볼 수 없는 것이다.

융은 환상과 비전도 꿈과 같은 방법으로 사용하였는데, 꿈을 폭넓은 의미로 사용하여 단순하고 간결하게 말하고자 하면 환상과 비전도 꿈의 영역에 포함시킬 수 있다.

1. 꿈의 해석

융의 분석 방법인 변증법적인 과정에서 가장 중요한 것은 환자와 의사가 제공하는 문맥과 연상에 관련된 것을 연구·설명하는 것, 그리고 꿈, 환상, 정신적 심상의 모든 형태를 해석하는 것이다. 그러나 환자 혼자만의 꿈을 통한 제공이 어떻게 해석되어야만 하는가도 중요하다. 꿈의 해석에 있어서는 꿈꾼 사람의 개성이 결정적인 요인이다. 꿈 해석을 완전히 확인하기 전에 그에 대한 환자의 수긍은 추리에서가 아닌, 그의 경험을 통해서 이루어져야 한다. 그러므로 의식적 암시를 포함시키지 않으려 하는 분석가라면, 환자가 수긍하기 전에

는 꿈 해석의 타당 여부를 말하지 않아야만 한다.[54)]

그렇지 않으면 그 다음의 꿈이나 비전은 같은 문제를 불러일으키게 될 것이다. 꿈 해석은 환자가 새로운 경험으로 새로운 태도를 취할 때까지는 계속될 것이다. 의사가 환자로 하여금 꿈 해석의 영향을 받게 해서는 안 되는 이유가 거기에 있다. 그런데 종종 그런 암시의 가능성과 위험성은 지나치게 과장되어 온 것 같다. 왜냐하면 객관적 무의식은 지극히 독립된 기능을 행사하기 때문이다. 만약 그렇지 못하다면 의식의 보완 기능마저도 행사할 수 없을 것이다. 의식은 앵무새와 같이 훈련시킬 수 있으나, 무의식은 그렇지가 못하기 때문이다.[55)] 만일 의사와 환자가 꿈 해석을 잘못하게 되면, 그들은 그 즉시 무의식에 의해 통제받게 된다. 무의식은 그것이 갖고 있는 자율적인 활동과 새로운 물결의 끊임없는 공급으로 변증법적인 과정이 계속 진행되는 것이다.

융의 분석 방법과 다른 분석 방법과의 근본적인 차이는 다음과 같다. 융은 꿈의 분석으로 개인적 갈등을 발견하고 그것을 초월하여 보편적인 인간문제의 집단무의식을 찾아낸다. 여기에서 융의 꿈 분석 이론과 방법을 간단히 짐작할 수 있다. 융은 다음과 같이 말하고 있다. "의식에서 가져온 심리학으로 꿈을 설명하는 것은 불가능하다. 꿈은 자의와 소망 및 자아의 의향과 의식적인 목적에서 독립된 어떤 제한적인 기능을 가지고 있다. 그것은 모든 자연에서 일어나는 것과 마찬가지로 무의식적이다. 우리는 어쩌면 계속해서 꿈을 꾸고 있는 것인지도 모른다. 그런데 우리의 의식은 깨어 있는 상태로 소리내고 있지만, 우리는 꿈의 소리를 듣지 못하는 것이다.

만일 우리가 그것을 계속적으로 기록해 둘 수 있다면 전체적인 과정의 일정한 방향을 알 수 있을지도 모른다." 다시 말해서 꿈은 심리 상태의 자연적인 표시이다. 그러나 자율적이고 의식이 깨닫고 있지 못하는 목적 자체의 언어와 법칙을 가지고 있기 때문에, 우리는 의식에 관한 심리학으로는 꿈에 접근할 수가 없는 것이다. 왜냐하면 사람이 꿈을 꾸는 것이 아니라, 다만 꿈이 꾸어지는 것이기 때문이다. 우리는 꿈을 '경험'하고 꿈의 대상으로 존재한다.[56) 우리들이 깨어 있는 상태에서 동화를 읽는 것과는 달리, 꿈속에서는 그것이 우리들의 생활에서 일어나는 것처럼 경험하게 된다는 것이다.

2. 꿈의 뿌리

꿈이란 개인의 무의식적인 내용과 집단의 무의식적인 내용에 근거하고 있다. 여기에서 말하는 무의식의 내용은, 의식의 내용 혹은 무의식의 자발적인 과정에서 온 것이다. 의식과 아무런 관계를 나타내지 않는 이 후자의 과정은 신체적 사고나 환경에 대한 육체적·정신적 반응 같은 것에서 연유하는 것인지도 모른다. 왜냐하면 먼 과거에서 일어난 역사적인 사건을 반복적으로 표현하거나, 미래 사건을 예측하는 꿈이 있기 때문이다.

꿈이란 원래 의식과 관련이 있는 것이지만, 의식되지 않는다. 또한 통일성이 완전히 상실돼 버려 이해할 수 없는 조각만으로 남아 있던 것이, 다시 인식되지 않는 개인의 무의식적 심리내용을 나타내는 것이다. 그러므로 앞에서 말한 것처럼 꿈의 질서를 시간과 공간, 인과 관계를 초월한 것으로써 설명할 수 없는 것이다. 그래서 융은 꿈을 '어

두운 밤의 영역에서 온 메시지'라고 하였다.[57]

꿈은 단순히 과거의 경험이나 과거 사건의 단순한 반복이 아니다 — 설령 우리들에게 꿈이 그렇게 보인다 하더라도. 그런데 어떤 객관적 사건, 예를 들어 전쟁이 일어났을 때에는 일정한 범위의 충격으로 어떤 반응이 일어나게 됨으로써 그 법칙에서 유일한 예외가 된다. 따라서 외상이나 충격적 경험의 재생은 꿈의 보충적인 의미로 이해할 수 있다. 그 누구도 충격을 의식의 표면 위로 유도하여서, 꿈이 꾸어지는 충격을 제거시킬 수는 없다. '꿈은 조용히 재생 작용을 계속하는데, 외상의 내용은 그 충격의 여파가 사라질 때까지 그 재생 작용 속의 일부로 되는 것이다.'[58]

융에 의하면 "꿈은 비록 무의식적이나, 꿈 자체의 특유한 목적으로 항상 결합되고 변경된다."[59]

3. 꿈의 각종 유형

꿈을 의미에 따라 분류해 보면 다음과 같은 세 가지 유형이 있다.

첫째, 일정한 의식적 상황이 일어나면, 그 다음에 반드시 무의식의 반응인 꿈으로 나타난다. 그러한 꿈은 보충 작용과 보완 작용으로 그 날의 인상을 뚜렷하게 드러낸다. 이 꿈은 직접적으로 가까운 과거의 명확한 인상이 없으면 꾸어지지 않는다.

둘째, 일정한 의식의 상황에 제약을 받지는 않으나, 무의식의 자발적인 어떤 활동으로부터 생겨나는 꿈이다. 그런 활동은 의식과 무의식적 상황간의 갈등으로 나타나는 의식적 상황과는 매우 다른 것이다. 이 둘째 유형의 의식적 구성요소는 대단히 강력한 요소로서, 여기에서부터 에너지가 무의식의 구성요소 방향으로 흘러가지만, 이 유형에서는 의식과 무의식의 구성요소 사이에 균형이 이루어진 상태이다.

셋째, 무의식의 상태가 더 강해짐에 따라 마음은 무의식에서부터 의식으로 옮겨간다. 이때 우리들은 의식의 방향을 완전히 변화시킬 수 있다. 꿈의 활동과 꿈의 중요한 의미가 무의식의 영역에 모아지는 이 셋째 유형은, 해석하기에 무척 어려우나 중요한 내용을 전달하는 꿈이다. 이 꿈은 의식과 아무런 연관성도 나타내지 않는 무의식을 나타낸다. 꿈꾸는 사람은 그 꿈을 왜 꾸게 되었는지 알 수가 없다. 왜냐하면 그의 의식적인 관심사와 간접적인 관계를 발견하는 것조차 어렵기 때문이다. 이런 꿈은 원형적이고 지극히 해석하기 어려운 것으로서, 때로는 예언적인 것이기도 하다. 때때로 이러한 꿈은 정신병의 초기 증세로 나타나기도 한다. 갑자기 표출되는 그런 꿈의 내용은 대부분 의미를 이해하지는 못할지라도, 그에게 커다란 인상으로 남아 있게 마련이다.[60]

어떤 사람이 원형적인 꿈을 많이 꾸는 것은 그렇게 좋은 일이라 할 수 없다. 그런 꿈을 자꾸 꾸는 것은 집단 무의식의 심층이 지나치게 변동하고 있다는 것을 나타내는 것이기 때문이다. 즉, 집단 무의식의 심층이 돌발적으로 폭발하거나, 어떤 커다란 변화를 가져올 위험을 표시하는 것이다. 따라서 조심스럽게 그 꿈을 분석해 보아야 한다.

이러한 원형적인 꿈이 경우에 따라 유익한 경우도 없는 것은 아니다. 원형적인 꿈의 내용을 올바르게 이해할 수 있고 적절한 순간에 통합을 시도할 경우가 그렇다. 그러나 대부분의 경우, 꿈꾸는 사람의 자아가 너무 편협한 상태여서 잘 타협할 능력이 거의 없는 지극히 위험한 상태에 직면하게 되는 것이다. 이처럼 여러 가지 다른 유형의 꿈을 구별하려면 의식적 상황과의 연관성 여부를 알아보아야 한다. 여기서 우리는 순수한 의식적 반응에서부터 무의식의 심층에 있는 자발적인 표시에 이르는 차이를 볼 수 있는데, 그것은 아주 다양하다.[61]

4. 꿈의 모형과 배열

우리는 어떤 방법으로 꿈을 해석할 것인가? 꿈을 해석할 때, 단절된 하나의 꿈만 가지고는 아무것도 할 수가 없다. 일련의 여러 꿈에 의해서만 사실에 가까운 해석을 할 수 있는 것이다. 연속적인 꿈은 각각의 꿈을 해석하는 데 있어서의 오류를 바로잡아 준다.

융은 꿈을 연속적으로 해석한 최초의 심리학자이다. 그는 꿈의 시간적 순서는 꿈 의미의 내면적 순서와 일치되지 않으며, '모든 꿈은 의식의 포장 속에서 행해지는 독백과도 같다'[62]고 하였다. 꿈 B가 반드시 꿈 A의 뒤에 나오는 것이 아니며, 마찬가지로 꿈 C가 꿈 B의 뒤에 나오는 것도 아니다. 꿈의 실제적 순서는 방사형이기 때문이다. 즉, 꿈은 일정한 의미를 둘러싼 것과 같은 형태로 이루어진다. 이 중심체로부터 꿈은 아래의 그림에서 간단히 표시한 것처럼 방사하는 것이다. 여기서 꿈 C는 꿈 A보다 먼저 일어날 수도 있다.

그리고 꿈 B는 앞에서처럼 꿈 F보다 먼저 일어날 수도 있는 것이다. 만일 이 중심이 노출되거나 의식의 표면 위로 올라와 버리게 되면, 꿈은 다른 중심에서 방사하기 시작한다. 그래서 환자로 하여금 그의 꿈과 꿈의 해석을 기록하도록 하여 일정한 연속성을 가지도록 하는 것이 무엇보다 중요하다.

(도해 1)

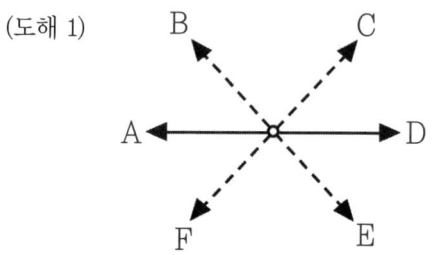

'그렇게 시간이 지나가면 차츰 환자들은 의사의 도움 없이도 자신의 무의식을 올바르게 이해할 줄 알게 된다.'[63]

심리요법 의사는 수동적으로 머물러 있지 말고 능동적으로 환자를 지도하여 꿈의 뜻을 이야기해 주고 그의 환자가 취할 방향을 제시해 줌으로써 환자의 정신 계발에 직접 참여한다. 이때 환자는 꿈 해석의 내용을 듣고는 그 해석과 동일시되는 경향을 띠게 된다.[64] 그래서 융은 다음과 같이 말하였다. "실제적인 꿈 해석은 하나의 법칙으로서, 대단히 어려운 작업이다." 이 작업은 심리학적 감정이입과 협조 능력, 직관, 인간과 우주에 대한 이해 그리고 특히 폭넓은 이해심과 일정한 지식 수준을 기초로 한 조심성을 요구하고 있다.

5. 꿈 내용의 여러 의미

꿈에 있어서 그 내용의 의미는 다양하게 나타난다. 꿈꾸는 사람의 특성에 의해 그 의미는 결정되는 것이다. 사전에서 찾을 수 있는 표준적인 의미에 의한 해석은 심리의 성격과 구조에 대한 융의 견해와 서로 모순된다. 꿈의 내용을 정확하고 효과적으로 해석하기 위해서는 꿈꾸는 사람의 상황에 대한 접근이 우선되어야 한다. 그의 생활 환경이나 의식적인 심리학에 대한 지식 여부를 알아보아야 한다. 그리고 연관성과 확대를 통한 분석으로 꿈의 문맥을 재구성해야 한다.

여기서 문맥은 '꿈의 내용이 자연스럽게 담겨 있는 상관 조직으로서, 이론적으로 볼 때 미리 알 수 있는 것은 아니다. 그리고 꿈 각 부분의 의미는 미지의 것으로 가정해야 한다'[65] 꿈 해석은 이 문맥을 충분히 검토해야 가능한 것이다. 문맥에서 유추해 낸 의미와 꿈의 기록을 비교한 후, 꿈꾼 사람의 수긍이나 부인으로서 나타나는 의미 반응을 본 후에야 그 결과에 대해서 이야기할 수 있다.

그러나 제안된 의미가 예상했던 것과 맞아떨어진다고 해서 반드시 완전한 것이라 할 수는 없다. 왜냐하면 올바른 꿈의 의미는 우리들이 예견한 것과 너무나 다르기 때문이다. 사람들이 예상하여 기대했던 바로 그 해결 방법은 상당히 의심을 받는 경우도 있는데, 그것은 꿈의 의미에 있어서 꿈꾸는 사람의 의식적 방향과 평행되는 꿈은 거의 없기 때문이다.[66] 융은, 우리가 꿈에 기초를 두고 모든 심리 상황을 밝히는 것은 불가능하다고 보았다. 기껏해야 순간적이고 급박한 문제 혹은 그 문제 중 일면만을 유추할 수 있다고 생각하였다. 그래서 상대적으로 긴 일련의 꿈을 관찰, 해석함으로써만이 우리의 정신적 불안과 동요에 대한 완전한 형태를 알 수 있으리라 생각하였다.

이 연속적인 꿈의 문맥은 자유 연상으로 프로이트가 분석했던 방법을 통해 나타내고자 하는 문맥과 대체할 수 있다. 융의 연구의 결과로써, 우리는 분석자의 자극과 지도를 받아 꿈에 나타난 무의식의 고리를 통해 자동적으로 결정되는 조정 연상으로써 심리 과정을 표현하고 조정하는 데 도움을 받을 수 있는 것이다.

6. 꿈의 보상적인 측면

무의식은 의식을 보충하거나, 보상하는 하나의 법칙이다. 무의식적인 태도가 편파적이고 적절한 조건하에 있지 않을 때는 오히려 극히 대조적인 의미를 지닌 생생한 꿈들이 나타남으로써, 심리를 자율적으로 조정할 가능성이 커진다. 물론 보상의 성질은 개인의 총체적인 성질과 밀접한 관계를 맺고 있다. '개인의 의식상황'에 대한 이러한 지식이 있어야만, 무의식적인 내용이 의식의 내용에 플러스가 될 것인지, 아니면 마이너스가 될 것인지를 밝혀낼 수가 있다. 실제로 의식적인 마음과 무의식적인 꿈은 엄격한 인과 관계를 맺고 있고 여러 가지 방법으로 상호작용을 한다. 그러므로 우리들은 보상 원리를, 심리적 행위에 대한 기본 법칙으로 생각할 수 있는 것이다.[67)]

한편, 꿈의 내용은 의식에 대한 보상 관계뿐 아니라, 의식의 복원 기능과 미래기능도 아울러 지니고 있다. 꿈의 내용이 보상의 측면에서 부정적으로 작용하게 되면, 개인은 원초적 조건에 의존하게 되고, 긍정적으로 작용을 하게 되면 자학적인 태도에서 벗어나 스스로를 보다 올바르게 지도할 수 있게 된다. 이 두 가지 보상은 모두 치료에 유익한 것. 꿈의 보상 기능은 억압받고 무시된 무의식을 의식적 상황 속에서 보상을 받게 하고 완전하게 만들려는 목적성을 띤 작용이고,

미래 기능은 미래의 의식적 행위를 무의식 속에서 예견하고 준비하는 작용이다.

꿈의 구조나 동기 그리고 꿈의 성질 등을 파악함에 있어서, 융은 프로이트보다는 인과 관계를 덜 적용시킨다. 이러한 사실은 다음과 같은 융의 표현에서 보여 진다. "궁극적인 관점에서 꿈을 해석하려 할 때는 꿈의 여러 가지 원인은 불필요하다. 그러나 그렇다고 해도, 꿈 주변의 연상적인 것들은 모두 다르게 해석되어야 하는 것이다."[68]

이와 같이 융은 꿈을 해석함에 있어서 심리적인 원인에 치중하거나, 인과 관계를 중시하지는 않았다. 그는 꿈이란 종종 미래를 예견하기도 하므로, 다양하고 분석적인 방법으로 꿈을 해석하는 것이 치료요법으로는 대단히 중요하다고 보았다. 특히 '첫 꿈', 즉 분석 초기의 환자의 꿈은, 분석적 상황에 대한 정보와 통제의 역할을 하기 때문에 더욱 중요한 것이다.[69]

7. '어린이 나라'의 꿈

우리는 꿈을 분석함에 있어서, 현재의 이성적인 의식과 역사적 심리인 집단 무의식이 분리되기 이전의 시대로 거슬러 올라가야 한다. 다시 말하면 모든 개인의 복합적 심성의 근원이자 요람인 '어린이 나라'에까지 이르러야 하는 것이다.

인간은 누구나 이러한 '어린이 나라'로부터 떨어져 나오게 되지만, 가끔 인간이 '어린이 나라'의 원초적인 빛의 심리에서 너무 멀어졌을 때는, 그는 태어날 때부터 지니고 나온 그 자신의 본능을 잃어버리게 된다. 그리하여 일상 생활 속에서 인간의 본능이 위축되고 정신적 혼란이 생기는 것이다. 그러나 한편, '어린이 나라'는 의식과 무의식이 분리된 후에도 없어지는 것이 아니라, 그대로 남아서 유아적 성향과 충동의 근본원인이 된다. 그렇기 때문에 의식은 '어린이 나라'를 계속해서 억누르게 되고, 인간의 생명의 원천인 그곳에서 인간을 더욱 멀어지게 한다. 즉, 인간이 태초에 지니고 나온 본능을 점점 더 없어지게 만들어, 결국은 영혼까지 메마르게 만드는 것이다.

이 과정이 계속되다 보면, 의식은 결국 완전히 유아적인 것으로 되거나, 체념적으로 자기를 방어하려 든다. 그러나 그럴 때에도 의식은 자기를 지키는 데 실패한다. 오늘날 인간의 이성이 많은 것을 이룩하였다 해도 점차 생명은 메말라가고 인간적으로는 더욱 생활에 적응하지 못하게 되는 까닭이 바로 앞서 말한 것처럼 인간의 이성과 본능이 합치되지 못한 때문이다. 그러므로 인간의 의식이 다시 '어린이 나라'로 되돌아가서 새롭게 무의식과 연결되면, 인간은 스스로의 생명의 원천을 재발견할 수 있는 것이다.

그러나 '어린이 나라'로 되돌아가는 데도 문제는 있다. 즉, 인간의 모든 심리적 현상은 양면성을 띠고 있어서 어린 시절로 돌아가는 것이 유리하기도 하면서, 동시에 두려운 것으로 된다. 마치 심리의 얼굴이 한쪽은 앞을 보고, 한쪽은 뒤를 보는 두 얼굴로 이루어진 것과 같다.

의식 속에서 우리는 이쪽 봉우리에서 저쪽 봉우리까지 무지개 다리가 놓여 있다고 상상한다. 그러나 만약에 우리가 그곳에 도달하고자 한다면, 실제로는 '무지개 다리'를 통해서가 아니라 계곡의 험한 길을 지나야 하는 것이다.[70] 바로 이처럼, '어린이 나라'로의 되돌아감은 황홀하고도 두려운 것이다.

이제까지 설명되어진 본능과 의식의 분리, 그리고 유아적인 충동을 억누르는 의식의 작용에서 보여졌듯이, 인간의 의식이 무의식에 저항하고 그것을 낮게 보게 되는 데에는 그 나름의 원인이 있다. 즉, 의식은 무의식과 달리, 계속적으로 그 자신을 분화시키고 발전시켜야 할 역사적인 필요성이 있기 때문이다. 그렇지만 현대인의 의식은 무의식의 세계로부터 지나치게 멀어졌고, 결국은 무의식도 그 나름의 자율적인 작용을 한다는 것을 생각해야 한다.

융은 다음과 같이 말하고 있다. "결국 문명인이 무의식의 세계로 다가가는 것은 무서운 공포를 느끼게 하는 것이다. 왜냐하면 그것은 보통 정신이상으로 보여지기 때문이다. 그럼에도 불구하고 무의식을 자유롭게 활용하게 하고, 그것이 또 하나의 현실임을 우리는 철저하게 받아들여야만 한다. 그것은 현대인이 심리 가운데서도 특히 의식의 면만을 강조함으로써 무의식적인 면은 틈만 나면 의식을 뚫고 나오려 하기 때문이다."[71] 이러한 현상은 대단히 위험한 결과를 불러일으키므로 의식과 무의식의 접촉을 시도하는 일은 가치가 있는 일이다. 더욱이 인간의 의식을 동양이나 아프리카 사람들보다 더욱 중시해 온 서구인에게는 그 중요성이 훨씬 크다 하겠다.

따라서 융에 의하면, 집단 무의식의 내용을 다루기 전에 먼저 개인 무의식을 의식 위로 떠올려서 의식으로 만들어야 한다. 그래야만 집단 무의식을 밝혀낼 길도 열리는 것이다. 모든 갈등은 우선 개인적인 면에서 고려해 보고, 그 개인의 생활경험과 연결시켜서 개인의 심리를 파악한 후에 인간 존재로서의 보편적 문제로 접근하여야 한다. 원형과 의식 및 무의식의 통합, 그리고 이들 사이의 올바른 균형이 '치료'를 위한 길이다. 그러므로 기술적인 관점에서 볼 때, 이것은 역시 꿈의 해석의 첫째 방법이 된다.

8. 꿈 분석의 여러 단계

꿈을 분석하는 단계는 다음의 몇 가지로 요약될 수 있다. 즉, 현재의 의식 상황, 말하거나 기록하기 이전에 일어났던 사건, 말이나 글 속의 문맥을 연구하는 것, 그리고 꿈의 동기와 신화와의 비교, 여러 가지 복잡한 상황 속에서 모은 객관적인 자료와의 비교가 그것이다.

이와는 다르게 무의식의 내용으로부터 얻을 수 있는 꿈을 분석하는 방식은 다음의 일곱 단계이다.

(1) 무의식이 나타나도록 의식의 문지방이 낮아져야 한다.

(2) 무의식의 내용을 꿈과 미래에 대한 전망과 환상 등으로 떠올려야 한다.

(3) 의식을 통해서 무의식의 내용을 알게 한다.

(4) 그 내용에 다시 의미에 대한 연구·설명·해석 및 이해가 덧붙여져야 한다.

(5) 개인의 일반적인 심리 상태와 그것이 지닌 의미를 통합시킨다.

(6) 이렇게 발견된 의미를 연결시켜서 전개한다.

(7) 앞의 모든 과정이 유기적으로 밀접하게 연결되면서, 본능에 의해 획득된 완전한 지식이 되는 것이다.

9. 꿈의 구조

융은 대부분의 꿈들이 서로 비슷하게 짜여져 있음을 발견했다. 프로이트와는 달리, 융은 꿈이 고대 희랍의 연극처럼 완벽하게 만들어진 각본이라고 믿었다. 융이 분석한 꿈의 구조는 다음과 같다.

(1) 장소·시간·등장 인물의 설정으로부터 시작된다.
(2) 문제를 제시하거나 설명한다.
(3) 구성이 짜여지는데, 연기도 절정에 이르고 꿈의 내용이 급격히 변하기도 한다.
(4) 문제가 해결되고 꿈의 결과로써 보상이나 결론이 드러난다.

이와 같은 틀 속에서 대체로 꿈을 꾸게 되므로, 이러한 꿈의 구조를 통해서 보다 적절하게 꿈을 해석할 수 있다.

그러나 꿈이 반드시 똑같은 구조를 지니고 있지는 않으므로, 더러는 아무런 해결도 주지 못하는 것도 있다. 독특한 경우이지만 그러한 꿈은 꿈꾸는 사람의 생활에 어떤 비극이 일어나고 있음을 암시하기도 한다. 어찌되었든 정신과 의사조차도 꿈을 해석하는 데 있어서는 보다 세심한 연구를 통해서만 꿈의 전체적인 구조를 파악할 수 있는 것이다.

10. 조건주의

융은 꿈을 해석하기 위해 조건주의 이론을 제시했다. 그는 "어떤 조건이 있어야만 하나의 일정한 꿈이 꾸어진다"[72]고 했다. 실제로 꿈의 해석에 있어서 가장 결정적인 요인이 되는 것이, 바로 그러한 여러 가지 조건과 순간적 상황이다. 그러한 이유로 조건주의자들은 동일한 문제일지라도 조건에 따라 여러 가지 다른 의미를 지닌다고 주장한다. 그래서 꿈을 해석할 때에는 그 꿈이 발생한 상황과 환경을 무시해서는 안 된다.

조건주의는 넓은 의미의 인과 관계를 다원적으로 해석한 것이다. 즉, '어떤 원인에 의한 어떤 결과'라는 식의 단순한 것과는 달리, 하나의 원인이 만든 다양한 결과들을 각각의 조건 속에서 수용하고 확대시켜 가는 것이라고 할 수 있다.[73] 따라서 어떤 독특한 꿈에서 그 동기는 인과 관계뿐 아니라, 꿈의 전체적인 흐름 속에서 차지하는 위치에 의해서도 설명되어야 한다.

11. 확대 방법

융은 '자유 연상'의 방법에 의하지 않고, '확대'의 방법에 의해서 꿈을 해석했다. 그가 생각하기에 자유 연상을 통할 경우 여러 가지 복합적인 현상을 끌어낼 수는 있지만, 꿈의 진정한 내용이 밝혀지기는 힘들다[74]는 것이다. 왜냐하면 꿈은 때때로 연상을 통해 복합된 내용과 전혀 다른 것을 나타내기도 하고, 꿈꾸는 사람이 추구하는 길을 나타내기도 하기 때문이다.

이렇게 해서 확대법은 자유 연상과 같은 심리적 사슬이 아니라, 꿈의 내용을 확대하고 그것이 심상의 도움으로 풍부해져 가는 과정이다. 이 과정에는 환자나 꿈꾼 사람뿐만 아니라, 분석자도 참여해서 연상을 더욱 다양하게 한다.

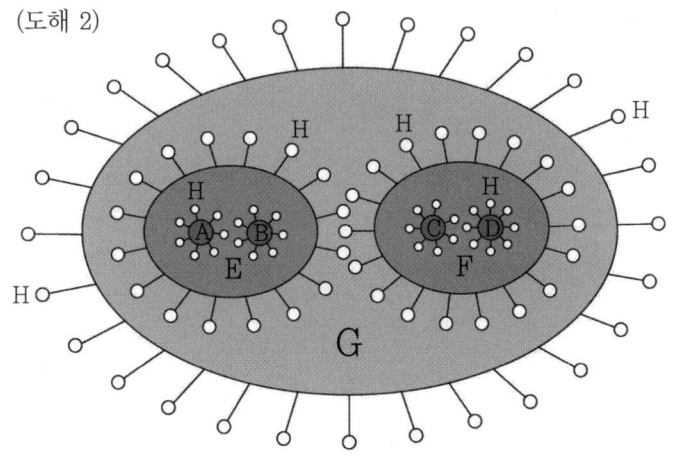

(도해 2)

·A, B, C, D : 개별적 꿈의 모티브

·E, F : 꿈의 의미모티브의 두 가지 요소는 전체로 통합된다.

　　(예)　A=뿔,　B=동물,　E=뿔 달린 동물

·G : 하나의 의미 있는 단위로서 꿈 전체, 이를테면 신화적인 문제에 대한

　　유추로 고려된 꿈 전체

·H : 개별적인 상응점

　이와 같이 확대는 꿈의 핵을 둘러싼 연상의 회전체이며, 분석자는 그 회전 속에서 꿈의 핵심을 끄집어내는 일을 돕는다. 융은 다음과 같이 말했다. "확대는 어떤 모호한 경험을 취급할 때 사용하면 적절하다. 모호한 경험이라는 것은 희미한 윤곽밖에는 보이지 않는 것이므로, 모두가 이해할 수 있기 위해서는 그것을 심리적인 맥락에서 고정시키고 확대해야만 하는 것이다. 이것은 빈약한 꿈의 내용을 연상

과 분석을 통해 풍부하게 만들고 확대시켜 가는 분석심리학의 기본적인 전제이다."[75]

그렇다면 확대 방법에 있어서 분석의 틀은 어떻게 선택되어지는가? 분석은 우연의 일치에서 선택된 것도 아니고, 과학적이거나 역사적인 근거로부터 형성된 것도 아니다. 단지 분석의 핵심적인 의미가 꿈의 내용과 비슷할 때 선택되는 것이다. 예를 들면 어떤 사람이 어떤 과학적 근거나 영감으로써 그림이나 언어를 표현했다고 했을 때, 중요한 것은 그러한 개별적인 근거나 영감 자체가 아니라 '모든 인간은 자신의 심리적인 현실을 언어와 그림을 통해서 표현한다'라는 분석이 가능하다는 점이다. 그리고 이러한 원형적인 틀을 가지고 꿈을 분석할 때, 확대는 심리적인 문제와 신화적인 문제를 연구하는 데 있어서뿐 아니라, 각종 심리적 구조를 연구하는 새롭고 유익한 과학적 방법이 된다.

이와 같은 작업을 통해서 만일 우리들에게 꿈의 '의미'를 해독할 수 있는 그림이 만들어졌다면, 다음으로 할 것은 이것을 모든 꿈의 요소에 적용시키는 일이다. 융의 확대 방법을 통해서 여러 가지 꿈의 동기들이 서로 관련된 심상·상징·신화 들과 연결되고, 따라서 동기의 여러 측면과 의미가 점차 명확해진다. 바로 이러한 과정 속에서 꿈의 각각의 동기들이 연결되고, 전체적인 하나의 단위로서 꿈이 확인될 수 있다. 〈도해 2〉는 이 과정을 설명해 주고 있다.

12. 환원적 해석 방법

〈도해 3, 4〉는 확대법과 귀류법을 비교해서 개략적으로 나타낸 것이다. 이 두 가지 방법은 네 개의 서로 다른 요소, 즉, A, B, C, D라는 네 개의 꿈의 내용과 더불어 시작된다. 확대의 방법은 가능한 모든 분석을 통해서 네 개의 꿈의 내용을 확대시키고 연결을 한다. 마치 그물망처럼, 하나의 요소에 살을 붙이고 늘려 나가는 것이다. 이와는 달리, 환원의 방법은 처음부터 달랐던 네 개의 점을 자유 연상의 사슬로 연결시켜 가면서 인과 관계를 만들고, 궁극적인 원인이 되는 지점을 찾아낸다.

(도해 3)

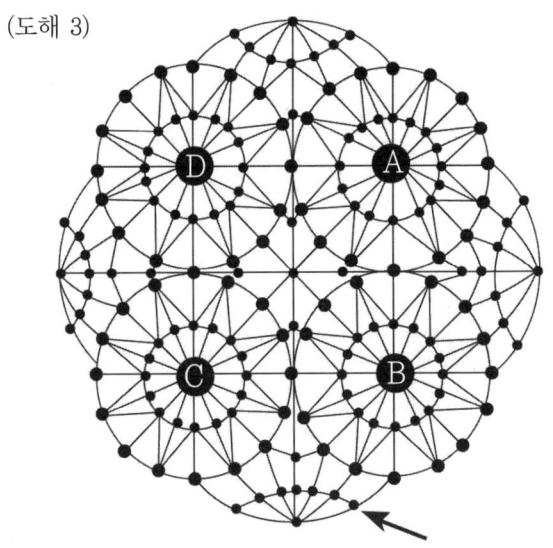

·A, B, C, D : 꿈의 요소들. 작은 화살표가 가리키는 그물망의 마디들은
상응 관계와 확산을 나타낸다.

본래 꿈의 기능은 이 점을 다르게 나타내거나 감추는 것이므로, 확

대법은 가능한 네 개의 점에 대한 모든 의미를 드러내 주지만, 환원법은 단순히 이것들을 원래의 복합 지점까지 돌려놓기만 한다.

이러한 방법상의 차이는 프로이트와 융이 각각 제기하는 문제의 차이점에서도 나타난다. 환원법을 사용한 프로이트는 '왜?' 그리고 '어디에서?'라는 식으로 묻는 반면, 융은 '무슨 목적으로?'라고 묻는다. 그에게는 무의식이 의미하는 것과 무의식이 꿈을 꾸는 사람에게 말하려고 하는 내용이 문제가 된다. 예를 들면 어떤 지성인이 그가 커다란 무지개 다리의 아래를 지나가고 있는 꿈을 꾸었다고 하자. 다리 위가 아니고, 다리 아래를 지난다는 사실로부터, 그는 그 꿈이 자기에게 문제를 비현실적으로 해결하지 말라는 것을 제시해 주는 것이다. 이 같은 예는 인간의 본능을 무시하고, 인생을 이성적인 의식으로만 처리하려는 지성인들에게는 특히 필요한 것이다. 그러므로 꿈은 인간이 그 자신의 상황을 인식하게 하는 하나의 경고이다.

13. 꿈의 동태적인 면

꿈에 대한 자세하고 실질적인 의미를 밝히는 것은 정확한 해석 과정에 의해 가능하다. 그러나 동시에 꿈은 어떤 '목적'을 나타내고자 한다는 것을 알 수 있다. '목적'은 직접적인 경고의 의미를 갖고 있고, 그러한 경고는 바로 무의식 가운데서 일어나는 어떤 동태적인 경향의 표현이다. 동태적인 경향이란 꿈과 꿈 언어의 배후에 있는 힘이 의식에 새로운 내용을 첨가시키기도 하고, 의식을 통해서 무의식과 반응하여 자신을 수정하게도 하는 경향을 말한다.

꿈의 동태적인 측면을 해석하는 것은 단일한 꿈속에서는 볼 수 없고, 일련의 연속된 꿈속에서만 추적할 수 있는 목적과 의미를 밝히는 것이 된다. 그리하여 어떤 하나의 꿈이 잘못 해석되더라도 곧이어 다른 꿈이 나타나서 그 오류를 바로잡아 줄 수 있게 된다.

(도해 4)

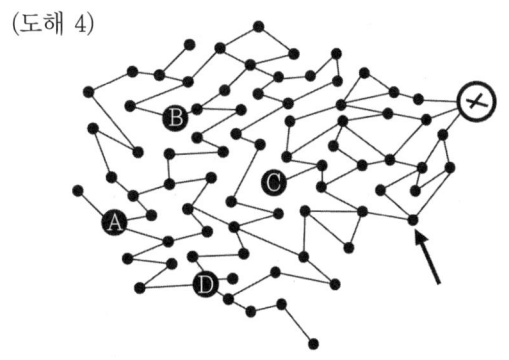

·A, B, C, D : 꿈의 요소들

·X : 원형과 화살표로 표시된 교차점은 여러 가지 연상을 나타낸다.

이러한 심리 상태는 에너지 보존의 원리와 아주 비슷하다. 즉, 심리 가운데서는 아무것도 없어지지 않고, 모든 요소가 서로 작용을 하고 있는 것이다. 그래서 모든 것들이 서로 움직여 변화하는 중에도 의미 있는 결합이 유지된다.

융은 말하기를 "무의식은 매우 능동적이며, 미래의 진화를 돕기 위해 여러 가지 방법으로 무의식의 물질들을 결합한다. 이러한 결합은 의식의 결합만큼이나 미래에 대한 예측을 가능하게 하며, 특히 그 세련도와 범위에 있어서는 의식보다 훨씬 우월하다"고 했다. 그러므로 만일 사람이 유혹을 이길 수 있다면 무의식은 독특한 방법으로 우리의 삶에 도움을 줄 수 있다. 꿈속에서 우리들은 꿈꾸는 사람들의 순간적인 상황과 분석 과정을 살펴볼 수 있다. 물론 꿈꾸는 사람에 대한 자세한 정보가 함께 기록될 때만이 그것은 지극히 큰 효과가 있는 것이다. "이론적으로 본 꿈의 해석이 임의적이고 불투명하며, 인공적이라고 한다면, 실제로는 그 꿈은 사실주의가 도달할 수 있는 최대의 작품이 되는 것이다"[76] 라는 표현이 바로 그 점을 잘 지적해 주고 있다.

14. 개인적 의미와 집단적 의미

꿈의 주관적이고 개인적인 의미는 주관적 확대에 의해서 얻어진다. 예를 들면 꿈의 분석자는 꿈꾼 사람에게 하나하나의 꿈의 요소가 개인적으로 그에게 어떠한 의미가 있는가를 묻는다. 이와 반대로, 꿈의 집단적인 의미는 객관적 확대에 의해서 얻어진다. 다시 말하면 꿈에 대해 개인적으로 느끼는 것보다도 동화나 신화 같은 것에 의해 꿈의 내용이 풍부해지고, 의미도 전체적으로 되살아나는 것이다. 따라서 꿈의 집단적 의미는 모든 인간과 관계된 문제의 보편적인 측면을 밝혀낼 수가 있다.

한편, 마치 그림처럼 아주 자세히 나타나는 꿈은 주로 개인적인 의미를 표현하는 것으로서, 이러한 꿈들은 개인의 무의식에 속하여 있고, 의식에 대한 반응 내지는 저항을 하는 심상으로 된다. 그리하여 억압된 심리의 '다른 면'을 구체적으로 드러내곤 한다. 이와 달리 비교적 간단한 심상으로 이루어진 꿈은, 거대한 우주적인 일에 대한 분별력을 나타낸다. 다시 말해서 우주의 여러 모습과 진리에 대한 변하지 않는 법칙을 나타내는 것이다. 우리는 이러한 꿈을 통해서 무의식과 분리된 자율적인 의식을 이끌어 낼 수 있는데, 그 까닭은 집단 무의식의 심상들이 지니는 보상의 측면 때문이다.

꿈은 의식에 의해 영향받지 않으며, 꿈꾸는 사람의 내면의 진리와 현실을 '있는 그대로' 나타내는 일종의 말과 같다.[77] 즉, 단순한 표면적인 일면이 아니라 무의식이 처해 있는 상황이나, 그것을 통해 무의식이 표현하고자 하는 것을 종합적으로 드러낸다는 것이다. 예를 들어 어떤 뱀이 꿈에 나타났을 때 문제는 그것이 황소도, 다른 무엇도 아닌 바로 '뱀'이라는 사실에 있다. 뱀은 무의식이 선택한 것이고, 뱀의 독특한 면과 풍부한 암시는 바로 무의식이 '의도한 바'를 꿈꾸는 사람에게 전달하기 위한 것이다. 이러한 뱀의 등장과 그것이 암시하는 의도를 알기 위해서는 연상의 방법보다는, 확대의 방법이 보다 적절하다. 이 확대의 방법을 통해서 우리는 뱀의 상징에다 모든 인용과 비유를 덧붙이고 관련된 것들을 보충한다. 말하자면 하나의 뱀이 상징하는 것을 알아내는 것은, 뱀 자체가 가지고 있는 성격에서뿐만 아니라 꿈꾼 사람의 집단적인 사고방식과 연결되는 여러 가지 신화를 파악하는 데서도 가능하다.

따라서 우리들이 꿈에 있어서의 상징을 밝혀내는 방식은, 프로이트와는 명백히 다르다. 즉, 프로이트가 뱀을 '하나의 무언가를 숨기고 있는 모습'으로 보아서 숨겨진 상징의 의미를 찾으려고 하는 것과는 달리, 우리는 그 상징을 둘러싸고 있는 전체적인 문맥을 조사하고 연구한다. 어떤 빛깔이든 전체의 그림 속에서만 표현할 가치를 지니듯, 어떠한 꿈의 상징에 있어서도 그것의 역할이나 의무는 전체의 문맥 속에서만 구별할 수가 있다. 만약에 우리가 꿈의 내용을 듣는 데서 그치지 않고, 꿈꾼 사람의 심리 구조를 파악하거나 의식적 심리학적인 적응방향을 고려한다면, 주관적인 문맥 속에서 하나의 꿈의 형상이 지니는 의미는 저절로 나타나게 될 것이다.

개인적인 연상과 문맥을 고려하지 않더라도, 우리들은 보편적인 인간의 문제를 집단적으로 드러내는 꿈의 내용을 해석할 수는 있다. 다시 말하면 순수한 원형적인 주제는 이러한 방법으로 연구하고 해석할 수 있다는 것이다. 그러나 꿈꾼 사람의 개인적인 배경을 고려하지 않고, 꿈만을 그 사람의 생활에 적용시킨다는 것은 불합리하다. 따라서 우리는 꿈꾼 사람에 대한 개인적인 관계로부터 출발해서 구체적으로 꿈을 해석해야만 한다. 이것은 여러 가지 꿈의 원형이나 혹은 우리들의 본능의 그림자 또는 융이 말한 '인간의 정신 기관, 자연의 심상' 그 자체만으로는 아무런 꿈도 해석될 수 없기 때문이다.

꿈을 보다 정확하게 해석하고 잘못된 해석을 피하기 위해서, 우리들은 항상 개인으로부터 꿈을 해석해 들어가야 한다. 같은 꿈일지라도 어린이가 꾸는 것과 50세의 사람이 꾸는 것과는 그 의미가 명백히 다른 것이기 때문이다.

15. 꿈 해석의 여러 가지 형태

융은 꿈의 해석을 두 가지 측면으로 구분했다. 첫째는 주관적인 면이고, 둘째는 객관적인 면이다. 주관적인 면에 있어서, 꿈의 형상과 사건은 모두 꿈꾸는 사람의 마음속에 있는 여러 가지 상황을 상징하는 것으로 해석된다. 즉, 주관적 측면에서 볼 때, 꿈속에 나타나는 여러 가지 형상은 꿈꾼 사람의 심리적인 경향이나 심리적인 기능을 나타내고, 동시에 꿈꾸는 상황은 꿈꾸는 사람 자신과 그의 심리적 현실에 대한 태도를 보여 주는 것이다. 결국 꿈은, 꿈꾸는 사람의 내면적인 자료가 되는 셈이다.

한편, 객관적인 면에서 꿈을 해석할 때에는 꿈속에 나타나는 형상들을 상징적으로 생각하지 않고, 구체적으로 생각한다. 객관적인 꿈의 모습은 꿈꾼 사람의 환경의 외부적인 사실과 여러 주변 인물들에 대한 그의 태도를 나타낸다. 뿐만 아니라 이 형상은 순수하게 객관적인 방법으로, 의식이 꿈을 꾸면서 보지 못하거나 다르게 본 사실들을 나타내려는 목적을 가지고 있다. 예를 들어 고귀하고 친절하다고 생각되는 어떤 사람의 아버지가 그 사람에게 강압적이고 잔인하며, 이기적이고 사나운 사람으로 나타나는 경우를 생각해 보자.

주관적인 면으로 해석을 한다면, 이 꿈은 꿈꾼 사람이 그의 마음속으로는 아버지에 대해서 여러 가지 성질을 갖고 있으면서도 이것을 의식 속에서 깨닫지 못하거나 비현실적으로 해석한다는 것을 의미한다. 그러나 객관적으로 본다면, 이러한 꿈은 꿈꾸는 사람이 알지 못했던 새로운 '실제의 아버지'를 나타내는 것이 될 것이다.

꿈꾼 사람과 밀접한 관계를 가진 사람들이 꿈속에 나타났을 때는 부분적으로는 주관적으로 해석할 수 있다 하더라도, 대체로 객관적인 면에서 해석을 해야만 한다. 주관적인 면으로 해석할 수 있는 것들은 꿈의 내용이 주관적인 심상心像의 표현일 때이거나, 환자 자신의 무의식에 콤플렉스가 구체적으로 나타날 때이거나, 객관적으로 비춰질 때 등이다.

이 같은 방법으로, 여성 환자의 꿈에 나타난 꿈의 어떤 현상, 예를 들면 어떤 남자 친구의 형상이 나타났다면, 그것은 그 여자 자신 속에 있는 남성적인 요소의 심상이 나타난 것으로 해석할 수 있는 것이다. 말하자면 그 여자가 의식하지 못하고 있는 사이에 무의식 속의 그러한 요소가 하나의 인물로 비쳐 드러나게 되는 것이다.

그리하여 이 꿈은 그녀 자신에게 남성적인 면에 주의를 환기시키도록 하고 있는 것이다. 이 같은 남성적인 성질이 자기 자신 속에 있다는 사실을 그 여자는 모르고 있었거나, 알았더라도 받아들이려고 하지 않았다. 이것은 보통의 여자들이 자신을 지극히 연약하고 민감하며, 여성적인 사람으로 착각할 때 자주 나타난다. 예를 들어 지나치게 마음을 쓰는 노처녀적인 유형의 여자들에게 흔히 나타나며, 또한 대단히 중요한 문제가 될 수도 있다.

16. 투사

'무의식적인 모든 것은 대상의 생각이나 활동에도 똑같이 나타난다. 다만 이 같은 무의식과 의식의 주체는 자기가 인식한 행위에 의해서만 그것을 심리적 현상으로 인식할 수 있다.'[78] 이렇게 투사 현상은 무의식의 메커니즘에 있어서는 빼놓을 수 없는 요소이다. 그러므로 어느 정도의 투사가 일어나지 않는다면, 심리의 생활이란 있을 수 없다. 꿈을 꿀 때나 깨어 있을 때, 무의식은 그가 개인이든 집단이든 간에 그 인물과 사물, 혹은 기타 여러 가지의 조건과 관계되면서 나타나며, 의식적인 의지와는 전혀 관계가 없다.

융은 "투사는 결코 만들어지지 않고 그냥 일어나는 것이다"[79] 라고 말했다. 그는 이것을 가리켜서 "객체가 주체 속에서 나타나는 것이 아니라, 오히려 그와 반대로 주체가 대상객체을 통해 드러나는 것"이라고 했다.

어떤 객체가 자기 스스로를 분화시킬 수 없는 능력은 원시인이나 어린이의 공통된 특색이다. 순진한 어린이나 원시인들은 개인 심리와 집단 심리를 구별할 수 없기 때문이다. 그렇기는 하더라도 그들에게 있어서 개인 심리와 집단 심리는 서로 일정하게 '참여'는 하고 있기 때문에 융은 다음과 같이 말했다.

"원시인이나 어린이에게 신과 악마 등이 나타나는 현상은 단순한 심리의 기능이 아니라, 그들에겐 분명한 현실이라고 그들은 생각한다. 개화된 시대에 와서야 비로소 그들은, 신과 악마는 실제로 존재하지 않는다는 것을 알게 되었고, 그 모든 현상이 자기 마음속에서 일어나는 것이라고 생각하게 되었다. 그러나 마음속을 밝혀내기가 힘들기 때문에, 그들은 무의식으로 그러한 현상의 원인을 돌려 버렸다. 그리하여 결국은 신을 숭배하는 인간의 욕망에 의해 좋지 않은 영향을 받게 된 것이다."[80]

만일 한 개인의 의식이나 성격이 강하지 못하거나, 무의식과 그것의 반영인 투사를 함께 이해하고 발전시킬 수 없다면, 그 순간에 무의식은 홍수처럼 의식을 뒤덮어 버린다. 그런 경우에 의식에는 현실과 신화가 뒤섞여 나타나고, 원시적인 형태의 내용이 채워져서, 결국은 정신에 혼란을 일으키게 된다.

그러므로 인간 심리를 주관적인 면에 기초를 둔 꿈 해석은 융의 꿈 분석을 위해 대단히 중요한 것이다. 이 방법을 통해서 우리는 인간의 심리 속에 나타나는 여러 갈등을 그의 외부에서뿐 아니라, 그 자신의 내부에서도 이해할 수 있게 되고, 그를 도와서 그 사람 스스로가 안으로부터 문제를 해결할 수 있게 한다.

결국 우리 모두가 자신의 내면 세계를 바깥 세계와에 똑같이 투사시킬 때 우리에게 오는 정신의 혼란을 생각해 본다면, 융의 이 같은 분석 방법이 얼마나 중요한 것인지를 충분히 느낄 수 있을 것이다.

17. 상징

융의 꿈 해석에 있어서 상징의 부분은 어떤 심리적 현상보다도 중요하다. 융은 상징을 '욕망과 비슷한 것'이라고 했는데, 그것은 상징이 에너지의 모습을 바꾸어 놓은 형태이기 때문이다. 융에 따르면, 상징은 욕망을 그대로 혹은 새롭게[81] 표현할 수 있는 어떤 것이다. 꿈과 환상 속에 나타난 심상은, 마치 떨어져 내리는 물이 그 물리적 에너지에 의한 것이듯, 정신 에너지가 일으켜서 나타난 것이라 볼 수 있다. 그것은 에너지가 없으면 물이 떨어질 수 없는 이치와 같은 것이다. 다시 말하면 에너지란 만질 수도 볼 수도 없기 때문에 떨어지는 물을 통해서 에너지가 있다는 사실을 알 수 있듯이 인간 정신의 에너지도 바로 이러한 상징을 통해서 인식될 수 있는 것이다.

상징은 이렇게 무언가를 표현하는 성질을 갖고 있다. 어떻게 보면 상징은 상상의 내면 심리를 그대로 표현하고 있고, 또 다르게 보면 상징을 통해 느낀 인상으로 내면 심리 자체의 내용이 바뀌거나 그 흐름이 높아진다. 예를 들면 본능에서 완전히 떨어진 지성적인 존재를 '시들은 생명의 나무'로 상징한다면, 그것은 꿈꾸는 사람에게는 하나의 나무의 그림으로 나타날 수도 있지만, 그가 자신이 본능에서 멀어진 존재라는 것을 깨달으면서 현실에서 자기의 심리를 바꿔볼 수도 있는 것이다. 그러므로 상징은 심리 과정에 있어서 인간의 정신적 에너지가 변화된 모습이라 할 수 있다.

분석을 하는 도중에, 우리는 꿈속에서 그림으로 나타나는 동기가 왜 그러한 그림으로 나타나는지, 또 어떻게 변해 가는지를 볼 수가 있다. 맨 처음 꿈의 동기는 어린 시절의 회상이나 혹은 또 다른 개인의 경험 등으로 나타난다. 그러나 분석을 하면 할수록 원래의 모습이 점차 드러나는 것을 볼 수 있다. 즉, 상징이 점점 뚜렷해지는 것이다. 왜냐하면 이러한 현상은 원형 자체로서는 스스로를 표현할 수 없지만, 상징에 의해서는 자기를 보다 뚜렷이 드러낼 수 있기 때문이다.

이것은 우리들이 조각을 할 때와 비슷하다. 처음에 나타난 그림은 처음 조각을 한 것과 비슷해서 미세한 부분까지 새겨져 있고, 무엇을 나타내고자 했는지도 정확하게 알 수 있다. 그 다음의 그림은 첫번째 조각품에서 세세한 부분 등을 없애 버리고 특징적인 부분만을 나타낸다. 다음 마지막으로는 점차 그림이나 조각품이 무엇을 표현하고자 했는지가 분명하게 드러나지만, 처음 밑그림을 그렸던 그 윤곽이나 자세한 모양은 단지 희미하게 알 수 있을 뿐이다.

예를 들어 일련의 꿈은 대체로 단 하룻동안 보여졌던 실제 어머니의 모습을 닮는다. 그러나 점차 그 모습은 이상의 동반자이기도 한, 여인으로서의 모든 모습으로 바뀌어 가고 그 의미가 점차 넓어진다. 하지만 좀더 깊이 들어가 보면, 그 여인의 모습은 신화 속에 나오는 천사도 되고, 용이 되기도 한다. 그리고 가장 깊숙이 들어갔을 때는 어머니에서 시작된 모습은 여인의 모습, 천사나 용의 모습을 거쳐 태초의 인간이 경험한 어두운 동굴이나 지하 세계 및 바다로 나타나고, 혼돈을 받아들이는 어둠의 의미로 커져 간다.

꿈이나 비전, 환상이 어디서 나타나든지 간에 한 사람의 무의식 속에서 상징되는 것들은 집단의 신화나 전설과 연결된 '개인의 신화'를 구체적으로 드러내는 것들이다. 그러므로 상징이란 일반적으로 볼 때 인간 심리의 집단적이고 구조적인 요소와 같은 것으로서, 사람이 부모로부터 닮아가듯이, 유전되어지는 것으로 보아야 한다.

이러한 상징들은 결코 의식적으로 만들어 내는 것은 아니다. 상징이 여러 가지 모습으로 나타나는 이유는 우리들 개개인의 직접적인 경험이나 느낌, 또는 미래에 대한 계시를 통해 무의식으로부터 만들어지기 때문이다. 예를 들어 원시인들에게는 태양의 궤도가 구체적이고 영원한 자연의 모습이라고 상징되는 반면, 심리 교육을 받은 현대인은 그것이 자기의 내면 세계가 움직이는 이치라고 생각할 수도 있다. 또 한편 '다시 태어남'을 상징하려 할 때, 그것은 원시인의 꿈에서는 문으로 들어가는 모습으로 나타나고, 초기 기독교 신자에게는 세례를 받는 모습으로 나타나기도 한다.

그러나 '다시 태어남'을 상징하는 것이라고 할 수 있는 방법은 의식의 역사적이고 개인적인 상황에 따라 변한다. 그러므로 주어진 환경에서 꿈에 나타난 상징들의 실제의 의미를 알고자 한다면 집단적인 측면과 개인적인 측면 모두를 해석할 필요가 있다. 케레니1897~1943: 헝가리의 신화학자가 말한 것처럼 "신화적인 모습은 결코 동떨어져서 나타나지 않는다. 원래 이것은 객관적이고 주관적인 문맥의 흐름이다. 즉, 신화의 모습은 꿈에 나타난 모습 자체가 갖고 있는 의미와 꿈을 꾸는 사람과의 관계 속에서 생겨나는 부분인 것이다." 그러나 어떤 꿈 해석에서든지, 개인적인 환경과 그의 독특한 심리 상황이 가장 중요하게 해석되어야 한다.

〈그림 1〉

이 그림은 네 가지 정신 기능에 의해 찢어진 채, 의식적 인식을 지향하나 원형적 본능의 상징인 뱀의 꼬리에 묶여 있는 수인囚人이 된, 심리에 대한 내면적으로 지각된 상징적 표현이다. 또한 적색·황색·청색·녹색은 네 가지 기능을 상징한다. 반면에 불타고 있는 네 개의 횃불은 의식적 인식으로 향한 노력을 상징한다.

〈그림 2〉

분화되지 않은 본능의 상징인 이 정열의 뱀은 무의식적인 바다에 떠 있는 궤짝으로부터 나와 위로 올라왔다. 지금까지 뱀의 정열은 무의식 속에서 엄격하게 억압되어 갇혀 있었다. 뱀의 목구멍에서 한 다발의 불꽃이 피어나 있다. 그러나 뱀의 머리는 구원의 십자로 표시되어 있으므로 이것은 파괴력과 치유력이라는 두 가지 면을 상징한다.

〈그림 3〉

도움을 주는 그림자

〈그림 4〉

분출하는 의식의 상징으로서의 산

〈그림 5〉

늙은 현인賢人의 원형으로 나타
나는 수많은 형상 중의 한 예

〈그림 6〉

탄드라 불교의 만다라

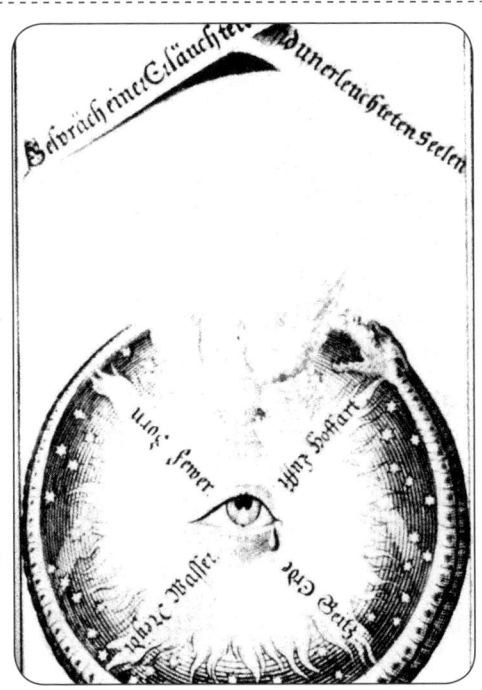

〈그림 7〉

J. 보엠의 신지학神知學 작품에
나타난 신비적 장면

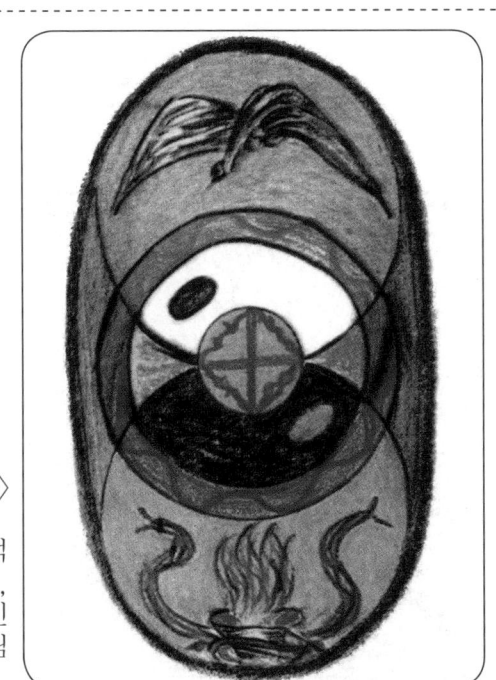

〈그림 8〉

한 여성 환자의 분석
치료 과정에서 증명된,
영혼 전체의 내적인
그림이 나타난 크레용 그림

〈그림 9〉

우주의 별이 총총한 외투를
입고 있는 위대한 어머니

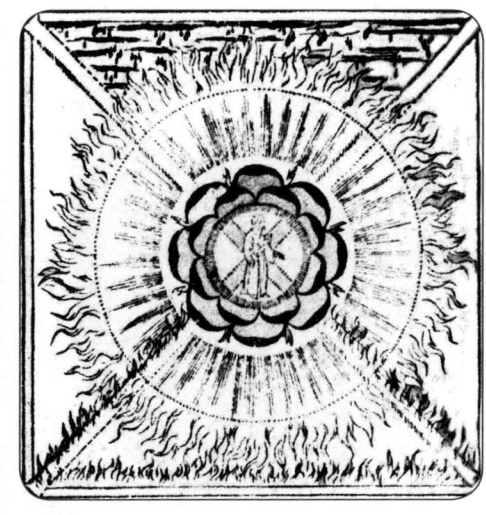

〈그림 10〉

장미 십자회원들의 비밀
표징으로 나타난 만다라

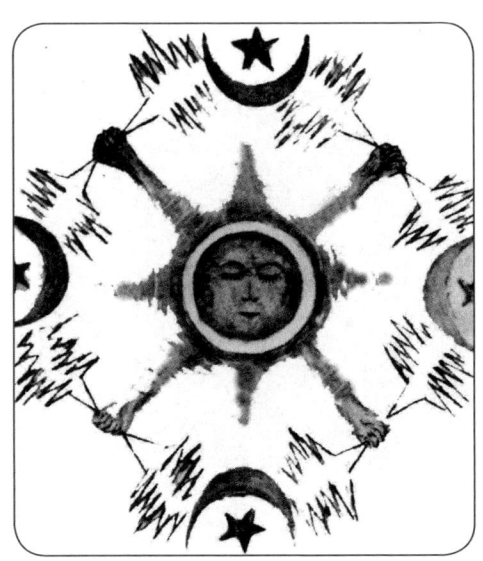

〈그림 11〉

네 개의 팔을 가진 태양신

〈그림 12〉

공작새 바퀴 형상의 만다라

〈그림 13〉

무의식을 일깨우는 만다라

〈그림 14〉

만다라의 구성

〈그림 15〉

황도대黃道帶와 불멸의
뱀으로 둘러싸인
영원의 얼굴

〈그림 16〉

우주적 인식과 통찰력을 가진
꽃 형상의 신의 눈

〈그림 17〉

남녀의 잘못된 결합

〈그림 18〉

무의식에 나타난 올바른 결합

〈그림 19〉

결합의 한 단계로서의 연금술적인 개념. 태양의 신 솔과 누이인 달의 여신 루나로 여겨지는 왕과 여왕은 남자답고 여자다운, 최초의 영혼의 반대되는 개념의 상징으로 나타난다. 그들의 '결합'은 영혼 지각의 의미이며, 또한 중간 띠에 나타난 말뿐만이 아니라 영혼의 상징으로서의 비둘기에 의해 명확하게 만들어진다.

이 최초의 반대자들은 틀에 박힌 가리개 없이 나체로써 꾸밈없는 진실과 근본으로 서로 마주보고 있다. 이들 사이의 차이는 명백하고 '본질적'이며, 그것은 '위'에서부터 끼어든 '결합자'인 비둘기라는 영적 상징의 매개자를 통해서만 진실된 결합으로 연결될 수 있다.

가지들은 하나의 십자 형태를 이루었고, 꽃은 비둘기의 부리에서부터 매달려 있다. 성장 과정의 이 모든 상징들은 삶에서 남자와 여자의 공동의 노력을 예증한다.

18. 상징과 표식

상징의 내용은 어떤 다른 용어로써도 표현할 수 없다. 그것은 오직 '상징'에 의해서만 표현할 수 있는 아주 미묘한 현실[82]에서부터 생겨난 것이다. 상징과 비슷한 것으로써 '풍유'가 있는데, 이것은 어떤 내용을 알린다거나, 이미 알려진 내용을 다시 나타내는 방법이다. 반면에 상징은 어떤 것에 대한 합리적인 개념 이상의 것을 의미한다. 그러므로 프로이트가 상징에 대하여 '우리에게 무의식적인 배경을 끄집어 낼 수 있게 하는 의식의 내용'이라고 말했던 것은 타당하지 못하다. 왜냐하면 상징은 분명히 어떤 것에 대한 '알림 이상의 것'인데, 그의 이론에서는 상징이 무의식적 배경의 알림으로 정의되고 있기 때문이다.

이와 다르게 플라톤이 '지식에 대한 이론의 문제를 동굴로 비유'한 것이나, 예수가 천국을 설명하기 위해 부자나 낙타 같은 우화를 사용한 것은 순수하고 참된 상징이라고 볼 수 있다. 왜냐하면 그들이 표현하고자 했던 이론의 문제나 천국의 문제는 아직 개념으로는 존재하지 않는 것이었고, 상징은 그렇게 표현하기 힘든 현실의 부분을 나타내려는 노력이기 때문이다.[83]

독일어로 상징은 'Sinnbild'인데, 이 용어는 상징의 두 가지 영역을 잘 나타내고 있다. sinn은 '의미'라는 뜻으로 의식적이고 합리적인 면에 속하고, bild는 '이미지'로서 비합리적이고 무의식적인 면을 나타낸다. 서로 다른 상징의 이 두 가지 성격이야말로 상징의 심리 전체를 나타내는 것이고, 복잡하고 서로 극단적인 심리 상황에까지 영향을 미치기도 한다.

융은 "어떤 것이 상징인지 아닌지는, 주로 그것을 생각하는 의식의 태도에 달려 있다"[84]고 말했다. 말하자면 한 개인이 나무 한 그루를 볼 때, 그것을 단순히 하나의 나무로 보느냐, 아니면 인생에 대한 상징으로 보느냐 하는 차이이다. 똑같은 사람 혹은 똑같은 대상일지라도, 어떤 사람에게는 어떤 상징으로 느껴지고, 다른 사람에게는 단순한 사실이나 대상으로밖에는 나타나지 않을 수도 있다. 그러나 융에 의하면, 모든 상징이 개인에 따라 상징이 될 수도 있고, 안 될 수도 있는 것은 아니다. 오히려 어떤 대상이나 형태는 그것을 보는 사람에게 상징으로서 보도록 강요하는데, 그러나 대체적으로 단순한 사실로 볼 것인가, 상징으로 볼 것인가를 결정하는 것은 개인의 유형이다.

상징은 풍유도 아니고 어떤 표지도 아닌, 주로 의식을 초월한 어떤 내용에 대한 심상이다. 그렇기 때문에 만약 상징 속에 숨어 있는 의미가 완전히 드러나든가, 우리의 이성이 상징의 내용을 알 수 있게 된다든가 할 때엔 상징은 자신의 함축성을 잃고 단순한 '표지'로 전락하거나, 죽은 상징으로 될 수 있다. 왜냐하면 진정한 상징은 결코 완전히 설명할 수 없기 때문이다. 우리들은 상징의 합리적인 부분은 의식으로써 밝혀내고, 비합리적인 부분에 대하여는 '우리들의 감정에 간절히 호소할 수 있을 뿐이다.'

이같이 상징은 심리 전체와 의식 그리고 무의식까지도 포함한 여러 가지 기능을 수행한다. 그러므로 융은 늘 자신의 환자들에게 말과 글에서 '내면적 심상'을 만들어야 할 뿐 아니라, 이 심상들이 처음 만들어졌을 때와 똑같이 재창조해야 된다고 강조했다. 그리하여 그는 심상 속에서 색채와 모형을 어떤 것보다도 중시하게 되는데, 이 방법으로 임상 의사는 상징이 환자에게 주는 의미를 알게 되고, 의식적 과정에서 상징을 가장 중요한 요소로써 이용할 수 있다그림 1 참조.

앞에 나온 여러 장의 그림의 설명과 같이, 이와 같은 설명은 글자 그대로 받아들여서는 안 된다. 이것은 한 개인이 무의식에 의해서 자기의 사상과 감정을 심상으로 표현한 것이고, 그것을 대략 언어로 표현해 본 상징에 지나지 않는다. 또한 상징 자체가 이론으로 설명될 수 없는 것이므로 여러 가지 설명보다는 직관에 의해서만 설명할 수 있다. 간혹 재능 있는 예술가들에 의해서 '언어 심상'이 만들어지고, 이와 같은 상징을 성공적으로 이룩하는 경우도 마찬가지다.

〈그림 1〉에 나오는 색채는 다음과 같은 뜻을 가지고 있다. 즉, 색채와 여러 가지 기능과의 상관 관계는 여러 가지 상이한 문화와 집단, 그리고 개인에 따라서도 변한다고 본다. 유럽 사람들의 한 법칙으로 창공, 즉 맑은 하늘 빛인 푸른 빛은 사고의 색깔을 나타낸다.

한없이 깊은 흑암에서부터 그 빛을 가져왔다가 다시 어둠 속으로 숨겨 버리는 태양 빛인 황금 빛은 직관, 즉 섬광처럼 순간적인 조명에 의한 것같이 사물의 본질과 성향을 밝히는 빛깔이다.

맥박치는 피와 불꽃의 색채인 붉은 빛은 불타고 용솟음치는 감정의 빛깔이며, 반면 세속적이고 만져볼 수 있으며 직접 지각할 수 있는 식물의 색채인 초록빛은 지각의 빛깔을 나타낸다.

19. 회화적 표현

심상을 표현하고 있는 둘째의 예로 〈그림 2〉를 보자. 인간 심리에서

'정열의 뱀'이 차츰 내뿜어 가는 색채와 힘은 그대로 강렬한 감정을 나타낸다. 자기의 심리 속에 있는 이러한 강렬한 감정이 이 그림을 그리게 해서 우리들의 관심을 끌게 했다. 이 그림을 보면서 우리는 '예술을 생각하지 말고 단순한 예술 이상의 것과 예술과 다른 어떤 것, 즉 환자 자신'[85]에 대하여 생각해야 한다. 말하자면 그가 아프다든지 건강하다든지 하는, 환자에 대한 것을 생각해야 하는 것이다. 이 그림에서 예술적인 가치를 따질 필요가 없는 이유는, 무의식의 그림은 예술가가 아니더라도 자기의 내면 세계의 그림이 너무나 생생하고 강렬하기 때문에, 원초적인 조건 아래서도 그림을 그리게 될 수 있기 때문이다.

그러므로 그림은 그의 내부에서 활발하게 움직이는 '능동적 환상'이고, 또한 그의 내부에서 능동적으로 움직이는 것은 바로 그 자신이다. 그러나 그가 개인적인 자아를 자기라고 생각할 때, 그것은 지금 그 자신의 속에서 움직이고 있는 대상이므로, 여태까지와는 다른 새로운 자신을 발견하게 되어 더이상 이전의 잘못을 되풀이하지는 않는다.[86]

융은 "단순히 그림을 그려서만은 안 된다. 이 그림은 의식과 도덕이 융합된 것이므로, 지성과 감성을 망라한 종합적인 해석이 필요하다. 나는 몇몇 환자들과 여러 번 이 방법을 취해 봤지만 완전하게 성공하지는 못했다. 사실 우리들은 아주 새로운 영역을 만들어 가고 있으므로 우선은 경험을 키우는 것이 가장 필요한 일이다. 우리들은 의식의 외부인 정신 생활 과정을 다루고 있으므로, 이것을 관찰하는 것이 간접적일 수밖에 없다. 과연 얼마만한 깊이까지 우리가 측정하고 전망해 볼 수 있을지는 우리 자신도 아직 모른다"[87] 라고 말했다.

어떤 사람이든 깊은 정신적인 고민 속에서 무언가 말로는 표현하기 힘든 내면의 심상을 찾아서 나타내는 데 성공해 보았다면, 그는 이것이 인간에게 얼마나 큰 해방감을 줄지를 안다. 분석하는 중에 말로는 표현할 수 없는 심리의 표현 방식에 있어서 놀랄 만한 기술을 지니게 되는 경우도 있다. 그들은 이 과정에서, 마치 예술가들이 무의식의 깊은 곳에서 심상을 끌어내어 의식에 고정시키고 모습을 만들어 낼 때처럼 자기를 벗어난 기쁨을 누린다.

상징을 이처럼 확실하게 그림 등으로 고정시키는 일은 일종의 객관화이다. 이것은 막연하고 표현할 수 없는 것에 형태를 만들어서 어느 정도까지는 우리들이 그 참된 의미를 이해할 수 있게 하고, 그리거나 표시를 해서 우리의 의식이 받아들이게 할 수도 있다. 이렇게 고정된 상징은 신비한 힘을 지니고 있다. 이 신비한 힘은 마술적 대상, 부적, 어떤 징조나 의식, 슬로건, 그리고 심상에 대한 우리들의 심리적인 바탕이 된다. 우리에게 마술적인 힘을 나타내는 상징으로서 풍자적인 그림이나 깃발·문장 등도 마찬가지다. 이러한 '마술적 힘'은 오늘날 정치 분야나 사업 분야에까지 중대한 역할을 하고 있다.

20. 분석의 기본 원리

이처럼 분석적 상황은 네 가지의 면을 모두 지니고 있다고 말할 수 있다. 그 내용은 다음과 같다.

(1) 피분석자환자는 언어로 자기의 의식적 상황을 설명한다.

(2) 환자의 꿈이나 환상으로부터 치료자는 무의식에서 나온 그림

을 얻을 수 있다.

(3) 환자와 정신 치료자와의 관계는 다른 두 주관적인 면에 객관적인 면을 덧붙인다.

(4) 1, 2에서 수집한 자료와 치료자가 제공한 확대 설명을 모두 합하여 심리적인 상황에 대한 그림을 완성한다. 이 그림은 자아와 인간적 관점이 뚜렷한 대조를 이루어 문제와 해답을 동시에 보여준다.

프로이트와 아들러가 심리적 갈등의 원인을 인간의 본능에서 찾은 것과는 달리, 융은 조화를 이루고 있는 인간의 심리 속에 혼란이 생겨서 나타나는 결과가 갈등이라고 했다. 즉, 의식과 무의식이 균형을 이루지 못하거나, 전체 심리를 구성하는 개인적 요소와 집단적 요소 사이에서 혼란이 생기기 때문에 갈등이 생기는 것이다. 그들과 융의 또 다른 차이점은, 그들은 갈등의 문제를 갈등이 일어났을 때의 상황 속에서만 파악하려는 데 반하여, 융은 그것을 '현재'의 의미로 해석하고 해결하려는 데 있다. 그는 인생에 있어서 개개의 조건과 모든 연령에 맞는 해결책은 각기 따로 있다고 생각한다. 똑같은 갈등의 의미라도 그것이 처한 실제 상황 속에서 그 의미는 변하기 때문이다.

예를 들어 20대의 사람과 50대의 사람이 부모에 대한 콤플렉스를 똑같이 갖고 있다고 해도, 그 두 사람은 완전히 다른 방법으로 그 문제를 해결해야만 하는 것이다. 융의 방법은 궁극적이다. 그는 항상 제한된 갈등의 의미를 전체 심리 속에서 전체적으로 보려고 한다. 전체 심리 안에서 무의식은 단순히 의식의 억압된 내용을 담고 있는 것만은 아니다. 오히려 무의식은 '영원한 창조자인 어머니'[88]로부터 창조된 것이다.

아들러는 무의식을 '심리가 꾸며낸 것'이라고 했지만, 그것은 타당하지 못하다. 오히려 무의식은 모든 인간에 있어서 본질적이고 창조적인 요소이며, 또한 모든 예술과 인간 행위의 무한한 근원인 것이다. 융은 무의식과 무의식의 원형을 '양극의 결합'에 대한 상징적인 심상이라 여겼기 때문에, 환원적 방법과 미래 예견의 방법으로 다가갈 수 있었다. 융은 다음과 같이 정의했다.

"무의식 산물의 원천이나 근본적인 물질에 대한 관심만을 가져선 안 된다. 오히려 그것들이 상징하는 마지막 결과를 가지고 어떤 일반적이고 포괄적인 표현을 발견해야만 한다. 이렇게 자유 연상은 무의식 산물의 근원적인 문제보다는, 그것이 목표하려는 것에 대한 평가 방법으로써 사용되어야 한다. 이 방법은 한쪽 면의 심리 발달 과정을 상징적으로 나타낸 것 속에서 알 수 있듯이, 바로 무의식의 산물을 통해 예상할 수 있는 결과를 찾는 방법이다."[89]

프로이트는 상징을 표지나 풍유와 다름없이 이해함으로써 무의식의 근원을 일면적으로밖에 찾아내지 못했다. 표지나 풍유에 의해 숨겨진 의미를 찾는 것만이 그의 목표였기 때문이다. 그러나 융은 상징을 무의식적인 심리 활동을 만드는 상반되는 이중의 얼굴이라고 파악하여, 심리의 전체 과정을 정상적으로 볼 수 있었다. 뿐만 아니라 상징의 형식을 의식적으로 확대시키고 그 의미를 찾아내어, 환자의 성장을 이룬 근원적 심리를 풍부하게 하고, 환자의 미래 생활에 있어서도 보다 풍부한 힘을 줄 수 있는 심리 분석을 할 수 있었다. 여기에서 서로 다른 '이중의 얼굴'은 두 가지 얼굴로도 될 수 있고, 어느 하나의 얼굴로도 될 수 있는 얼굴을 말한다.

3

퍼스낼리티

신경증의 의미에 관해서

융은 신경증을 단순히 고통스러운 병으로만 이해하는 것이 아니라, 인간의 성격 형성에 도움을 줄 수 있는 절대적이고도 유익한 요소로 이해하였다. 우리가 스스로의 태도나 기능을 인식하는 행위는 우리들의 천박함에 대한 이해와 지나치게 발달된 의식을 보상하기 위하여 무의식에 의존하기도 하면서 결국은 우리들의 의식을 발달시킨다.

그러므로 신경증은 어떤 절대적인 것이 우리의 성격을 급속히 확대시키려고 내리는 명령이나 경고이기도 하고, 우리가 그러한 경고를 올바로 다루어야 한다는 사실을 알려주는 것이기도 하다. 융의 설명은 무의식과의 대결을 촉진시켜서 그 무의식 안에서 '아득히 먼 과거에서 이어받은…… 인간 정신의 근원적인 배경을 활성화시켜서 신경쇠약증을 겪고 있는 환자를 도움으로써 결국 그를 고독에서 구한다.' 융은 "만일 이러한 개인을 초월한 심리가 존재한다면, 의식은 우리에게 세계적인 형태로 보이게 될 것이다. 즉, 신경쇠약증의 고통은 나만의 슬픔이 아니라 세계의 슬픔이며, 개인이 동떨어져서 고통받는 것이 아니라 모든 인간이 함께 느끼는 고통이다. 그러므로 이것에 대한 치료 효과는 증명할 필요가 없다"[90]라고 말했다.

융은 처음부터 유년 시절의 경험에서 비롯된 외부 세계의 원인에 의한 신경증이 있다는 것을 인정했다. 또한 그는 그러한 신경증은 프로이트의 원칙에 의해서 치료해야 한다는 것도 부정하지 않았다. 대부분의 경우에 그는 외부의 원인에 의해 생기는 젊은 사람의 신경증을 이 방법에 따라 해결하려 했다. 그러나 모든 신경증이 이와 같은 형태는 아니므로, 이 방법을 모든 것에 적용시켜서는 안 된다는 것을 강조했다.

그는 다음과 같이 썼다.

"우리들이 집단 무의식에 대해서 말하게 될 때는, 우리들은 언제나 다른 문제로 빠지게 된다. 즉, 젊은이나 유아의 상태로 있는 사람들에게 있어서, 그들이 아직도 아버지나 어머니의 심상을 지니고 있다면 우리는 프로이트적인 방법으로 그 심상부터 극복하여야 한다. 그것은 보통 사람이 자연스럽게 경험했던 외부적인 생활이 남아 환자에게 고통을 주고 있을 때도 마찬가지다. 그러나 일단 부모의 감정 전이와 젊은이의 환상으로부터 벗어난 후에는, 우리는 더이상 프로이트나 아들러 적인 방법을 쓸 필요가 없다. 그들처럼 자기 인생에 있어서 장애가 되는 것을 찾아 제거하는 방법보다, 이제는 인간이 삶을 계속할 수 있게 만드는 어떤 의미, 즉 헛된 체험과 회상이 아닌 그 이상의 의미를 발견하고자 노력해야만 한다."[91]

이같이 우리들은 대체로 환멸과 거짓과 과장 속에서는 환원의 방법을 쓰지만, 좀더 완성이 가능한 의식의 태도가 있거나 발전할 수 있는 무의식적 경향이 의식 때문에 가로막히거나 했을 때는 좀더 건설적인 방법을 사용한다. '환원적인 입장은 언제나 원시적이고 초보적인 입장으로 되돌아가는 반면, 건설적인 견해는 인간에 대한 견해를 종합하고 건설적으로 앞으로 이끌어 간다.'[92] 특히 나이 많은 사람에게 있어서의 신경증의 원인은 거의 그 사람의 실제 상황에 달려 있다. 젊은이에게도, 튼튼하지 못하고 아직은 채 발달하지 못한 의식은 당연한 것이지만, 이 두 가지가 계속 반복되어 나타나면 충분히 신경증을 일으킬 수 있다.

어떤 사람은 자기가 처한 상황에 적응하지 못할 수도 있다. 왜냐하면 그는 아직까지 그의 본능과 무의식에 대해 '자연스러운' 결속을 이룰 수가 없거나, 이것을 상실했기 때문이다. 이같은 상태의 원인은 그의 어린 시절에서도 찾아볼 수 있고, 그의 현실 상황에서도 찾을 수가 있다. 이런 경우에 그의 의식을 확대시키고 심리적 심상과 상징을 분석하는 데 있어서 미래적인 견해는 그의 현실 상황에 기초를 두고 환자의 마음에 새로운 균형을 만들고자 하는 것이다.

미래적인 면

신경증은 양성적陽性的인 어떤 것을 지향하는 경향이 있다. 이 같은 현상은 융의 견해의 기본이다. 종종 드러나듯 이 신경 혼란은 병 자체만은 아니다. 왜냐하면 '무의식에 의해서 만들어진 신경증 때문에 사람들은 그들 자신의 무관심에서 벗어나기 때문이다. 비록 그들이 게으르고 강하게 저항을 하더라도 이같은 현상은 일어나게 된다.'

시간이 흐름에 따라, 의식에 의해 억압된 무의식의 에너지는 환경에 적응하지 못한 상태에서 신경증을 일으킬 수 있다. 그러나 신경증을 겪는 사람들 중, 그로 인해 죽는 사람은 아주 드물다. 특히 이 비율은 소위 지성인들 사이에서 증가하고 있고, 2차 세계대전 이전의 몇 년 동안에 급격히 증가하기도 하였다.

융은 이렇게 말했다.

"신경증으로 죽은 사람은 여러 면에서 오랫동안 원시적 수준에 머물렀던 고등한 유형의 사람들이다."

그들은 기계화된 외부 세계의 압력 아래서 더이상 내면적 현실의 요구를 채울 수가 없었던 것이다. 물론 이것의 배후에 무의식의 '계획'이 개입된 것은 결코 아니다. '우리가 생각할 수 있는 지배적인 동기는 자기를 완전히 이해할 수 있는 어떤 충동이다. 또한 방해로 인해 성숙하지 못한 개성의 탓도 있을 수 있다.'[93]

환경에 따라서 신경증은 인격 완성을 위한 갈등을 자극하기도 한다. 융에게 있어서 인격의 완성은, 인간이 이 세상에서 이룰 수 있는 최고의 선이며 과업인 동시에 모든 의학적인 치료와는 완전히 독립된 목표이다.

신경쇠약 혹은 정신적 균형에 대한 일반적인 혼란을 고치기 위해서는 무의식의 내용을 활성화시키고 드러내서 의식과 융화시키도록 해야 한다. 왜냐하면 무의식은 억압을 받으면 받을수록 정신적 균형을 위협하는데, 이것은 나이가 많아질수록 심해지기 때문이다. 융합 혹은 통합은 의식과 무의식에 대한 내용 평가가 아니라, 그것들의 상호작용이다. 이 상호작용을 통해 의식과 무의식의 두 요소는 하나의 심리적인 통일을 이룬다. 그렇다고 해서 의식의 본질적인 가치로서의 자아가 없어지는 것은 아니다.

"무의식적인 보상은 손상되지 않은 의식과 협동할 때만 효과가 있다"[94]라는 말도 위의 내용을 잘 설명해 준다. 실제로 분석가는 의식으로 표현되는 의미와 가치를 어느 정도에 믿어야 한다. 왜냐하면 '무의식의 부분은 이러한 의식적 인식에 의하여 밝혀지고, 환자에게 있어서도 문제를 뚜렷이 나타나게 하며, 의식적인 판단과 결정을 할 수 있게 하기 때문이다. 이것은 바로 환자의 윤리 감각에 직접 도전하는 것을 의미한다. 즉, 완전한 퍼스낼리티는 이 윤리 기능을 통해서 행동으로 옮겨진다.'[95]

퍼스낼리티의 발달

퍼스낼리티의 완성은 서로 반대되는 양극이 상대적으로 나뉘면서 이루어진다. 즉, 전체 심리를 구성하는 의식과 무의식이 서로 합쳐져서 구성되어 있을 때 가능하다. 그러나 박진감 넘치는 심리적 생명의 흐름은 결코 멈추지 않는다. 왜냐하면 무의식은 완전히 의식으로 될 수가 없고, 언제나 더 큰 힘을 저장하고 있기 때문이다. 완성이란 언제나 상대적인 것이다. 완성은 우리들이 살아 있는 한, 우리가 일할 수 있는 목표를 제공해 준다. '퍼스낼리티의 완성은 도달할 수 없는 하나의 이상이다. 그러나 이상은 하나의 과정이지 결코 목표는 아니다.'[96]

따라서 퍼스낼리티의 발달은 인간에게 있어서 하나의 축복이기도 하고, 저주이기도 한 것이다. 우리들은 퍼스낼리티의 발달을 위해서 고독과 고립을 그 대가로 치러야 한다. '퍼스낼리티의 발달에서 나타나는 첫번째 결과는, 무의식적인 집단에서 미분화된 개체의 의식적이고 불가피한 소외이다.' 그러나 퍼스낼리티는 고독만은 아니다. 그것은 또한 사람이 자기 자신의 법칙에 대해 성실한 것을 뜻하기도 한다. '하나의 퍼스낼리티를 갖춘 사람이란 무의식적인 내면의 목소리를 의식적으로 따를 수 있는 사람이다.'[97]

이런 인격을 갖춘 사람만이 집단 속에서 자기의 위치를 깨달을 수 있다. 그리고 이런 퍼스낼리티만이 사회를 창조하는 힘이 되고, 각 구성원으로 하여금 인간 집단의 완전한 부분이 되게 한다. 단순한 집단은 개체들의 총합에 불과하고, 구성체로서의 유기적인 생명을 지닐 수는 없다. 그러므로 개인적이고도 집단적인 두 가지 의미로서 자기 인식은 하나의 도덕적 결정이라고 할 수 있다. 또한 이 자기 인식은 자기 실현을 위한 인간의 개별화 과정을 돕기도 한다.

그러므로 자신에 대하여 자세히 조사를 하거나 자기를 실현한다는 것은 인생에 있어서 보다 높은 하나의 의무이다. 개별화는 동일한 개체로서의 존재로 되는 것으로서, 말하자면 우리들 안의 가장 깊고 궁극적인 것, 즉 우리들 자신이[98] 되는 것을 의미한다. 그러나 개별화는 편협하고 이기적인 개인주의와는 다르다. 왜냐하면 개별화는 인간을 가장 실제적인 개인으로 만드는 것이기 때문이다. 따라서 개별화는 인간을 이기적으로 만드는 것이 아니라, 가장 개성 있게 만든다.

개성과 이기주의, 그리고 개인주의는 아주 다른 의미를 갖고 있으므로 혼동해서는 안 될 것이다. 개별화를 통해 그는 하나의 개인이 되는 동시에 집단의 구성원이 된다. 그리고 그가 이룩한 완성은 의식과 무의식의 바탕 위에서 전체 세계와 만난다. 즉, 개체와 전체가 연결되는 자기 성격의 완성을 실현하게 된다. 왜냐하면 '집단의 규범에 갈등을 일으키는 것은 어떤 방법이 지나치게 개인주의적인 규범을 따르려고 하기 때문인 것이다.'[99]

개별화 과정

전체적으로 볼 때, 개별화는 심리 안에서 일어나는 자연스럽고 자발적인 과정이다. 대부분의 사람들은 잘 모르지만, 개별화는 모든 사람 속에 잠재되어 있다. 이것이 다른 어떤 방해를 받지 않는다면, 우리는 이것을 육체가 성숙하는 것과 마찬가지로 심리가 성숙하는 과정으로 볼 수도 있다. 심리요법에 있어서 개별화는 여러 가지 방법으로 활달히 발전해 간다. 그리고 각 개인도 이 개별화 방법을 통하여 인격을 완성하고 원만하게 하는 데 도움을 받게 된다.

이렇게 본다면, 개별화 과정은 의식의 지도 아래에서 성실하게 내면의 심리 과정을 집중적으로 분석하려는 노력인 것이다. 동시에 이러한 노력은 의식과 무의식의 양극에 있는 긴장을 풀어내어 무의식을 활성화시키고, 그들의 구조에 대한 산지식을 얻게 한다. 바로 이러한 요령과 과정을 통해, 우리는 균형을 잃고 고통받는 심리를 차근차근 파고들어가 모든 심리의 근원인 자아에 이를 수 있다.

앞서 말했듯이, 이러한 길은 모든 사람에게 일률적으로 권유할 것이 못될뿐더러, 모두에게 열려진 것도 아니다. 심리 치료사나 환자 자신이 각기의 의식으로 엄격히 통제할 때에만 지나치게 폭발적인 무의식으로부터 자아를 보호할 수 있고, 또 무의식을 자기 내부의 전체 심리 속에 올바른 위치를 정할 수가 있다. 따라서 이러한 방법은 '여러 사람 앞에서' 이루어져야만 한다. 이러한 여행을 하는 데는 두 가지가 필요하다. 전혀 다른 환경인 세계의 다른 곳에서 무슨 일이 일어나는지를 혼자서 알아보고자 하는 것은 대단히 위험하고 성공할 가능성도 아주 적다. 인간이 자기에게만 의존을 한다면 그는 정신적인 자만에 빠지거나, 내용도 없는 명상을 하고 있거나, 자아 내부의 분리를 부추기는 것이다. 인간에게는 누구나 자기의 경험을 구체화하기 위해서 반대되는 어떤 것이 필요하다. 이같이 서로 반대되는 것이 없다면, 질문과 답변은 구분이 없는 하나의 덩어리가 되고 만다.

그러므로 신자와 신부가 대화를 통해서 고백을 하는 것이 대단히 훌륭한 방법이 된다. 그러나 고해를 하지 않는 사람이나, 고해를 할 수 없는 비신자들을 위해서는 심리분석자와의 만남이 매우 효과적이다. 그 차이는 물론 상당히 크다. 분석자는 신부도 아니고, 절대적인 권위를 가진 사람도 아니다. 그는 힘을 가진 사람이 아니고, 단지 인생에 대해 확실한 경험이 있고 자연과 인간 심리에 대한 전문적인 지식이 있기 때문에 믿을 수 있는 사람일 뿐이다. '그는 환자에게 참회하라고 명령하지 않는다. 그러므로 환자는 대단히 어려움을 겪을 정도가 되지 않으면 결코 고해를 하지 않는다. 그래서 환자는, 신이 자신을 생각해 주어야만 죄를 면하게 할 수 있게 된다.'[100] 이러한 심리분석 과정의 목표는 환자의 잠재적인 퍼스낼리티의 충족과 완성이고, 이것은 자연스럽게 발전해야 한다. 여기에서 심리분석자는 도움을 줄 수는 있지만, 환자의 퍼스낼리티가 저절로 자연스럽게 성장하지 못할 때는, 그 누구도 그것을 의도적으로 가능하게 할 수 없다.

크게 보면 개별화 과정은 인간이 본래부터 지니고 있던 규칙적인 유형을 따르고 있다. 이것은 두 가지로 나뉘는데, 그 두 가지는 서로 다르면서도 보완되는 아주 기본적이고 독립된 부분이다. 그것은 인생의 전기와 후기를 말한다. 전반기의 일은 외부의 현실로 들어가는 것이다. 인생의 전반기는 자아를 강하게 하고, 살아가는 데에 지배적인 태도나 유형을 나누고, 특정한 개성을 개발시켜서 개인이 환경에 적용할 수 있게 하는 과정이다.

이와 반대로 후반기의 일은 내부의 현실로 들어오는 것이다. 안으로 들어오는 것은 자기와 인간성에 대해 좀더 깊이 있게 알고, 지금까지 무의식 상태로 남아 있는 인간의 특질을 돌아보는 것이다. 이렇게 무의식 상태로 있는 특질들을 의식으로 끌어올리면서, 개인은 세계와 우주 질서와의 결속을 맺게 되는 것이다. 융은 이 과정의 후반부에 더 큰 노력을 기울여서, 중년층이 죽음에 대비한 준비를 할 수 있는 가능성을 그들의 퍼스낼리티에 부여할 수 있었다.

그에게 있어서 '개별화 과정'은 주로 이 후반기를 많이 생각에 넣은 것이라 볼 수 있다. 이 개별화 과정에서, 융은 어떤 일정한 원형적인 상징을 토대로 그것의 목표와 이정표를 마련하는데, 여기에서도 개인적인 요소가 결정적이다. 왜냐하면 그 방법은 '어떤 사람이 그 자신의 성격을 가장 잘 표현하는 행위를 나타내는 유일한 방법'이기 때문이다.[101] 이러한 상징을 여러 가지 형태로 기록하기 위해서는 인류 역사를 통해서 생각할 수 있는 모든 신화에 대한 지식을 갖고 있어야 하고 모든 상징들의 질서를 파악해야 한다.

그러므로 다음으로는 이에 대한 것들을 간략히 알아보고 넘어가자. 여기에서 우리들은 이 과정의 중요한 특색인 상징적인 현상과 형태만을 나열해 보겠다. 물론 이것들 외에도 많은 다른 원형적 심상과 상징들이 나타난다. 이러한 것들 중 몇 가지는 제2의 문제를 늘어놓는 것이고, 또 몇 가지는 주요한 형상들이 모습을 달리한 것들이다.

그림자

개별화 과정의 첫째 단계는 우리들의 '다른 면', 즉 우리들의 '검은 형제'를 상징하는 그림자의 경험을 갖게 하는 것이다. '검은 형제'는 보이지 않지만, 나눌 수 없을 정도로 우리의 전체에 속해 있다. 생명 형태가 모양을 지니고 나타나려면 거기에는 뚜렷한 그림자가 필요하다. 그림자가 없으면, 그것은 단순한 환영으로 남기 때문이다.[102] 특히 원시인들에게 그림자는 여러 가지 모습으로 의인화되어 나타나는 원형적인 모습이다.

이것은 마치 그로부터 떨어져 나왔지만, 아직 '그림자처럼' 그에게 붙어 있는 개인의 한 부분이다. 따라서 어떤 사람이 그의 그림자를 밟았을 때, 원시인은 그것을 '불길한 징조'로 여긴다. 그래서 그 피해는 마술적인 의식에 의해서만 고칠 수 있다. 그림자의 모습은 종종 예술의 주제가 되기도 한다. 왜냐하면 창작 활동과 주제를 고르는 데 있어서, 예술가는 그의 깊은 내면에 있는 무의식의 영향을 받게 되기 때문이다.

동시에 예술가는 자신의 창작품을 가지고 관객의 무의식을 자극하기도 한다. 그리고 바로 이것이 그의 예술이 궁극적인 효과를 얻는 비결이다. 예술가들에게서 무의식의 심상과 모양이 형성되고, 이것들은 다시 다른 사람들에게 전달된다. 셰익스피어의 칼리반, 셸리 부인의 프랑켄슈타인, 오스카 와일드의 도리안 그레이, 스티븐슨의 미스터 하이드, 카미소의 피터 슈레밀, 헤르만 헤세의 스테펜 울프, H. 스트라우스의 프라우 오네 샤텐, 알도우스 헉슬리의 그레이 에미넌스 등은 이러한 동기를 예술적으로 사용한 예들이다.

개인의 기능적인 태고유형에 따라서, 그림자와의 만남은 그 개인의 의식적인 현실과 같이 된다. 아직 분화되지 않은 기능과 덜 발달한 태고유형이 바로 우리들의 '어두운 면'이다. 이 면은 논리적이거나 미학적 이유 혹은 다른 여러 이유로 해서 우리의 의식과는 반대되기 때문에, 우리들이 억압하고 있는 선천적인 집단적 부분이다. 즉, 개인이 자기의 주요한 기능을 분화하고 그 기관의 경험을 통해 안팎의 현실을 이해하는 한, 그의 다른 기능들은 어쩔 수 없이 어두움 혹은 '그림자' 속에 남게 된다. 그러나 이 기능들이야말로 여러 가지 무의식의 모습으로 변형된 것으로부터 조금씩 벗어나야 한다. 그림자의 발달은 자아의 발달과 평행한다. 자아는 필요로 하지 않거나 사용하지 않는 성질은 없애 버리거나 혹은 억압해 버린다.

그리하여 이런 성질은 개인의 의식적 생활에 아무런 역할도 하지 못하고, 하더라도 극히 미미하다. 어린이는 실제로 아무런 그림자도 갖고 있지 않다. 그의 그림자는 자아가 안정되고 넓어짐에 따라 더욱더 뚜렷해진다. 또한 우리들은 인생을 살아가면서 계속적으로 한 가지 성질 또는 다른 여러 가지 성질을 금지하거나 억눌러야 하기 때문에, 그림자는 결코 의식의 힘으로 충분하게 살려낼 수는 없다. 그럼에도 불구하고 그림자의 가장 두드러지는 성질은 끊임없이 의식적으로 되고, 자아와의 관계를 맺어 가는 것이다.

그림자와의 관계 속에서 자아는 활력을 지니게 되고, 우리의 성격 속에서 확고한 자리를 잡게 될 것이다. 어두움의 해결은 심리분석자들이 자서전적인 자료, 특히 어린 시절의 자료를 찾아내어 치료하고자 하는 것과 밀접한 관계가 있다. 결과적으로 보면, 융은 인생의 전반기에 있는 사람들의 그림자의 성질을 다루는 데 있어서, 프로이트적인 원칙을 주로 지키고 있다. 프로이트 식으로 여러 가지 성질을 의식 속에서 되살리는 일은 치료를 위해서 필요한 일이기 때문이다.

그림자는 내면적이고 상징적인 모습에서 나타나기도 하고, 외부 세계로부터 온 어떤 구체적인 모습에서 나타나기도 한다. 첫째의 경우에 그림자는 무의식에서 물체로 나타난다. 즉, 꿈꾸는 사람의 정신적인 성격의 한 가지 혹은 여러 가지의 것들이 의인화되어 꿈의 모습으로 나타나는 것이다. 둘째의 경우에는 그림자의 일정한 구조적인 문제로 인해서, 그림자는 무의식 속에 숨겨진 몇몇 성질을 반영하게 된다. 그림자의 성질을 바로 우리들 자신이 지닌 것으로 생각하면, 그림자의 특질은 우리 자신 속에서 쉽게 발견할 수 있다.

예를 들어 우리가 울분을 터뜨릴 때라든가 남을 저주하거나 거칠게 행동할 때, 자기의 의지와는 관계 없이 비사교적으로 행동할 때, 인색하고 편협하며 혹은 화를 잘 내거나 비겁할 때, 그리고 경박하거나 위선적일 때 등등, 우리는 이러한 때에 자신의 환경에서 숨기거나 억압된 성질이 자신 속에 있었다는 사실을 깨닫게 된다. 그리고 이러한 사실을 알게 되는 순간, 우리는 놀라서 자기 자신에게 묻게 된다. '이것이 어떻게 가능했을까?' '이와 같은 사실이 나에게 일어났다는 것이 과연 진실일까?'

융이 비록 같은 말로써 그림자를 표현했다 해도, 그림자는 두 가지 서로 다른 성질을 지니고 있다. 첫번째의 것은 인생 초기부터 살지 않았거나 혹은 아주 조금만 살았던 개인의 심리적인 면을 포함하고 있는 것으로 '개인 그림자'라고 할 수 있다. 두 번째의 것은 '집단 그림자'이다. 이것은 집단 무의식 속에서 다른 것들과 함께 들어 있고, '나이 많은 현인', 혹은 자아의 어두운 면에 해당한다. 사실 이것은 지배적인 시대 정신의 뒷면, 숨어 있는 부정적인 요소를 상징하는 것이다.

그림자의 표현이 개인적인 성격을 띠고 있는가 혹은 집단적인 성격을 띠고 있는가 하는 것은, 그림자가 자아의 영역에 들어 있을 때와 집단 무의식의 영역에 들어 있을 때에 따라 각각 달라진다. 그것은 우리들에게 무의식에서 나온 모습을 보여주는데, 그 모습은 마치 형님이나 누님처럼 우리의 가장 친한 벗인 《파우스트》의 제자가 되기도 하고, 와그너 등으로 나타나기도 한다. 또한 그림자가 집단 무의식의 내용을 담게 될 때, 그것은 예를 들어 메피스토펠레스, 폰 하겐, 재난의 신 로키 등과 같은 신화적인 모습으로 나타날 수도 있다.

이렇게 본다면 결국 자아와 그림자는 쌍둥이 형제와도 같고, 아주 친한 친구이기도 하다. 혹은 《신곡》과 같은 예술 작품 속에 그려진 것처럼, 단테를 충실한 하인으로 삼아 지옥까지 같이 간 비르질리오의 모습으로 나타나기도 한다. '자아와 그림자'는 잘 알려진 원형적인 동기이다. 길가메시와 엔키두, 카스토스와 폴락, 카인과 아벨 등이 그 예이다.

그러나 처음에는 역설적으로 보일지 모르지만 '자기의 분신'으로서의 그림자는 양성적인 모습으로서 나타날 수도 있다. 그림자가 의인화된 '다른 면'을 가지고 있는 개인이 자기의 '표준 아래'에서 살면서 자신의 잠재력을 실현하지 못할 때, 그가 어두운 그림자를 갖게 되는 것은 바로 밝은 쪽의 성질 때문이다. 개인적인 면에서 볼 때, 그림자는 우리의 의식에 의해 거절받고 억압되어 온 심리의 내용을 '개인적인 어두운 면'으로 의인화시켜 나타낸다. 한편, 집단적인 면에 있어서는, 그림자는 모든 사람이 본래부터 지니고 있는 어둡고 취약한 면을 드러내게 된다.

실제로 그림자는 '어머니', 즉 집단 무의식 적으로 향한 길목에 서 있다. 이것은 우리들의 의식적인 자아와 상대되는 부분이고, 우리들 심리 가운데서 충분히 살지 못한 부분이다. 우리들의 의식적인 삶에서는 허락받지 못하는 이러한 어두운 집단의 경험은, 무의식의 창조적인 깊이에 이르는 것을 막는다. 때때로 놀라운 자기 초월의 의지를 지니고 '정상'에 남고자 애쓰고 있는 사람들, 혹은 자기 약점을 전혀 고백하지 않던 사람들이 자기 마음속에 있는 무언가에 굴복하는 모습이 보여지는 것은 바로 이 때문이다. 그들이 살고 있는 정신적이고 도덕적인 탑은 자연스럽게 커온 것이 아니라, 의도적인 힘에 의해서 세워지고 지탱되는 인위적인 발판이다. 그래서 이러한 탑은 지극히 작은 자극만 받아도 곧 무너질 위험성을 갖고 있다. 이러한 사람들은 내면적인 진리와 만났을 때, 자신들이 참된 관계를 맺거나 실제적으로 중요한 어떤 일을 잘 처리하거나 또는 그렇지 못할 것이라고 느낀다.

그리하여 그들의 그림자 속에는 점점 더 많은 억압이 쌓이게 되고, 신경증과 뒤엉키게 된다. 젊은이들의 그림자 층은 나이든 사람들보다는 억압의 층이 훨씬 얇아서 견디기 쉽다. 그러나 살아가다 보면 점점 더 두꺼운 층이 된다. 그래서 이것은 시간의 흐름에 따라 통과할 수 없는 벽이 되는 것이다. 융은 "모든 사람이 그림자를 지니고 있다. 그림자는 개인의 의식 생활 안에서 구체화되지 않을수록 점점 더 밀도가 짙어진다. 만약 내가 그림자라고 부르는 억압된 경향이 나쁜 것이라면 문제는 없다. 그러나 그림자는 단순히 열등하고 원시적이며 적합하지 않고 어색하지만, 결코 나쁜 것은 아니다. 그림자는 어떻게 보면 우리의 삶에 생명을 불어넣고 아름답게 하는, 유치하면서도 원시적인 성격을 갖고 있다"라고 말했다.

개인은 편견 및 관습과도 부딪치고, 존경과 명성을 생각해 주는 데도 의견이 맞질 않는다. 왜냐하면 이러한 것은 개인의 페르소나의 문제와 깊은 관련이 있어서, 종종 파괴적인 역할을 하기도 하고, 심리의 발전을 중단시키기도 하기 때문이다. 두통을 없애기 위해서 목을 베어 버리는 것은 아무런 도움도 되지 않듯이, 그림자를 단순히 억압하는 것은 치료에 전혀 도움이 되지 않는다. 열등감을 느낄 때, 사람은 그것을 고칠 기회를 동시에 얻는 것이다. 뿐만 아니라 다른 것과도 관련되면서 계속 고쳐 나갈 수도 있다. 그러나 이것이 억압을 받는다거나 의식에서부터 분리된다면, 그것은 결코 고쳐지지 않는다.[103] 말하자면 그림자를 만나본다는 것은, 잔인할 정도로 자기 자신의 성격에 대해 비평적인 태도를 취한다는 것을 뜻한다. 그러나 그림자는 우리들 밖의 어떤 대상을 통해 나타난다. 그러므로 자기 안에 어둠이 있다는 것을 의식할 때까지는 어두움을 다른 사람 탓으로 돌려 그를 항상 나무라는 것이다. 바로 이러한 특성이, 분석할 때조차 그림자를 나타내는 것이 힘들게 하는 원인이기도 하다. 종종 환자들에게는 자기가 어렵게 건설해서 유지시키고 있는 의식의 구성물이 분석자의 통찰력으로 인해 무너져내리는 것이 두려운 일이고, 그러므로 이러한 어두움을 자기의 일부분으로 받아들일 수가 없게 된다. 그리고 실제로 많은 분석이 이 단계에서 실패한다. 무의식적인 내용을 직접적으로 받아들일 수 없는 환자는 이내 중간에서 후퇴하여 그 자신의 환상이나 신경증의 피난처로 숨어 버린다.

잔이 아무리 쓰더라도, 어느 누구도 그것을 남겨둘 수는 없다. 우리는 그림자의 현실을 자기의 성격의 하나로 인식하고, 이 사실을 항상 생각하면서 자아와 그림자를 구별해야 한다. 그렇게 할 때에만 우리는 심리의 다른 상대물들과 성공적으로 만날 수가 있는 것이다. 그리고 이 단계에 이르러야만, 비로소 발전이 없는, 또는 부정적인 성격에 대해서 객관적인 태도를 갖출 수가 있다.

융은 다음과 같이 말했다. "만일 그림자를 전부 걷어치운 사람이 있다면, 그는 대단히 짙은 그림자를 의식하게 될 것이다. 그리고 그는 자기 안에서 새로운 문제로 갈등을 일으키게 된다. 바로 그 자신이 스스로에게 심각한 문제가 되는 것이다. 왜냐하면 그는 새로운 문제와 갈등이 움직이는 것을 알기 때문에, 그것과 싸워 이겨야 한다고 말할 수가 없기 때문이다. 그는 '자기 채집의 집' 속에서 산다. 이런 사람은 무엇인가 잘못이 자기 속에 있다는 것을 안다. 그러므로 그가 자기의 그림자를 다룰 방법을 배우기만 한다면, 그는 세상을 위한 참된 노력을 하는 셈이다. 다시 말하면 그는 적어도 오늘날 해결되지 못하는 커다란 사회적 문제 가운데서 하나의 작은 부분은 해결할 수가 있는 것이다."[104]

아니무스와 아니마

개별화 과정의 두 번째 단계는 '영혼 — 심상soul-image'과 만나는 것이다. 융은 남성의 '영혼 — 심상'을 아니마라고 부르고, 여성의 '영혼 — 심상'을 아니무스라고 부른다. '영혼 — 심상'의 원형적인 모습은 항상 심리를 보충하는 부분이나, 반대되는 성의 심리를 나타내는 부분이다. 이것은 우리들이 각기 개인이고 동시에 종족의 구성원으로서 우리 내면 세계에 가지고 있는 각기 다른 성적인 심상을 나타낸다.

독일의 격언 중에 '모든 사람은 자기 안에 자기 자신의 이브를 가지고 있다' 라는 말이 있다. 심리 속에 잠재되어 있는 부분이나 아직 나뉘어지지 못한 무의식의 내용은 항상 상대적인 대상에 반영되고 있다. 이것은 여자에게 있어서의 아담과 같이, 남자에게 있어서는 이브에 해당되는 대상에 적용된다. 우리들이 다른 사람을 통해 자신의 그림자를 경험하듯이, 자신과 반대되는 성적인 구성 요소도 다른 사람을 통해 경험한다. 우리들은 자신의 심리 성질을 나타내는 어떤 사람을 선택해서 자신을 그 사람에게 연결시킨다.

그림자와 모든 무의식의 내용을 다루는 방법과 마찬가지로, 여기에서도 내면적인 표현과 외면적인 표현을 구별해야만 한다. 꿈속에 있는 아니무스와 아니마의 내면적인 모습, 환상과 앞날에의 전망, 그리고 기타 여러 가지 무의식의 표현을 알아보아야 하는데, 이때 이것들은 우리들 자신의 심리 가운데 반대되는 성의 성질을 나타낸다. 즉, 우리들 자신의 심리 가운데 일부 혹은 전부를 같은 환경에 있는 어떤 사람에게 비춰보아서, 그 사람이 바로 내면적인 자아라는 것을 인식하지 못한다면, 그때는 외부적인 모습을 다루어야 한다.

'영혼 — 심상'은 튼튼히 짜여진 기능적인 콤플렉스이다. 그래서 이 '영혼 — 심상'으로부터 자신을 떼어 볼 수 없으면, 여성적인 충동과 감정에 따르거나 고집이 세고 논쟁적이며, 본능적이 아닌 남성적인 경향으로 반응을 보인다. 그렇지 않으면 보다 많은 것을 알고 합리적으로 생각하는 아니무스에 신이 들린 여자와 같은 현상을 자기 성격에 초래하게 된다.[105]

'때때로 우리들이 원한 것도 아니고, 허락한 것도 아닌 어떤 다른 의지가 우리 안에서 나타난다. 이 의지가 행하는 것이 반드시 나쁜 것은 아니고, 그것은 오히려 좋은 것을 원하는 것일 수도 있다. 그래서 우리들은 그것을 높은 질서를 갖고 우리를 지도하거나 격려해 주는 존재, 즉 소크라테스 적인 악마와도 같은 수호정신이라고 느낀다.'[106] 이런 경우에 우리는 낯선 사람이 한 개인을 '점령하고' 있다고 느끼거나, 혹은 '아주 다른 정신이 그에게 들어가 있다'라는 인상을 갖게 된다.

우리들은 어떤 유형의 여자를 맹목적으로 따르는 사람을 본다. 예를 들면 상당히 수양을 쌓은 지성인일지라도, 그의 심리 속에서 여성적이고 감정적인 면이 나뉘어지지 않고 있어서 가장 나쁜 매춘부와 휩쓸려 신세를 망치게 되는 것을 본다. 그리고 뚜렷한 이유 없이 사기꾼이나 협잡꾼에게 사로잡히는 여성도 마찬가지이다. 우리의 영혼의 심상, 즉 꿈속의 아니마 혹은 아니무스의 성격은 우리 내면의 심리 상황을 자연스럽게 표시하는 것이다. 그러므로 자기를 알고자 하는 사람은 이것에 대해 가장 큰 관심을 쏟게 된다.

'영혼 — 심상'이 나타나는 모습은 지극히 다양하다. 그런데 이 모습은 뚜렷한 것이 아니라, 복잡하고 모호하다. 이 안에 속한 여러 가지 특징은 여성적 혹은 남성적인 성격이나, 모든 종류의 모순을 구체적으로 드러낸다. 이를테면 아니마는 아름다운 젊은 처녀, 여신, 천사, 악마, 거지 여자, 창녀, 헌신적인 친구, 사나운 여자 등등의 모습을 띤다. 아주 전형적인 아니마의 모습은 파르시팔 전설에 나오는 쿤드라이나 페르세우스 신화 속의 안드로메다이다. 또한 문학 작품 속에서도 보여지는데, 트로이의 헬렌이나 《신곡》의 베아트리체, 그리고 《돈 키호테》의 둘시네아 등이 그 전형적인 모습이다.

아니무스도 매우 여러 가지 모습을 지니고 있다. 전형적인 모습으로는 디오니소스, 피리 부는 사나이, 네덜란드의 배 등이고, 조금 낮고 원시적인 모습으로는 유명한 배우라든가 권투 선수, 혹은 탁월한 정치적·군사적 지도자 등으로 나타난다. 그러나 만일 아니무스와 아니마가 각기 인간적인 수준에 미치지 못하고 순수한 본능적인 모습으로 나타난다면, 그것들은 동물 등으로 상징되기도 하고, 남성적 혹은 여성적 인물과 견줄 수 있는 물체로 나타날 수도 있다. 이렇게 해서 아니마는 소·고양이·호랑이·뱀·동굴 등의 모습이 되고, 아니무스는 독수리·황소·사자·창·탑·혹은 남성의 성기와 같은 모습으로 나타날 수 있다.

〈그림 4〉는 집단 의식에서 솟아오르는 산을 나타낸다. 이것은 새롭게 이룩한 보다 높고 튼튼한 의식적인 상황, 즉 '신세계'의 탄생을 상징한다. 우리들은 많은 우주론이나 신화적인 심상, 그리고 종교적인 관념들을 통해 이와 비교되는 것을 발견하게 된다. 태양은 산의 정상에 있는 의식적인 상징물이다. 그것은 전체 속에서 유기적으로 파묻혀 있다. 태양은 대담하게 높이 나는 독수리의 아니무스, 즉 야망에 차 있고 여성적인 지성을 갖춘 상징을 보충해 줄 수 있다. 이 독수리는 고통을 겪으며 피를 흘리고 있다. 지구와 물은 피로 가득 차 있다. 거기에서 생명의 푸른 순이 돋아난다.

융은 다음과 같이 말한다. "영혼 ─ 심상을 맨 처음 가지고 있는 사람은 언제나 어머니다. 그리고 뒤에는 긍정적이든 부정적이든 남자의 환상을 불러일으켰던 여러 여자들에 의해서 태어난다." 어머니로부터 떨어져 나오는 것은 남성의 성격 발전에 있어서 가장 중요하고 미묘한 문제이다. 성년 입문, 재생 의식 등 원시인들의 여러 가지 의식의 모습에서 이러한 과정을 알 수 있다. 입문하는 사람은 어머니의 감독에서 벗어나기 위한 지도를 받는다. 지도를 받은 후, 그는 무리들 안에서 성인으로 인정받는다.

그러나 원시인이 아닌 유럽인이라면, 그들은 자신들의 심리 가운데서 반대되는 성의 부분을 의식으로 끌어올리고, 그 부분을 이루고 있는 요소들을 알아야만 한다. 만일 '영혼 — 심상'의 모습, 즉 우리 심리 속의 반대되는 두 가지 성적 요소가 서구인들에게 위태롭고 파괴적으로 작용한다면, 가부장제가 지배하는 문화는 당연히 비난을 받아야 한다. 왜냐하면 '가부장제 아래에서 여성들은 최근까지 남성적이 되는 것을 꺼려 왔고, 남성들도 가능한 한 여성적인 특질을 억눌러 왔다. 여성적인 특질이나 경향을 의식적으로 억압했기 때문에, 무의식 안에는 반성적反性的인 것에의 요구가 쌓이게 되고, 자연히 여성의 '영혼 — 심상'은 이러한 요구를 받아들이는 그릇이 된다. 그러므로 사랑의 선택에 있어서, 남자는 자기 무의식에 쌓여진 여성의 성격과 꼭 맞는 여자를 얻고자 하는 유혹을 받는다. 이러한 선택은 완전한 이상으로 여겨지기도 하지만, 결과적으로 볼 때, 그 남자는 자기의 가장 약한 부분과 합쳐지게 되는 것이다. 여자의 경우도 마찬가지이다.'[107]

특히 가부장제 속에서 교육받아 온 서구 문화로 인해, 여자들까지도 남성적인 것이 여성적인 것보다 가치 있다고 생각하게 되었다. 이같은 태도는 더욱 아니무스의 힘을 확대하는 결과를 낳았다. 가족 계획, 그리고 현대 각종 기술 및 기구의 발달로 인해 가정의 임무는 감소되고, 현대 여성의 지적인 성숙 또한 그것을 부채질한다. 그러나 남자가 천성적으로 에로스의 영역을 두려워하듯, 여자는 항상 로고스의 영역을 불안해 한다. 여자들이 아니무스에 관해서 이겨내야 하는 것은 자만심이 아니라 게으름과 자신의 부족함 때문이다.[108]

아니무스와 아니마는 두 가지 상대적인 기본 형태를 갖는다. 즉, 밝고 어둡다거나, 위 또는 아래, 양성적 혹은 음성적인 형태이다. 의식과 무의식을 매개하는 아니무스에서는 로고스의 영역과 같이 지식과 이해를 강조한다. 그것은 심상보다는 의미를 전달한다.[109] 예를 들어 괴테의 《파우스트》 속에서, 로고스의 원칙을 결정 짓는 사위일체四位一體를 의식적인 요소로 전제하고 있다. '심상은 아니무스를 닮은 실제 인간에게로 옮겨지거나, 꿈 혹은 환상 속에서 하나의 모습으로 나타난다.' 궁극적으로 그것은 살아 있는 심리적 현실을 나타내고 있고, 그렇기 때문에 모든 행동에 어떤 빛깔을 부여한다. 왜냐하면 모든 무의식은 언제나 이성에 의해 채색되기 때문이다. 결국 '초개인적인 아니무스는 영혼의 방황이나 변형을 이끄는 과장 심리로 작용한다.

확실히 아니무스나 아니마와 같은 원형은 개인의 구체적인 현실과 완전히 일치할 수는 없다. 그러므로 어떤 사람이 개인적이면 개인적일수록 그는 자신에게 비추어진 심상에 더욱 대응할 수가 없다. 개인은 원형과는 반대되는 것이기 때문이다. 개인은 어떻게 보아도 전형적일 수가 없다. 개인은 전형적인 각각의 독특한 성질들을 혼합한 하나의 개체이다.'[110] 집단에서 개인으로 옮겨감에 따라, 불균형은 처음엔 모호한 상태였지만 차츰 뚜렷하게 나타난다. 그림자가 참된 자기의 모습을 나타냄에 따라, 갈등과 실망은 어쩔 수 없이 생기게 되는 것이다.

'영혼 — 심상'은 또한 개인의 '페르소나'와 직접적인 관계가 있다. '만일 페르소나가 지적인 성격을 갖고 있다면, 영혼 — 심상은 확실히 감상적이다.'[111] 왜냐하면 페르소나가 남자의 습관적이며 외향적인 태도에 대응하는 반면, 원형적 심상은 습관적으로 내면적인 태도에 대응하기 때문이다. 페르소나는 자아와 외부 세계를 조정하는 것이고, '영혼 — 심상'은 자아와 내면 세계와의 관계이다.

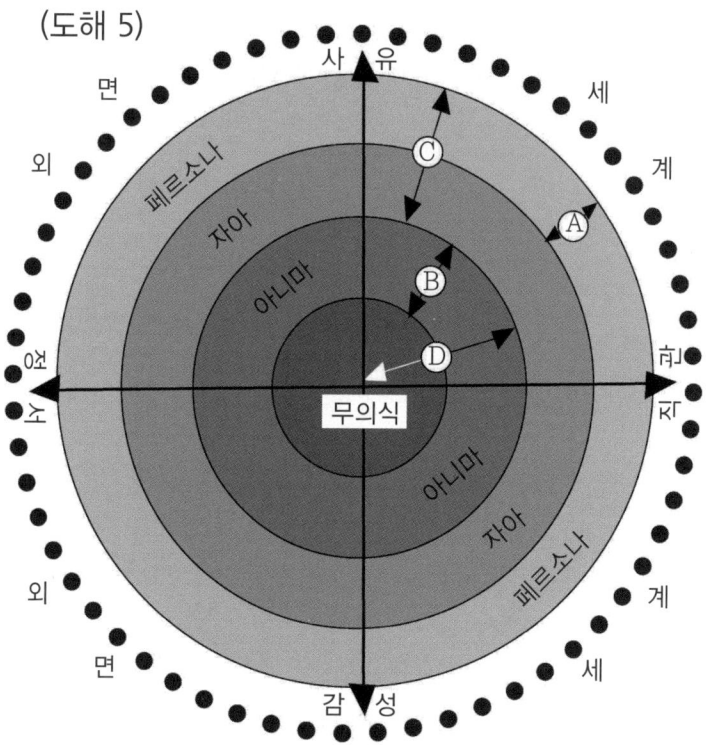

(도해 5)

〈도해 5〉는 지금까지 말한 것을 좀더 확실하게 보여준다. A는 자아와 외부 세계 사이를 조정하는 페르소나를 나타낸다. B는 자아와 무의식의 내부 세계를 조정하는 원형 심상이다. C는 자아와 페르소나인데, 이것은 표준적·외부적으로 볼 수 있는 심리적 배열을 나타낸다. D는 유전적인 요소, 즉 우리들이 눈으로 볼 수 없는, 잠재되어 있고 무의식적인 성격을 나타낸다. 페르소나와 '영혼 — 심상'은 서로를 보완하는 관계에 있다. '영혼 — 심상'이 낡게 되고 나뉘지 못해 강력해질수록 얼굴로서의 인격은 더욱 확고하게 개인을 자연 상태, 즉 본능으로부터 멀어지게 한다. 자신을 이 두 가지 중에서 어느 것으로부터도 해방시키기는 아주 어렵다. 그럼에도 불구하고 개인이 자신을 인격과 영혼으로 구분할 수 없게 될 때, 이 일은 절실히 필요해지는 것이다.

무의식적인 심리의 서로 다른 면과 특성이 아직 나뉘어지지 않고 의식과 합쳐져 있는 한 남자에게 있어서 전체 무의식을 지배하는 것은 여성적인 것이고, 여성에게는 그 반대가 된다. 즉, 전체적으로 무의식은 여성적이거나 남성적인 성격으로 채색돼 있다. 따라서 융은 무의식의 이러한 특성을 강조하기 위해 무의식을 단순히 아니무스 혹은 아니마라고 부른다. 다시 말하면 하나의 주된 기능이 분화된 상태에서 다른 세 가지 기능이 미분화된 상태라면, 아니마는 자연히 이 세 가지 기능을 합한 것을 나타낸다. 그러나 분석을 해가면서 두 가지 부수적인 기능이 발달될 때는, 아니마는 가장 어두운 네 번째의 기능이 '구체적으로 나타난' 것이라 할 수 있다.

만일 그림자가 무의식 속에서 아직 분화되고 있지 않으면, 이것은 종종 아니마에 의해 합쳐져 버린다. 이 과정은 어떤 사람이 많은 여자들에게 둘러싸여 있는 꿈을 꿀 때 잘 나타난다. 그리고 이러한 꿈 속에서 아니마의 형상은 더 자주 이어져 나타난다. 사람이 인격과 일치해 갈수록 아니마는 더욱 짙은 '어둠' 속에 남는다. 그것은 투영되어 '인격이 아니마의 뜻대로 움직이게 만든다.' 왜냐하면 '페르소나가 외부의 저항 없이 그를 사로잡을 때, 무의식도 내부에서 저항을 받지 않는다.'[112] 아니마에 사로잡혀 있는 남자와 마찬가지로, 아니무스에 사로잡혀 있는 여자의 일상적인 여성 페르소나는 그녀가 아니무스에 저항하지 못하듯이 페르소나를 상실하게 하여 허약하게 만들 위험성이 있다. '이 두 가지 모습 가운데 가장 전형적인 것의 하나가 오랫

동안 알려져 온 증오심이다.'[113]

아니무스는 보통 한 개의 형상으로는 잘 나타나지 않는다. 무의식적인 태도가 우리의 의식적인 태도를 보상한다는 것은 잘 알려진 사실이다. 남자는 일부다처주의적인 경향을 지니고 있기 때문에, 그의 '영혼 — 심상'은 주로 여러 가지 서로 모순되는 여성적인 형태를 결합해서 하나의 상징으로 만든다. 이것이야말로 아니마의 매력 있는 성격이다. 반대로 여자는 실제 생활 속에서 일부일처제의 경향을 띠고 있으므로, '영혼 — 심상'에서도 같은 성질을 나타낸다. 그래서 여자에게는 여러 가지 모습으로 의인화된 남성적인 경향이 보충되어진다. 아니무스가 보통 한 가지가 아닌 여러 가지로 나타나는 것은 이러한 이유에서이다. 이것은 마치 '논쟁할 여지도 없고 이성적이며, 권위를 가지고 판단을 내리는 아버지나 혹은 높은 관리들의 집단과 같다.'[114] 이러한 집단의 모습이 종종 비판 없이 받아들여져, 그것이 편견의 모습으로 나타난다. 그리고 이것은 주로 감정의 기능을 통하여 일어나며, 분화되지 못한 사람일수록 사고의 기능이 자주 나타난다. 그 결과, 여성들에게 있어서는 특히 여성 해방이라는 결과를 낳은 것이다.

'영혼 — 심상'은 아직 분명해지지 않은 기능과 함께 무의식 속에 남아 있으므로, 그 주요 기능과 그렇지 않은 기능이 상징의 형상 속에서 함께 나타난다. 따라서 추상적인 과학자의 아니마는 원시적이고 감상적이며 낭만적으로 나타나고, 반대로 직관적이고 민감한 예술가의 아니마는 세속적이고 관능적인 것으로 나타난다. 그래서 여성적이고 감성적인 사람이 보통 여권주의자라든가, 학식 많은 여장부의 심상을 지니고 있는 것도 우연이 아니다. 그리고 그런 여성의 심상 속에는 군인·기수·축구 선수·운전사·항공 조종사가 나타나기도 하고, 위험한 돈 주앙이나 수염 난 교수, 건장한 축구 선수의 형태로 나타나기도 하는 것이다. 그러나 아니마는 무의식의 어둠 속에서 유혹을 노리는 위험한 본능인 '뱀'의 모습을 지니는 동시에, 남자의 현명한 안내자, 즉 그를 높은 위치로 인도하는 무의식의 이면을 가지고 있다.

한편, 아니무스는 논리적이지 못한 고집과 함께, 생산적이고 창조적인 존재를 상징한다. 그러므로 모든 것을 고루 갖춘 사람도 그 자신 속에 있는 여자의 기질, 즉 그를 격려하는 여신인 아니무스에 의해 그의 작품을 만들어 낼 수 있다. 마치 '여자의 내면에 있는 남성적인 측면은 남성 가운데 있는 여성적인 면을 풍부하게 하는 힘을 가진'[115] 것과 같다. 그러므로 두 개의 성은 '육체적인 어린이'를 낳기 위한 생물학적인 교류와 영혼의 심층에 흐르는 심상 속에서 신비로운 생명을 잉태하고, 행복한 상호작용을 한다. 어떤 여자이든지, 이러한 사실을 인식하고 자신의 무의식을 처리할 수 있게 된다면, 그녀는 스스로를 조종하여 이상적인 여자로 만들 수도 있고, 못된 여자로 만들 수도 있다.

나이를 먹어 감에 따라 남자는 좀더 여성적이 되고, 여자는 좀더 호전적이 되는데, 이 사실은 내면 세계에서만 움직이던 심리의 일부분이 외부 세계로 돌려지는 것을 뜻한다. 왜냐하면 이런 사람들은 적절한 시기에 심리의 성격들을 일치시키지 않았기 때문이다. 다시 말해서 심리의 참된 성격에 대해 잘 모르는 상태에서, 반대되는 성적 기질의 부분을 제멋대로 하도록 내버려두었기 때문인 것이다. 우리는 내면에서 심리의 참된 성격을 알게 되고, 심리 안에서 무의식적인 부분을 나타내는 동료를 선택한다. 그렇게 되면 스스로의 잘못을 그 동료의 탓으로 돌리지는 않을 것이다. 즉, 자신의 무의식을 인정하면 투영은 없어지게 되는 것이다.

우리는 투영에 의해 묶여 있던 정신의 힘을 우리 자신의 이익을 위해 사용할 수가 있지만, 이때 투영을 없앤다는 것은 자아 도취와는 구분되어야 한다. 투영과 자아 도취 모두가 '자기 자신을 아는 것'이지만, 지각과 자아 도취는 아주 다른 성질의 것이다. 우리가 자신 속에 있는 반대되는 성의 요소를 알아내어 그것을 의식으로 끌어올렸다면, 그것은 자기 자신과 감성을 모두 손에 쥐고 있다는 뜻이다.

이것은 실제로는 독립을 뜻하고, 다른 사람들로부터 떨어짐을 뜻한다. 즉, 그들은 사랑이나 동료애로 받쳐줄 수도 없고, 이성에 의해서도 움직이지 않는 '내면적으로 자유로운 사람들'이다. 왜냐하면 그들은 자기 심리의 근본적인 성격을 알게 되었고, 자아를 잃어버리지 않으려 하므로, 더이상 '사랑에 빠지지'않는다. 그럼에도 불구하고 그들은 다른 의미에서 보다 깊은 사랑을 받아들일 수가 있다. 그들은 자기를 세계로부터 소외시키는 것이 아니라, 세상과 일정한 거리를 유지하는 것이다. 그들은 자신 속에 튼튼히 뿌리를 내리고 있어서, 동료들을 보살펴 주는 것이 가능하다. 물론 이 단계까지 이르려면 보통 반평생은 걸릴 것이다. 또 어느 누구도 갈등 없이는 도달할 수 없는 것이기도 하다.

그러므로 '영혼 — 심상'과의 만남은 젊은이보다는 경험이 풍부한 어른들의 문제이고, 그래서 나이가 지긋해질수록 이 문제를 해결하기 위해 노력할 필요가 있다. 인생의 초반기에는, 이성과의 만남이라는 것은 주로 '아기'를 낳기 위한 육체적인 결합이 목표로 된다. 그러나 인생 후반기에서는 심리적인 자각, 즉 인간의 내면 세계와 외부 세계에 있는 심상의 움직임을 통한 남녀의 결합이 이루어진다. 이러한 '영혼 ─ 심상'과의 만남은, 인간이 외부 세계에 적응하기 위한 외향적인 의식에 대한 교육이 끝났다는 것을 의미하고, 그리하여 인생의 후반기가 시작된다는 것을 알리는 신호와도 같은 것이다.[116]

괴테의 《파우스트》 속에서 우리는 좋은 예를 찾을 수 있다. 제1부에서 그레첸은 파우스트의 아니무스를 나타내 주고 있다. 그러나 그들의 비극적인 관계를 통해 파우스트는 자기의 내면 세계를 객관적으로 보게 되면서, 자신 속에서 자아의 심리를 찾게 된다. 그리고 그는 이것을 또 다른 세계, 즉 트로이의 헬렌으로 상징되는 그의 무의식의 지하 세계에서 찾는다. 《파우스트》의 제2부는 개별화의 과정을 전형적으로 나타내 준다. 헬렌은 전형적인 아니마의 표현이고, 파우스트는 영혼 ─ 심상 자체이다.

파우스트는 상이한 여러 변형체로서, 다른 모습을 가지고 있다가 그것의 가장 높은 표현인 어머니그로리사가 되기 위해 영혼 ─ 심상과 싸운다. 그리고 싸움을 통해서만이 구원을 받게 되고, 반대되는 모든 것을 초월한 영원한 세계로 들어갈 수가 있게 된다. 그림자에 대한 의식적인 인식을 통해, 우리는 자신의 어두운 면에 대해 이해할 수가 있다. 마찬가지로 '영혼 ─ 심상'에 대한 인식은 남성적 혹은 여성적인 심리의 측면을 알 수 있게 하는 것이다. 심상이 의식되면 그것은 무의식으로부터 움직이려고 하지 않게 되고, 우리는 심리의 남성적인 부분과 여성적인 부분을 나누어서 의식적인 태도와 통합시킬 수가 있다. 그리하여 우리의 의식의 내용이 보다 풍부해지고, 퍼스낼리티가 크게 확대되는 것이다.

정신 및 물질의 원형

지금까지 이야기한 것을 좀더 발전시켜 보자. 영혼 — 심상과 만나는 모든 어려움이 해결되어지면, 그때는 새로운 여러 가지 원형적인 모습이 나타난다. 그래서 우리는 원형적인 모습과 친해져야 하고, 한번 더 이 문제를 확인해야 한다. 알고보면 이러한 전체적인 과정은 보이지 않는 어떤 목적을 가지고 있다. 비록 그것은 순수하게 자연적인 목적이지만, 무의식이 '잠재적으로 어떤 방향'을 가지고 움직이고 있다는 것쯤은 알 수가 있다.

여기에 보이지 않는 내면의 고유한 질서가 있다. 즉, 어떤 목표를 향해서 움직여 가는 운동이 있는 것이다. 그리하여 '의식적인 마음이 이 과정에 참가하고 경험하거나, 혹은 직관적으로 이해해 나갈 때, 심상은 그 기반 위에서 보다 더 높이 출발한다. 그리고 언제나 한 단계 높아지는 심상의 단계에 따라 목적이 전개된다.'[117] 이러한 과정은 단순히 상징만 계속 나타나는 과정이 아니라, 문제가 느껴지고 해결될 때마다 다시 시작되는 운동의 과정인 것이다.

그러므로 영혼 — 심상과 만나고 난 후의 단계는 늙은 현인그림 5의 원형이 나타난 단계, 즉 정신의 이치가 인간의 모습을 띠고 나타난 단계라고 말할 수 있는데 이 과정의 발전이 결코 우연한 일은 아니다. 여성들의 개별화 과정에서, 그 상대 역할을 하는 것은 위대한 어머니그림 9인데, 그것은 '차갑고 비개인적인 자연에 대한 진리를 나타내는 위대한 대지의 어머니'이다. 지금은 개체마다 고유하게 갖고 있는 신비로운 뒷면을 알아보아야 할 단계이다. 이 고유한 뒷면이란 것은, 말하자면 특별히 남성적이거나 여성적인 것인데, 예를 들면 남성 속에 있는 '정신'의 원리와 여성 속에 있는 '물질'의 원리와 같은 것들이다.

여기에서는 영혼 — 심상을 다룰 때처럼 심리의 양면을 찾아내는 것이 아니라, 양성의 심리가 만들어진 가장 근본적인 원형 심상 속에서 심리의 본질을 찾아야 한다. 다소 무리하게 말하자면 남성은 물질화된 정신이고, 여성은 물질이 정신 속에 가라앉은 모습이다. 그러므로 남성의 본질적인 요소는 정신이고, 여성에게는 물질인 것이다. 이 단계에서 우리는 가능한 한 많이 잠재되어 있는 모습들을 의식 위로 끌어올리려하기 마련이다. 다시 말하면 가장 거칠고 원형적인 심상을 가장 높고 다양하며 완전한 상징으로 보이려고 노력하는 것이다. 늙은 현인과 위대한 어머니의 형상은 셀 수 없이 다양하게 나타날 수 있다.

우리는 종종 원시인들의 관념이나 신화를 통해 이들 원형적인 형상이 갖는 여러 측면을 볼 수가 있다. 그들은 마술사·예언자·마법사, 죽은 사람을 안내하는 사람, 풍요의 여신, 무당, 여사제, 모교회, 지혜의 여신 등으로 나타나진다. 이런 모습은 아주 강력하게 끄는 힘이 있기 때문에 이들을 의식 속에서 구별 짓고 망상에 빠지지 않도록 해야만 과대망상증에 걸리지 않는다. 예를 들어 니체와 같은 사람은 이런 원형의 모습을 의식화시키지 못하고, 이들의 유혹에 빠져 자신과 '짜라투스트라'를 거기에 일치시켜 버렸다.

융은 이러한 무의식적인 원형을 '마나퍼스낼리티mana-por-sonality, 즉 지배적 인격'이라고 불렀다. '마나'는 '특별한 힘'을 뜻한다. 이 특별한 힘이란 다른 사람을 지배하는 힘을 말한다. 이것은 오만하고 허영에 들뜰 위험성을 지니고 있다. '지배적인 인격'의 내용을 의식 속에서 실현하기 위해서는 '남자는 아버지로부터, 여자는 어머니로부터의 제2의 해방을 뜻한다. 그리고 이 해방을 통해서, 처음으로 남성, 혹은 여성이라는 개성을 느끼게 되는 것이다.'[118] 여기까지 와서야 비로소 개인은 '신의 정신적인 어린이'로서 인생을 시작할 수 있는 것이다. 그런데 이것은 확대된 의식을 죽이지 않거나, 아니면 '역설적으로 말해서 의식에서 무의식으로 되돌아가는 팽창 과정에 복종치 않을 때에만 가능하다.'[119]

그러나 그가 지금까지 살펴본 것들에 의하면 이 정도의 오만함은 별로 놀랄 것이 못 된다. 누구나 의식적으로 개별화를 진행시키는 과정에서, 이 같은 오만함에 휩쓸릴 수 있다. 그러나 이 과정을 살펴보는 통찰력에 의해서 부끄러움을 느끼고, 그 안에서 다시 자신과 이들 힘을 구별할 수 있게 된다면, 힘은 자신을 위해 사용할 수 있게 된다.

자기

우리는 이제 목표에 가까워졌다. 우리 자신 속의 어두운 면은 의식이 되었고, 양분된 성적인 요소도 분화되었으며, 정신과 원형적 성격과 우리들의 관계도 밝혀졌다. 근본적으로 심층 심리는 두 개의 얼굴로 이루어졌음을 알게 되었기 때문에 이전의 정신적인 오만함도 없어졌다. 우리들은 무의식 세계로 깊숙이 파고들어가서 많은 무의식의 내용들을 밝혀냈다. 뿐만 아니라 무의식의 원형적인 세계에서 자기 자신을 교육시키는 것도 배웠다. 개인적인 유일한 것으로서의 의식은 집단적이고 보편적인 심리적 요소로서의 무의식과 비교해 보았다. 물론 무의식의 내용이 의식으로 되고, 인격이 없어지거나 의식의 지배력이 떨어지는 것은 심리를 불안한 상태로 만들 위험성이 있다.

그렇지만 인격을 더욱더 발전시키기 위해서는 방해되는 요소를 없애야만 하고, 따라서 이러한 심리적 불균형을 인위적으로 이끌어 낸 것이다. 그러나 만약 의식이 무의식의 내용을 자기와 같게 만들거나 발달시킨다면, 무의식의 도움으로 불균형은 균형을 되찾게 된다. '왜냐하면 집단 무의식을 이겨야만 참된 가치가 생겨나고, 모든 숨겨진 것들과 무기, 부적, 신화 등 필요한 것들을 가치에 덧붙일 수가 있기 때문이다.'[120] 의식과 무의식의 중간에 있으면서, 양극을 의식과 무의식이라는 두 개의 심리 조직으로 합치게 하는 것이 바로 원형적 심상으로서의 자기이다. 그리고 이것은 융이 말한 자기 인식이라는, 개별화의 마지막 과정이다. 모든 사람은 내면적인 현실과 외부적인 현실이라는 두 가지 영역 사이의 관계를 통하여 문제를 해결한다. 그러므로 이러한 중간 지점을 찾아내고 모두를 종합했을 때에만 인간은 원만하게 될 수 있다. 윤리적으로 보나 인식론의 입장에서 보나 자기 인식은 어려운 일이다. 그러므로 특별히 행운이 있는 몇 사람이나 신의 은총을 받은 사람들에 의해서만 성공할 수가 있다.

자기를 알게 된다는 것은 의식적인 퍼스낼리티를 위하여 자기 심리 속에서 중심을 옮긴다는 것과 같다. 그래서 결과적으로는 인생에 대해 완전히 다른 태도와 입장을 갖게 되는, 즉 완벽한 '변형'이 된다. "생명의 양과 질이 다르게 변하려면 '돌아가는' 것이 필요하다. 예를 들어 창조적인 변화가 일어나는 곳인 중심에 절대적인 집중이 반드시 필요하다"고 융은 말한다.

이 과정 속에서 인간은 여러 차례 동물적인 충동을 드러낸다. 이때 우리는 자기 자신을 동물적인 충동에 내맡겨서도 안 되고 피해서도 안 된다. 그러나 다음 과정에서는 조금 달라진다. 즉, 무의식을 의식

으로 만들고, 그것을 통해서 무의식의 현실을 알게 하면 무의식이 지
닌 위험은 사라지게 되는 것이다. 그렇지 않고 무의식으로부터 달아
나 버리면 무의식이 진행하는 목표가 환상이 되고 만다. 따라서 우리
들은 자신의 무의식을 지켜야만 한다.

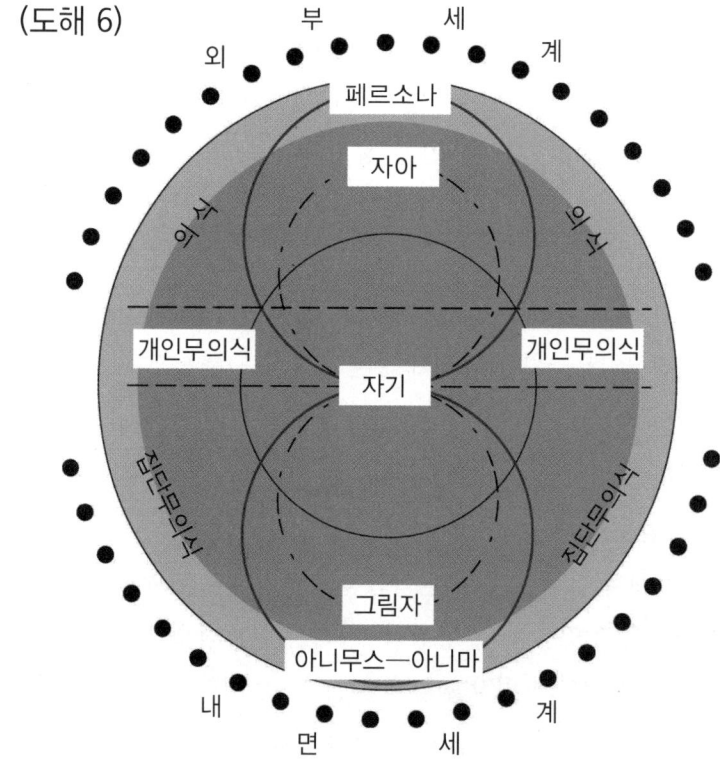

(도해 6)

우선은 자기를 세세하게 지켜보는 것에서 시작해서, 가능한 한 풍
부하게 이해하면서 무의식과 의식을 합쳐야 하는 것이다. 이것은 때
때로 의식과 무의식 사이를 혼란스럽게 하여 견디기 어려운 긴장을
느끼게 한다. 그때 무의식의 과정은 가장 깊은 내면의 영혼 안에서만

경험할 수 있고, 눈에 보이는 외부에서는 전혀 만날 수가 없다.[121] 그러므로 융은 환자의 내면이 흔들리게 되더라도 끝까지 참고 견디어 내야만 보다 빨리 정상적인 생활을 찾을 수 있고, 새로운 정신의 질서를 세울 수 있다고 권고했다.

심리가 발달하는 것이 결국은 아무런 고통도 없는 상태로 되는 것이라고 생각하는 입장은 모순된 논리이다. 고통과 갈등은 삶의 한 부분이다. 이것은 결코 '병'이 아니며, 인간의 자연스러운 일부이다. 약점, 비겁함, 그리고 이해 부족으로 생기는 갈등과 고통을 피하려고만 한다면, 그는 정신병과 콤플렉스에 빠지게 된다. 그러므로 우리들은 억압과 강압을 정확하게 구별해야만 한다. 강압은 의식적이고 도의적인 선택이지만, 억압은 좋지 않은 감정을 없애려는 비도덕적인 '경향'이다.

강압은 걱정과 갈등을 불러일으키기는 하지만, 보통 신경증의 원인까지는 되지 않는다.[122] 신경증은 정당하게 느껴지는 고통에서가 아니라, 근본적으로 인생이 뜻없고 허무하다고 느끼는, 참되지 못한 고통에서 일어난다. 이와 다르게 참된 어떤 것에서 오는 고통은 항상 미래의 완성과 부를 가져온다.

그러나 우리들이 자기 인식과 그에 해당하는 행위를 통해서 자기에 대한 인식을 많이 할수록, 집단 무의식 위에 깔려 있는 개인 무의식은 더욱더 줄어든다. 그렇게 함으로써 지나치게 개인적이고 좁으며, 지나치게 민감한 자아의 세계에 갇히지 않고 보다 넓은 객관적인 세계에 참여할 수 있는 어떤 의식을 만들어 낸다. 그리고 이렇게 해서 생긴 의식은 개인적이고 자기 위주인 여러 경향을 띠는 것이 아니라, 개인을 전체 세계와 묶어 주는 역할을 한다.[123] '이러한 인격의 다시 살아남은 외부적인 기준으로는 판가름할 수 없는 주관적인 상태이다. 이것은 그 경험을 한 사람만이 그 본질을 이해하고 증명할 수 있는 것이기 때문에, 그것을 묘사를 한다거나 설명을 한다거나 하는 것은 아무 쓸모가 없다.'[124]

마치 우리가 절대적인 '행복'을 이야기하려 할 때처럼 이것에 대해 객관적인 표준을 정하는 것은 불가능한 일이다. 왜냐하면 이러한 심리학에 있어서 모든 것은 심층적인 경험이기 때문이다. 즉, 이론은 지극히 추상적으로 들리지만, 그것은 직접적인 경험으로부터 얻어진 결과인 것이다.[125]

자기는 의식적인 자아를 넘어서, 심리 가운데서도 의식적인 부분과 무의식적인 부분을 모두 포함한다. 말하자면 현재 우리가 갖고 있는 퍼스낼리티이다.[126] 무의식적인 여러 과정은 의식을 보상하는 관계에 있다. 그러나 그들의 관계는 반드시 반대적이지만은 않다. 이들은 자기라는 부분을 이루는 데 있어서 서로를 보완한다. 비록 우리가 심리의 각 부분을 상상할 수 있다 할지라도, 자기가 과연 실제로는 어떤 존재인가는 명확히 상상할 수가 없다. 부분만으로는 결코 전체를 충분하게 이해할 수가 없기 때문이다. 〈도해 6〉은 전체 심리를 표시한 것이다.

자기는 의식과 무의식의 중간에서 양면에 모두 포함되어 있다. 동시에 자기는 단순히 의식과 무의식을 포함하는 중심일 뿐만 아니라, 전체 원의 원주이기도 하다. 즉, 자기란 의식적인 마음이고, 동시에 전체 심리의 중심이 된다.[127] 물론 도해로는 복잡한 질서나 위치 혹은 가치 등을 표시해 낼 수 없고, 대체적인 생각들만을 표현할 수 있을 뿐이다. 우리가 하려고 하는 것은 단지 우리들 자신의 경험에 기초하여 적절히 이해할 수 있는 어떤 문맥에 대한 암시를 주는 것이다.

우리들이 자기에 대해 알고 있는 유일한 내용은 자아이다. '개별화된 자아는, 상하 관계로부터 벗어난 주체에 대해 하나의 대상이 되면서, 그 자체를 깨닫고 있다.' 자기의 내용에 대해서 우리는 이 이상 말할 수 없다. 어떤 식으로 노력하든지 간에, 우리들은 아는 것에 한계를 느낀다. 그 이유는, 우리들은 자기를 경험하지 않고는 알아낼 수 없기 때문이다. 우리가 이것의 특징을 나타내려 한다면, 융의 표현을 볼 필요가 있다. "이것은 내면과 외면 사이의 갈등을 보상해 준다…… 그러므로 자기는 우리들 인생의 목표이다. 자기는 우리가 개성이라고 부르는, 대단히 중요한 복합체를 완전하게 드러내는 것이고, 한 개인만이 아닌 집단을 개발하는 것이기 때문이다. 여기서 말한 집단은 개체가 전체에 더해진 상태를 뜻한다."[128] 이 말처럼, 우리는 자기를 어떤 개념으로서 규정하기는 힘들고, 단지 경험으로 이해될 수 있는 어떤 부분에 대해 이야기할 수밖에 없다.

이렇게 우리는 자기, 즉 의식과 무의식의 '중간 지점'에 대해 희미하게 알 수 있을 뿐이다. 그러나 이것은 뚜렷하게 느낄 수 있는 두 가지 세계와 그 세계의 힘들 사이에서 일어나는 긴장의 핵심이다. 이것은 우리들에게 낯선 것이기도 하고, 대단히 가까운 것이기도 하다. 동시에 알 수 없는 신비스런 성격을 가진 중심체이기도 하다. 우리들의 심리 생활은 모두 여기에서부터 유래한다. 그러므로 여기에 이르는 것이 바로 우리가 추구하는 최상의 목표인 것이다.

자기의 영역은 항상 우리가 이해할 수 없는 영역에 속해 있기 때문에, 이러한 역설로밖에 표현할 수가 없다.[129] 그러나 무의식이 의식과 함께 두 개의 결정적인 요소가 되면서, 또 살아가는 과정에서 이러한 의식과 무의식의 요구를 가능한 한 받아들일 때, 전체 퍼스낼리티의 중심은 위치를 옮긴다. 이때 새로운 중심이 바로 자기이다. 이렇게 중심이 옮겨졌을 때는, 자기의 하위 세계는 고통을 받고, 상위의 세계는 고통과 기쁨 모두로부터 멀어지게 된다.[130] 마치 칸트의 '물건 그 자체'[131] 의 개념과도 비교될 수 있는 제한된 개념으로서, 자기에 대한 관념은 이렇게 해서 하나의 초월적인 가정이 된다. '이러한 초월적인 가정은 심리적으로 볼 때는 타당성이 있지만, 과학적으로는 증명할 수 없는 것이다.'[132]

이러한 가정은 경험적인 설명이나 과정들의 연결을 위해 사용되는데 그 까닭은, 자기는 심리의 근본적이고 깊이를 잴 수 없는 부분이기 때문이다. 그러나 자기에 도달하는 것을 하나의 목표로 생각한다면 이것은 역시 윤리적이고 반드시 실현되어야 할 목표이다. 그리고 융의 분석 체계가 다른 연구들과 다른 점은, 그것이 우리로 하여금 윤리적인 도전과 결정을 내리게 한다는 데 있다. 그러나 자기는 또 하나의 심리적인 범주에 속하므로 다음과 같이 경험할 수 있다. 심리학적인 언어를 사용하지 않고 말한다면 마치 '불꽃의 중심', 신과 우리가 나누어 갖고 있는 부분, 혹은 마에스터 에크하르트의 '작은 불꽃'이라고 부를 수 있다. '당신의 마음 가운데에 있는 것은, 신의 왕국에 대한 초기 기독교의 이상 세계이다. 그것은 심리적인 경험과 심리에 대한 인간의 지식 가운데 가장 궁극적인 것이다.'

자기 인식

이미 보아 왔듯이 퍼스낼리티를 확대시키는 방법은 이렇게 전체 심리의 내용 및 기능, 그리고 자아에 대한 심리의 내용과 기능의 효과를 점차 늘려나가는 것이다. 이것은 개인에게 '무엇이 되고 싶다'라는 사실이 아닌, 그가 '원래 무엇이었는가'라는 것을 알려준다. 이러한 일이 인간에게는 가장 어려운 일이기도 하다. 이 과정은 특수한 심리학적 지식과 기술, 혹은 심리학적 자세가 없이는 의식할 수 없다.

여기에서 우리는 융이 최초로 집단심리 현상과 경험을 과학적[133]으로 인식하고 설명했다는 사실을 알 수가 있다. 융 자신은 이렇게 말했다. "개별화란 말은······ 연구해 볼 필요가 있는 중심화 과정이라는 지극히 모호한 부분을 나타낸다."[134] 그의 치료 방법은, 현재의 심리적 상황에서 시작하여 심리의 총화를 만들려는 데 목적을 두고, 이에 따라 모든 심리에 잠재되어 있는 부분을 서로 연결시킨다. 그러므로 과거의 여러 가지 원인을 밝혀서 치료를 하려는 소극적인 방법과는 달리, 융의 방법은 보다 투시적인 방법이라고 부를 수 있다.

따라서 그의 방법은, 자기 인식과 자기를 조절하는 방법이며 윤리적인 기능을 활발히 수행하기도 하는 것으로, 결코 정신병이나 신경증 치료에 한정되지 않는다. 그리고 이렇게 자기 인식의 길을 찾게 되는 과정은 확실히 병에서 출발하는 것이지만, 간혹 인생의 의미를 찾고자 하거나, 신과 자신에 대한 잃어버린 신념을 되찾으려는 욕망에서 오기도 한다. 융 자신도 말한 것처럼 "나의 환자 중 3분의 1은 임상학적으로 규정할 수 있는 신경증을 앓고 있는 것이 아니라, 그들은 오히려 그들의 인생이 무의미하다거나 목적이 없다고 생각하는 병을 앓고 있다."[135]

이것은 어떻게 보면, 삶의 근본적인 가치가 모두 흔들리고 전체 인류의 정신적·심리적 방향 감각이 없어져 버린 오늘날에 보편적으로 나타나는 신경증의 형태일 수 있다. 이런 상황 속에서 융이 가정한 개별화의 방법은 무의식의 창조적인 힘을 키우고, 이것을 의식적으로 심리 전체에 융합시킴으로써 현대인의 혼란된 방향 감각을 바로잡아 보려는 노력이라고 보여진다. 즉, 인간 속에 있는 동물적 성격의 함정으로부터의 벗어남을 뜻하는 것이다. 가령 무의식의 내용을 의식으로 끌어올려서 의식을 깊게 하고, 폭넓게 만드는 것은 '계몽'이라 말할 수 있는 어떤 정신적인 행위이다. 그러므로 "대부분의 신화적인 영웅들은 그들이 지니고 있는 태양의 속성으로 특징 지어지고, 보다 훌륭한 인격이 탄생하는 순간을 빛의 순간이라 부른다"[136] 고 융은 말했다.

이것은 기독교의 세례 의식에도 잘 나타난다. 융은 "기독교적인 세례 의식이야말로 인류의 정신 발전에 있어서 가장 중요한 이정표를 나타낸다"고 말했다. 세례는 인류에게 본질적인 정신을 준다. 물론 단순히 마술적으로 보이는 세례 의식 자체 보다는 인간이 우주와 일치한다는 생각으로부터 인간을 초월적인 존재로 바꾸려는 세례 사상에서 비롯된다. 인류가 이처럼 높은 사상에 도달했다는 사실은 가장 깊은 의미에 있어서 단순한 자연인이 아닌, 정신적인 인간의 탄생과 세례를 의미한다.

그러므로 융은 신념과 독단의 상징 속에 잠겨 있는 의식에 아무것도 더하지 않았다. 그리고 그는 교회로 되돌아가는 길을 찾는 모든 사람들을 도왔다. 그는, 자기 인식 과정에서 자기가 하는 일의 의미를 아는 사람은 '참된 그리스도의 상징을 이해하는 탁월한 인간이 된다'[137] 고 믿었던 것이다.

이렇게 해서 자기 인식은 무엇보다도 우리 인생에 의미를 주고, 우리의 성격을 형성해 가는 길이며, 또한 세계관을 수립하는 길이기도 하다. 융이 말한 것처럼 '의식이 세계관을 만든다. 동기와 의도에 대한 모든 의식은 자기 안에 세계관을 품고 있는 것이다. 또한 경험과 지식이 늘어나면 세계관이 점차적으로 발전할 수 있다. 그리고 사고하는 사람은 우주에 대해서 그리는 그림을 가지고 또다시 그 자신의 모습을 바꾸어 간다. 자신의 태양이 아직까지 지구 주위를 돌고 있는 사람과 자신의 지구가 태양의 위성인 사람과는 근본적으로 다르다.'[138]

정신병을 앓고 있거나, 혹은 인생의 의미를 잃어버린 사람은 자기 스스로 아무리 애써도 해결하지 못한 여러 가지 문제에 둘러싸여 있다.

'인생에 있어서 가장 크고 가장 중요한 문제는 근본적으로 모두 해결할 수 없는 것이다. 이러한 문제들은 자동적으로 조절되는 체계에 처음부터 들어 있던 것들로서, 결코 해결될 수는 없고, 다만 초월할 수 있을 뿐이다. 그러나 개인의 작은 문제로부터 벗어나는 것은 의식의 수준을 높게, 또 깊게 한다. 그리고 관심이 넓어짐에 따라 해결할 수 없는 문제로부터 생기는 긴박감을 없앨 수가 있는 것이다. 즉, 이 문제는 그 자체에서 논리적으로 풀릴 수는 없는 것이므로 새롭고 보다 강한 어떤 생명의 방향 앞에서 사라지는 것이다. 이것은 억압받거나 무의식적으로 되지 않고, 어떤 다른 빛을 통해서 그 자체가 다른 것으로 변한다. 보다 낮은 수준에서 고통으로 인해 심한 갈등을 일으키고 있는 감정들은 보다 높은 수준의 퍼스낼리티에서 보면 높은 산꼭대기에서 내려다보이는 계곡에 있는 폭풍우와 같다. 즉, 이것은 천둥 번개가 없어진 것이 아니라, 그것의 실체가 천둥 번개 안에 있다가 그 위로 올라와 있는 것을 의미한다.'[139]

4

상징 이론

통합 상징

서로 반대편에 있는 양극의 결합, 즉 제3의 조건 속에서 한 차원 높게 합성하는 원형적 심상을 소위 '통합 상징'이라 부른다. 이 통합 상징은 보통 이상의 높은 면에서 통합이 되는 부분적인 심리 조직을 나타낸다. 심리의 작용을 구체적으로 나타내는 모든 상징과 형상은 초월적 기능을 갖는다. 즉, 서로 다른 두 개의 심리적인 양극을 초월해서 합성을 만들고, 합성 요소들의 통합을 이끄는 역할을 한다. 통합 요소는 심리가 발달하는 과정에서 내부의 심리가 외부의 현실 세계만큼 현실적이며 효과적이고 진실될 때만 나타난다.[140] 양극을 초월할 수 있는 이러한 상징이 나타나게 되면 자아와 무의식 사이의 균형은 곧 회복이 된다.

한편, 심리적 총화에 대한 원형적 심상을 나타내는 이러한 상징들은 다소 추상적인 모습을 띤다. 이 상징들은 언제나 여러 가지 다른 부분들을 대칭되게 늘어놓으려는 법칙을 지니고 있기 때문이다. 동양에서는 태초부터 이러한 상징적인 모습이 만들어져 왔는데, 가장 뜻깊은 예를 들면, 소위 '마법의 원'이라고 불리는 만다라이다.

물론 자아를 상징하는 것이 늘 '만다라'의 모습으로 나타나는 것은 아니다. 개인 의식의 상황이나 심리가 발달한 정도에 따라, 각각의 모습으로 만들어진 모든 것은 자아의 효과적인 상징이 될 수도 있다. 그러나 심리의 통합에 대한 종합적인 입장을 가장 잘 나타내고, 가장 적절하게 상징하는 것이 바로 이 만다라이다.

만다라의 상징

만다라는 구석기 시대부터 내려온 인류의 가장 오랜 종교적 상징이다. 이 상징은 푸에블로 인디언도 포함한 모든 민족의 모든 문화에서, 심지어는 모래 그림의 형상에서도 보여진다. 만다라 예술 중 특히 완성의 아름다움을 나타내며 인상 깊은 것은 티벳 불교 신자들이 가진 만다라이다.

〈그림 6〉의 만다라는 특히 좋은 예가 된다. 타우트릭 요가에서 만다라 그림은 명상의 도구로 사용된다. 융은 다음과 같이 말했다. "의식에 사용되는 만다라는 대단히 의미가 깊다. 그 만다라의 중심에는 힌두교의 유일한 시바 자신…… 아니면 부처가 포함되어 있기 때문이다."[141] 동양뿐만 아니라 서구의 중세 및 르네상스에서도 수많은 만다라가 보여진다. 그런데 대부분의 '서양의 만다라는 원 중심에 그리스도가 있고, 네 지점에서 네 사람의 복음 전도자나 또는 이들을 나타내는 상징이 중심을 둘러싸고 있다.'

융에 의하면, 여러 가지 서로 다른 문화권에서 나타나는 만다라에 대한 관심은, 개개의 만다라가 갖는 상징의 의미와 서로 맥을 같이하고 있다. 특히 이러한 만다라의 상징적 의미는 독특한 '형이상학적' 성격[142]을 가지고 있다. 융은 14년간의 연구를 통해, 이 상징에 대해 해석을 내렸다. 그리고 오늘날 이들 만다라에 대한 상징은 매우 중요한 경험에 속한다.

만다라 상징의 특징적인 점은 어디에서나 동일한 법칙과 규칙적인 배열을 가지고 있다는 점이다. 가장 근본이 되는 형태는 '전체'를 상징하는 것으로서 원 혹은 정방형이다. 그러므로 모든 만다라에서는 중심에 대한 관계가 강조된다. 대부분의 만다라는 꽃·십자 혹은 바퀴 모양을 보인다. '역사적으로 보여주듯이, 만다라의 상징은 유일하거나 그리 귀한 것은 아니다. 우리가 보기에는 이것은 정기적으로 생겨나는 것들이다.'[143]

〈그림 6〉은 이런 종류의 배열 형태를 나타내고 있다. 가운데 있는 중심의 모습은 여덟 개의 꽃잎을 가진 연꽃에 둘러싸여 있다. 원이 새겨져 있는 곳의 배경은 네 가지 색으로 된 삼각형들로 이루어져 있다. 이 네 가지 색깔은 네 개의 방향을 나타내는 네 개의 문으로 열려 있다. 삼각형은 합쳐져서, 보다 큰 정방형을 구성한다. 그리고 이 정방형은 또 다른 원, 즉 '생명의 강'에 둘러싸여 있다. 또한 큰 원은 수많은 상징의 모습을 포함하고 있는데, 원 아래의 세계는 악마들로 이루어져 있고, 원 위의 세계에는 하늘의 신들이 왕관을 쓰고 앉아 있다.

〈그림 10〉은 18세기 장미 십자회원의 만다라이다. 이것은 여덟 개의 꽃잎이 두 줄로 있는 꽃의 중심에, 구세주 그리스도가 빛의 화환에 둘러싸여 있는 것을 보여준다. 그리고 이것은 십자에 의해 네 부분으로 나뉘어 있다. 십자의 낮은 곳에 있는 기둥은 본능의 불꽃으

로 타고 있고, 위에 있는 신은 하늘의 이슬로 된 눈물로 빛나고 있다. 〈그림 11~16〉은, 융이 환자들의 내면의 경험을 기초로 해서 만든 만 다라이다. 이것은 모형도 없고, 아무런 외부의 영향도 없이 자발적으로 이루어진 것이다. 여기에서 우리는 앞서 심리에서 보아 왔던 것과 비슷한 배열과 동일한 주제를 찾아볼 수 있다. 원, 중심, 네 개의 숫자, 그리고 동기와 색채가 균형 있게 나뉘어진 것도 똑같은 심리 법칙을 나타낸다. 그리고 그 목표는 항상 여러 가지 색깔과 모습을 균형 있는 총체적인 모습 속에서 결합시키려는 것이다.

〈그림 11〉은 자기의 움직이는 면을 상징한 것으로, '네 개의 팔을 가진 태양신'을 나타낸다. 팔과 번갯불은 '남성적' 성격이고, 낫 모양의 달은 '여성적'인 것을 나타낸다. 다섯 개의 정점을 가진 별들이 상징하는 것은, 인간이 아직 불완전해서 자연에 묶여 있다는 것이고, 전체는 '생명의 강'에 둘러싸여 있는 태양을 자기의 상징으로 나타낸다.

〈그림 12〉는 여러 가지 색깔과 여러 겹의 눈들이 돌아가고 있는 동안에 그 가운데 있는 '공작새 바퀴'를 나타낸다. 영원히 변화할 움직이는 면과, 심리의 특질를 상징하는 여러 개의 눈들이 중심에 있는 눈의 주위를 돈다. 또 수레바퀴의 원 주위에는 원의 중심을 향해 불타는 원이 있다. 이 불타는 원은 '불타는 정열'을 상징하는 것으로서, 신비스러운 자기 인식 과정을 위한 보호벽을 만들어서, 자기 인식과 외부 세계를 끊어 버린다.

〈그림 13〉은 네 개의 잎으로 된 꽃받침을 가운데 두고, 그 주위에 여러 가지의 서로 다른 모양과 색채가 나타난다. 이미 심리의 발달이 어느 정도 꽃 피울 만하게 되었을 때, 초록빛 잎자루 속에 있는 봉오리같이 아직 잠자는 머리들은, 날아갈 준비가 다 된 새와 직관처럼

빛을 발하는 원주 쪽으로 향하지 않고 자기가 발생하던 중심점을 돌아보게 된다.

〈그림 14〉는 보다 형식적이고 추상적이다. 그렇지만 분명히 중심에다 다양한 선과 형태를 연결하려는 노력을 보이고 있다.

〈그림 15〉는 영원한 뱀과 Uroboros, 그리고 황도黃道를 8등분한 것에 둘러싸여 있는 영원한 얼굴의 모습을 나타낸다.

〈그림 16〉은 신의 눈을 나타내는데, 이것은 보편적인 인식을 상징하며, 네 겹으로 된 빛을 통해서 그 속에 파묻혀 있는 꽃 모양의 만다라를 꿰뚫어본다.

그런데 모든 만다라를 개별화를 보여주는 완전한 '그림'으로 여겨서는 결코 안 된다. 분석하는 도중에 나타난 만다라는 대부분 준비를 위한 간략한 개요에 지나지 않으며, 마지막 완성에 있어서 다소간 성공적인 전진을 나타낸다. 이러한 목표를 향해 노력하는 것은 우리들의 숙명이고 가장 최고의 천직이다. 그러나 인간의 한계를 생각해 볼 때, 이 목표를 달성한다는 것은 항상 상대적인 것이다.

원칙적으로 만다라는 전체적인 개별화 과정이 일어날 때만 나타날 수 있다. 그러므로 만다라가 나타나는 것이 진보적인 단계를 보여주는 것이라고 해석하는 것은 타당치 못하다. 이들 만다라는 자기 조절과 그것을 위한 심리 균형을 조화를 이루어, 의식 속에서 일어나는 혼란을 보상할 목적으로 항상 나타난다. 만다라는 수학적인 구조를 가지고 있을 뿐 아니라 '전체 심리의 기본 질서'를 그려 보여준다. 따라서 이들의 목적은 혼란을 조화로 바꾸어 놓는 것이다.

항상 만다라의 형태를 띠고 있는 것 중에 얀트라 심상이 있다. 얀트라에 대한 명상은, 확실히 명상을 하는 사람 내면에 심리적인 질서를 갖게 해준다. 피분석자의 만다라는 동양적인 만다라에서 느낄 수 있는 예술성이나 세련미, 그리고 '전통적인 조화'를 가질 수는 없다. 동양의 만다라는 심리의 자발적인 표현이 아니라, 예술 작품을 만들기 위해 의식적으로 지어놓은 것이기 때문이다. 반면에 피분석자들이 그린 개인적인 만다라는 같은 심리적인 전제 하에서 이루어졌으므로 반복되는 동기를 비슷한 형태로 나타낸다.[144] 이러한 만다라를 모두 동양에서는 '태극'이라고 부르며, 서양 사람들은 이것을 개인의 내면적 현실과 외면적 현실을 통합하기 위해서, 즉 보다 완전한 퍼스낼리티의 실현을 위해서 노력하는 가운데 표현되는 중도中道라고 부른다.

대부분의 사람들은 자기가 그린 만다라의 의미에 대해서는 잘 모른다. 그러나 그들은 자기의 만다라 속에서 매력을 느끼고, 심리적으로 매우 효과적인 사실들을 찾게 된다. "아주 오랜 마법의 효과가 바로 이 만다라 상징과 연결된다"고 융은 말했다. 만다라는 처음에 '매혹의 반지', 즉 '마술의 원'에서 생겼고, 이 원의 마법은 수많은 민속적인 관습으로 보존되어 내려왔기 때문이다. 이 그림은 또한 인격의 가장 깊고 성스러운 중심부에 마법의 이랑을 그리려는 목표를 가지고서 '발산'을 방지하는 한편, 외부 세력에 의한 정신 착란을 막으려 한다. 동양 만다라의 중심에 '황금빛 꽃이 놓여 있는' 이유도 똑같다. 분석자의 입장에서 볼 때, 이것은 '하늘의 마음'이라든가, '가장 큰 기쁨의 왕국', '한이 없는 나라', '의식과 생명이 창조되는 제단' 등과 같은 의미로 해석된다.

그림의 둥근 모양은 단순히 원 가운데의 움직임을 보이려는 것이 아니라, 신성한 영역에 둥근 테를 둘러놓은 것이며, 그 영역을 움직이지 않게 고정시키거나 중심에로 모이게 하려는 것이다. 태양의 수레바퀴는 움직이기 시작한다. 태양이 다시 자기의 길을 돌기 시작하는 것이다. 다시 말해서 태극이 움직임을 시작해서 모두를 이끌어가는 것이다. 태극은 무엇이라 간단히 단정 짓기는 어렵다. R. 빌헬름은 태극을 '의미'라고 번역했고, 또 다른 사람에 의해서는 '길' 혹은 '신'으로 해석하기도 했다. "만일 태극의 개념이 심리적인 내용과 가까워지려면, 태극은 분리되어 있는 여러 부분들을 다시 모으려는 방법이나 노력이라고 해석될 것이다"[145]라고 융은 말했다.

융은 또 다음과 같은 말도 했다. "불행하게도 우리 서구인들은 이러한 문화가 부족하기 때문에, 우리 내면의 경험 가운데 가장 근본적이라고도 할 수 있는 중심을 향한 이러한 통합의 개념은 물론 이름조차 붙일 수가 없었다."[146] 융의 심리학 속에서, 태극의 개념은 대개 '자아의 원 속에서 돌고 있는 것'으로 표현된다. 그리고 이 속에서 퍼스낼리티의 모든 면은 똑같이 적용된다. 심리적인 입장에서 보면, 원운동은 심리의 자동적인 운동이기 때문에 의식적인 개별화 과정과도 다르고, 단지 '수동적'으로 경험될 수 있을 뿐이다.

이렇게 해서 원의 도는 운동 역시 인간성의 모든 밝고 어두운 힘을 나타내며, 종류를 막론하고 상반되는 심리의 양극을 활발히 움직이게 한다. 이것은 바로 자기를 알에서 깨고 나오게 하는 것, 그리하여 자기를 알게 되는 것을 뜻한다.

완전한 인간을 나타내기 위한 것으로서, 이와 비슷한 개념은 모든 면에서 원활한 플라토닉한 인간에 대한 개념이다.[147] 인간의 양성을 포함해서 서로 반대되는 모든 것을 통합해서 하나의 전체로 만들려는 이러한 결합은 그림에서그림 17, 18, 19 보여지듯이 양성적인 것들 사이에서 상징이 되는데, 예를 들어 시바와 샤크티,또는 솔과 루나간의 결합으로 상징되든지 혹은 남녀 양성을 지닌 형상으로 상징된다.

'이러한 상징적인 통합은 우리의 의지력에서는 벗어난 채 이루어지는데, 이 경우 의식은 부분적일 수밖에 없다. 이러한 의식적인 의지와 반대되는 것으로, 의식의 언어를 이해하지 못하는 집단 무의식이 있어서 무의식을 원시적으로 유추한 것을 포함하여 마법의 작용을 하는 상징이 있어야 한다. 그리고 이렇게 심층으로부터 나온 상징만이 현재의 의식과 과거의 생명을 결합할 수 있다.'[148] 만다라 상징은 항상 자발적으로 심층 심리로부터 나타난다. 그리고 이렇게 저절로 나타났다 사라졌다 하는 만다라 상징의 효과는 놀랄 만한 것이다. 이들은 여러 가지 심리의 혼란을 해결하기도 하고, 감정적이고 개념적인 혼란과 무질서에서 인격을 벗어나게 해준다. 이렇게 하여 마치 '초월적인 면에서의 인간의 재생'이라고 할 수 있는 존재의 통일이 이루어지게 되는 것이다.

오늘날 '우리가 현재 만다라 상징에 대하여 확실히 알 수 있는 것은, 그것이 항상 어디에서나 되풀이해서 일어나고 있으며, 똑같은 현상으로 나타나는 심리의 자동적인 사실이라는 것이다. 이것은 일종의 원자핵과도 같다. 그럼에도 우리는 이것의 깊은 내면의 구조나 궁극적인 의미를 알지 못하고 있다.'[149]

연금술과 종교

서로 다른 여러 문화권에서 보여지는 만다라는 그 내용과 표현 형태에서도 각기 다르다. 전체적인 개별화 과정은 인류 역사에서 비슷한 가치를 지닌 것끼리 여러 겹으로 내면의 발달을 이루는 과정이기도 하다. 융의 분석심리학에서 지적하듯이, 심리의 변화 과정은 원래 '어느 시대를 막론하고 인간에게 대대로 물려 내려온 비결을 자연스럽게 전수받아 유추한 것과 같다.'[150] 심리의 변화 과정은 자연적인 정신의 현상뿐만 아니라 전통적으로 전해져 오는 비결과 처방을 통해서 자연스럽게 상징을 만들어 낸다. 불교 혹은 탄드라 교에서 보여지는 요가나 로욜라의 부지런한 행위처럼 원시인들이 비결을 전수하는 종교적인 방법을 통해서 이러한 심리의 발달 과정을 알아볼 수가 있다.

물론 이와 같은 모든 방법은 저마다 그 사회와 시대 사람들의 특징을 나타내고, 방법 하나하나도 서로 다른 문화적·역사적인 조건에 따라 결정된다. 그러므로 이것들은 오늘날 단순히 하나의 역사적 혹은 구조적인 유추를 나타낼 뿐이지, 현대인이 직접적으로 해볼 수 있는 실험은 아니다. 다만 근본적인 원칙에서는 융의 개체화 개념과 비교해 볼 수 있다.

대부분 이러한 방법들은 종교적인 의식의 성격을 가지고 있거나, 아니면 어떤 일정한 세계관을 만들게 되어 있다. 따라서 융이 개체화 과정을 '심리에 대해 정신적·도덕적·종교적 개념을 지니도록 만드는 방법'이라고 한 것과는 다른 것이다. 여기에서 말한 정신적·도덕적·종교적인 개념은 이러한 준비과정의 결과로서 나타나는 것이지, 내용 그 자체는 아니다. 또한 이것은 결과에 의해서 각 개인이 의식적이고도 자유롭게 선택한 것이다.

이 분야를 연구하는 동안에 융은 어떤 독특한 계시적인 가치를 지닌 어떤 것을 중세의 연금술 철학 혹은 연금술[151]에서 찾아내었다. 연금술의 개체화 과정은 정신적인 교육의 결과와, 그 시대와 환경의 조건 때문에 서로 다른 방향으로 나타난다. 그러나 이들 두 가지는 모두 다 인간을 자기 인식의 길로 이끌어 준다. 융은 이러한 기능을, 상징을 만들어 내는 과정, 즉 계속적인 변화를 받아들이는 심리 능력이라 보고, 이런 '초월적 기능'이야말로 '유명한 연금술의 상징에 나타난 것처럼 철학의 가장 뛰어난 대상'[152] 이라고 했다. 그러므로 연금술의 정신적인 운동을 무시하고, 증류기와 용광로에 의한 것으로만 생각하는 것은 크게 잘못된 것이다. 융은 연금술을 '현대 심리학으로 향한 하나의 불완전한 단계'로 설명했다.

물론 이 연금술 철학이 거칠고 개발되지 않은 정신을 굳혀서 심리학적인 하나의 공식으로 만들어 놓은것은 아니다. 그것의 '비밀'은 모든 반대되는 요소를 혼합해서 그 성격을 바꾸어 가는 개체화 과정에 있다.[153] 왜냐하면 연금술은 화학 실험에 관한 문제가 아니고, '심리학에 비길 만한 언어로 표시된 심리적인 작용'과 같은 것이기 때문이다. 이렇게 보면 연금술로 만들어 낸 금은 보통 금이 아니라, 보다 철학적인 금이자 '기묘한 돌', '보이지 않는 보석'[154], '해독제', '붉은 소독약' 혹은 '불로장수약' 등이다.

금은 매우 다양하게 이름 붙여졌다. 이것은 육체와 영혼, 정신 등으로 이루어진 신비스러운 존재였다. 그래서 그것은 날개가 달리고, 남녀 양성을 지닌 '다이아몬드 육체' 혹은 '황금 꽃'의 심상을 뜻하기도 한다. '이것은 수세기 동안에 집단적인 정신 생활과 나란히 어둠 속에 사로잡혀 있는, 상대적으로 무의식적인 상태에서 구원받지 못하는 정신의 심상인 것이다.' 그러면서 이것은 다시 물질이라는 거울 속에서 되살아나고, 물질적인 것으로서 다루어져서 압박받는 느낌을 준다.[155]

그리하여 '되살아난 육체'인 금은 연금술의 과정에서 물질의 혼돈을 통해 인간 무의식의 혼돈을 상징하고, 물질의 분리와 증류 과정을 통해서 혼돈에서 벗어나는 것을 상징한다. 연금술사들도 그렇게 믿었듯이, 이 금은 신의 은총이 없이는 만들어질 수 없다. 왜냐하면 신 자신이 금 속에서 나타나기 때문이다. 그노시스파 사람들 중에는 '불을 가진 사람'은 일단 어둠 속에서 떨어졌다가 구원을 받았으므로 영원한 불을 지녔다고 믿는 경우가 있다. '통합 상징'의 의미는 대부분 빛을 발하는 성격을 갖고 있고, 그것은 바로 이러한 과정에서 생겨난 결과이다.

그러므로 융이 말한 것과 같이, '기독교의 걸작품은 구원을 받아야 하는 사람이 구원을 주는 신을 축하하기 위한 작품이다.'[156] 그러나 연금술의 걸작품은 물질 속에서 잠자고 있는 인간이 영혼을 향해 구원을 바라는 노력이다. 이렇게 할 때에야 비로소 연금술사들이 화학적인 물체에 투영된 자기의 심리를 변형시키는 과정을 어떻게 경험할 수 있는지 이해할 수가 있다. 그때 비로소 신비스럽기도 하고 모호하여 이해하기 힘들기도 한 이러한 과정이 주는 의미가 나타난다.

연금술이 지향하는 것은 '여러 가지 목적으로부터의 해방'이며, 이것은 힌두교에서 말하는 열반의 상태와 같고, 요가에서 '영혼의 자유'를 위해 노력하는 것과도 같다.

그러나 연금술사들이 화학 작용을 통해서 인간 심리를 경험하고 상징적으로 묘사하는 것과는 달리, 요가를 하는 사람은 의식적으로 심신을 단련해서 정신에 직접적인 작용을 가함으로써 정신적인 변화가 생긴다고 한다. 요가에는 여러 가지 단계가 정확히 표시되어 있고, 놀랄 만큼의 정신력과 정신 집중을 필요로 한다.

요가의 궁극적인 목표는 '초연한 의식'이 계속되도록 심리 속에서

'신비한 형상'을 상징적으로 만들어 내는 것이다.[157] 말하자면 순간적으로 존재할 뿐인 육체와 대조적으로, 영원히 존재할 수 있는 '성령을 지닌 인간', 즉 부처를 만드는 것이다. 여기에서도 역시 '현실의 모습, 특히 정반대의 세계를 꿰뚫어볼 수 있는 능력이 요구된다. 요가에서의 일련의 사고 단계는 연금술의 개체화 과정과 같이 영원하고, 어디서나 유사한 심리의 법칙을 확인시켜 준다.' 연금술사들은 동양인이 사용하는 정신의 '능동적인 상상력'에 기초하여, 자신들의 걸작품 혹은 부처를 만들어 낸다.

이 능동적인 상상력은, 융이 그의 환자들로 하여금 똑같은 상징적인 경험을 하게 하고, 그 경험을 통해서 그들 자신의 '중심', 즉 자아를 경험하게 만든다. 이 상상력은 단순한 환상과는 의미가 다르다. 막연한 어떤 '생각'을 의미하는 것이 환상이라면, 상상력은 이와 다르게 내면적인 심상을 능동적으로 만드는 것이며, 진정한 관념의 작용이자 사고 행위이다.

즉, 목적대로 움직이는 것이 아니라, 본성대로 아무런 선입견 없이 이해하고 묘사하려는 것이다.[158] 상상력은 또한 상징을 되살려내고, 창조적이고 치료적인 효과를 얻기 위하여 심층 심리를 더욱 활성화시킨다. 연금술은 화학적인 물질을 통해서, 요가는 엄격한 훈련을 통해서, 그리고 융의 심리학은 개인을 무의식의 세계로 내려가게 하여 거기서 심층의 내용을 인식한 후, 다시 무의식과 의식을 결합시켜 가는 것에 의해서 상상력을 경험하려 한다. 그러나 융은 "이러한 모든 작용은 너무나도 신비로워서 인간의 이해력이 과연 얼마만큼의 이해를 할 수 있을지가 의심스럽다"[159]고 했다. 연금술은 경험에 의해서만 이해가 될 수 있으나, 지성적인 힌트만을 얻을 수 있는 다른 여러 형성 과정과 비슷하기 때문에 '예술'이라고 표현되어도 무방하다.

비록 이러한 사실이 아주 기본적인 것들이고, 예로부터 의심 없이 받아들여진 진리이긴 해도, 대부분의 사람들은 여기에 관심을 두기보다는 미신과 관계를 맺으려고 했다. 그러므로 우리는 융의 철저한 해설을 듣고, 동시에 우리들 자신이 연금술의 흉내를 내보도록 하자.[160] 융은 "독자들이 연금술을 따라해 보는 것은 아주 중요한 일이고, 서양인이 요가를 해보는 것도 매우 중요한 일이다"라고 했다. 요가는 자신의 의지와 의식의 문제로 되어, 그의 신경은 그 때문에 악화될 것이다. 왜냐하면 유럽인들은 동양과는 또 다른 환경과 전통과 지식의 조건을 벗어날 수가 없기 때문이다.

'우리들의 의식을 넓힌다는 것은 다른 의식을 희생하는 것과는 다르다. 다만 동양인에게 서구의 지식과 산업이 필요하듯, 서구인에게는 자신들에게 없는 이국적인 심리의 요소를 경험하고, 자신의 심리를 발전시켜 가는 것이 중요하다.'[161] '동양인들은 세상에 대해 어린아이처럼 아무것도 모른 채 내면의 지식을 얻는다.'[162] 반면에 서구인들은 '거대하고 광범한 역사적·과학적 지식을 뒷받침하여 심리를 찾으면서도, 동시에 너무나 많은 외부의 지식 때문에 도리어 방해가 된다. 그러나 결국 정신적인 고민은 이러한 모든 장애를 극복한다.'[163]

현실이 정신적으로 경험하는 것이라고 생각하는 사람은 현실을 이해하기보다는 예부터 경험해 온 현실로써 경험하려 한다.[164] 가끔 인류는 삶의 고된 여행에 지쳐 어둠 속에서도 길을 찾으려 하지 않는 것 같지만, 그들은 서로가 협동하는 가운데 세계를 밝히는 방법을 계속 찾고 만들어 왔다. 그러나 우리가 이것을 좀더 자세히 살펴보면, 지금까지 모든 것은 '오랜 옛날에서부터 먼 미래까지 포함해서 만들어진 연극 속의 의미 있는 에피소드 같은 것이었음을 알게 될 것이다. 이것은 동시에 인간성이 의식으로 되어 가는 과정인 것이다.'[165]

그러므로 영원한 심리의 변화 과정을 나타내려 하는 융의 노력은, 서구인들이 보기에는 보다 깊은 인간 의식의 발달 과정에서의 한 단계에 불과하다. 이것은 알지 못하는 목표를 향하는 길에서 나타난 한 단계이며, 보통 말하는 형이상학이 아니라, 명백한 하나의 심리학인 것이다. 지금까지 이것은 경험과 이해를 할 수 있는 하나의 직관이었고, 살아 있는 현실이었던 것이다. 이같이 융이 심리학적으로 경험할 수 있는 것에 만족하고 형이상학적인 것을 부정하는 것은, 초월적인 믿음 자체를 부정하는 것은 아니다. '초월적인 것에 대한 모든 발언은 피해야만 한다. 왜냐하면 그것은 항상 한계를 모르는 인간 심리에 대한 하나의 어리석은 가정에 불과하기 때문이다. 그러므로 신이니 태극이니 하는 것은 분명히 알 수 있는 것에 대해서 말하는 것이고, 결코 확인할 수 없는 것에 대해 말하는 것은 아니다.'[166]

융이 말한 '신은 하나의 원형'이라는 말은 '영혼 가운데 있는 유형'을 뜻한다. 유형이란 말은 하나의 타격을 가함, 혹은 도장을 찍는다는 뜻에서 나왔다. 이렇게 볼 때 유형은 도장을 찍은 어떤 것을 전제로 하는 것이다. 경험 과학의 하나인 심리학은 영혼에서 발견된 '유형'이 신의 심상이라고 할 수 있는지의 여부를 가릴 수도 있다. 즉, '영웅'의 원형은 반드시 어떤 영웅의 실제적인 존재를 전제로 하지 않듯이, 신의 실존 자체에 대해서도 정확히 확인할 수는 없다.

눈이 태양이라면, 영혼은 신에 비유할 수 있다. 어떠한 경우에서도 영혼은 자기 속에 신적인 기능을 지니고 있다. 이러한 상관 관계는 '심리학적으로 이미 공식화된 신의 심상에 대한 원형이다.'[167] '심리학적인 입장에서는 여기에 대해서 더이상 무어라 말할 수 없다. 그러나 종교적인 면에서는, 이것은 신의 작용으로 이해할 수도 있고, 반대로 알 수도 이해할 수도 없는 내용에 대한 상징이라 볼 수 있다.'[168]

인간의 심리는, 절대적인 존재인 신이 인간의 한계에 의해 '굴절'될 때에만 그것을 볼 수가 있다. 그러므로 우리는 결코 신의 본질을 알 수는 없다. 그리고 이러한 능력은 심리 속에 들어 있긴 하지만, 표현이 될 수 있는 심상 가운데서만 절대자에 대한 모습을 만들 수가 있다. 그리고 이러한 심상은 불멸의 대상을 위해서가 아니라, 바로 인간적인 부분에 대해서만 증거를 제시할 수 있다.

종교적인 믿음은 아무도 — 심리분석자까지도 — 강요할 수 없는, 신이 내린 은총이다. 종교는 '계시'된 구원의 한 방법이며, 여러 가지 반복되는 상징으로 의식 속에서 알 수 있기 전에 생겨난 것들이다. 이러한 신념은 또한 우리들이 이해하지 못하는 곳에서까지도 효과를 나타낼 수 있다. 왜냐하면 우리의 무의식은 이러한 신념들을 보편적인 심리적 사실로 인식하기 때문이다.

그러나 우리들의 이성적인 의식을 넓고 강하게 하는 것은 곧 우리들을 상징의 근원에서부터 멀어지게 하는 것이고, 그 지배적인 힘이 상징의 본원을 이해하지 못하도록 하는 것이다. 이것이 바로 현대가 처한 상황이다. 우리는 수레바퀴를 뒤로 돌릴 수 없고, '존재하지 않는 것'을 믿게 할 수도 없다. 그러나 우리는 상징들이 실제로 의미하는 것은 설명할 수 있다. 그리하여 우리가 문화적인 귀중한 것들을 그대로 간직할 수는 없지만, 옛 진리에 대한 접근 방법을 새롭게 개척하지 않는 한 옛 진리가 지닌 이상한 상징을 오늘에 이해하기는 곤란하다.

오늘날 각 개인은 스스로 새로운 믿음을 갖게 하는 것이 무엇인지 이해하지 못한다.[169] 융은 '주입식으로 강요하고' 전통을 맹목적으로 받아들인 교리가 얼마나 나쁜 결과를 가져온다는 것을 너무나 잘 알고 있었다. 다시 말해서 접붙이지 않고 스스로 자란 것만이 활발히, 효과적으로 자기를 펼쳐 갈 수 있는 것이다. 그는 스스로 결정을 내리거나, 자기에 대한 책임을 질 수 있도록 강요하지는 않는다. 만일 그런 믿음과 태도를 규정하면 일은 보다 쉽게 될 수 있음에도 불구하고, 융은 이 방법을 거절했다.

종교인은 자기의 영혼 속에 있는 깊은 상징의 내용을 경험함으로써, 자신의 내면 세계에 있는 천 겹의 신의 작용과, 신의 심상에 따라서 인간을 만들었다는 사실을 다시 새롭게 확인시켜 주는 영원한 원칙과 만나게 된다. 그래서 신앙이 없는 사람들도 어떤 신념을 가지기를 바라고, 적어도 자기 안의 세계에서는 자기 존재에 대한 영원한 원칙을 실제로 경험하게 된다. 이러한 방법의 노력을 통해서 그는 신념의 권능에 이르게 된다.

이러한 방법을 취해본 적이 있는 사람이라면, 그것이 언어로는 표현될 수 없고, 오직 신비주의자들이나 비결을 전수받은 사람들의 경험을 통해서 온다는 것을 깨닫는다. 개체화 과정은 이렇게 신념과는 근본적으로 다른 사고로 지식을 얻는 것이 아니라, 내면의 경험을 통해서 지식을 얻게 하는 것이다. 이러한 내면의 경험이 타당하다는 사실은 증명되었으며, 흔들리지 않는 확실한 현실로 되었다.

성숙한 사람이라면 마땅히 '중용의 길'을 걸어야 할 것이다. 개인의 심리 상황은 나이에 따라 다르다. 인생의 초기에는 집단 무의식에서 벗어나 자아를 분화, 분별하기 위해 노력해야 한다. 개개인은 현실에 뿌리를 내리고 자신이 처리해야 할 모든 일상의 문제들을 극복해야만 한다. 그러므로 체질적으로 우월한 기능들을 가능한 한 분화시켜서 자기를 확립하고 조정할 수 있는 수단을 얻는 것이 대단히 중요하다.

인생 초기에 이러한 일을 충분히 해내고 나면, 내면 세계를 조정할 수 있는 힘을 기를 수 있다. 즉, 외부 세계에 관한 태도를 정립했을 때에만 내면의 현실에도 힘을 쏟을 수가 있다. 그렇게 함으로써 인간 생활을 진실되게 완성할 수 있는 것이다. 융이 말했듯이 '인간은 두 가지 목표를 가지고 있다. 첫째의 목표는 생명을 유지하고 발전시키기 위한 모든 자연적인 목표, 즉 아이를 낳아 기르고 돈과 지위를 얻는 것 등이고, 둘째의 것은 새로운 문화적인 목표이다.'[170] 인간의 영혼이 건강하기 위해서는 자연적인 목표와 정신적인 목표가 둘다 필요하다. 왜냐하면 마치 아르키메데스의 점처럼 이 점으로부터 세계가 만들어지고 자연 상태가 문화적인 상태로 바뀔 수도 있기 때문이다.[171]

완전한 퍼스낼리티의 형성은 또한 중년이 해야 할 일이다. 이 말은 곧 죽음에 대한 준비를 뜻하기도 한다. 왜냐하면 죽음은 태어나는 것만큼 중요하고, 태어남과 똑같이 생명의 일부이기 때문이다. 우리가 자연을 올바르게 이해할 수 있다면, 자연은 죽음으로부터 우리를 구원한다. 나이가 들수록 우리에게는 외부세계의 빛과 매력과 빛깔들이 사라져 가고 점차 베일에 가리어진다. 그럼으로써 내면의 세계가 우리를 더 많이 점령해 버리게 되는 것이다.

중년이 되면, 어린 시절에 그가 힘들여 뛰쳐나왔던 그 집단 심리에로 더욱 가까워진다. 그래서 아득한 옛날부터 자기의 꼬리를 물고 있는 뱀이 'uroboros'의 그림에 나타나 있는 것처럼 인생의 주기는 의미심장한 조화 속에서 마감되는 것이다. 만일 이러한 일이 제대로 이루어진다면, 인간은 그러한 때에 이르러서는 죽음의 공포를 잊고 의미깊은 인생을 살게 될 것이다. 하지만 수많은 어리석은 어른들과 같이 많은 사람들은 인생 초반의 일을 제대로 수행하지 못한다.

그러므로 자기 인식을 통하여 인생을 완성하는 일은 극히 드물고, 한계가 있음을 알 수 있다. 그렇기는 하지만 이들 극소수의 사람들은 문명을 낳는 사람들과는 또 달리 문화를 창조한 사람들이다. 문명은 항상 지성의 산물이지만, 문화는 정신에서부터 나타나기 때문이다. 그리고 정신은 지성처럼 의식에 묶여 있지 않고, 무의식이나 자연의 본원적 심층을 포함하고 만들어지며 그것들을 통제한다. 서구인의 본능은, 그들의 지성이 분화되어 온 만큼 그들 자신에게서 멀어졌고, 이것이 바로 오늘의 서구인들이 처한 운명이다.

서구인은 자신의 본능에 대해서 너무나 확신을 하지 못하게 되었기 때문에, 마치 부풀어오르고 거친 무의식의 바다에 떠다니는 갈대처럼 여기저기로 뒹굴게 되거나 혹은 파도에 의해 삼켜져 버린다. '집단체가 개체의 단순한 축적인 만큼 집단체의 문제는 역시 개체의 문제이다. 한 집단의 민족은 그들 자체를 초월적인 인간으로 인정하고, 더이상 내려갈 수가 없다. 그런데 다른 집단의 사람들은 자신들을 열등한 인간으로 인정하고 표면으로 올라오기를 바란다. 이러한 문제들은 법률이나 요령으로는 풀릴 수 없고, 오직 태도를 변화시킴으로써만 해결할 수가 있다. 그리고 이러한 변화는 선전이나 군중 집회 혹은 폭력으로 되지 않는다. 이것은 개인 속에서 그의 변화와 더불어 시작되는 것이다. 그것은 개개인이 좋고 나쁜 것들에 대하여 생각

하는, 그의 인생에 대한 가치기준의 변화를 통해 계속될 것이고 이것
이 축적되어져야만 집단적인 해결을 낳게 된다.'[172]

이렇게 해서 자아 인식은 결코 유행에 따른 실험이 아니라, 개인이
스스로 설정할 수 있는 최고의 과업이다. 그것은 영원하고 파괴될 수
없는 것이며, 객관적인 심리 속에 자신을 둘 수 있다는 가능성을 의
미한다. 이렇게 하여 개인은 그 자신을 다시 영원의 흐름 속에 두고,
이 흐름 속에서 탄생과 죽음은 다만 정거장에 불과할 뿐이다.

그러므로 인생의 의미는 자아 속에 있지 않다. 개인적으로 본다면,
자아 인식은 자신의 가장 어두운 심층을 찾아내어, 의식적으로 그것
을 경험했던 사람에게 관용과 친절을 줄 수 있는 것이다. 집단적으로
본다면 그것이 지닌 특수한 가치는 자신의 심리적 총화에 대한 개인
적인 경험으로부터 어떤 도움을 받는지를 의식한 개인 자신의 의무
에 아주 민감해지는 것을 보여준다. 융의 심리학 체계는 인생의 여러
근본적인 문제에 대해 자세히 말하고 있지만, 그것을 종교 혹은 철학
이라고 할 수는 없다. 그것은 경험할 수 있는 심리의 총화이고, 그것
이 안고 있는 모든 것에 대한 과학적인 요약 및 표현이다. 그래서 마
치 생물학이 생명이 있는 물리적인 유기체를 대상으로 한 것처럼, 심
리학은 생명이 있는 심리적인 유기체를 대상으로 한 과학과 같다.

이렇듯 융의 심리학은 또한 인간이 종교와 철학을 만들어 냈던 모
든 기구를 지니고 있다. 그리고 이것만이 전통적으로 추구해 왔던
소재와 도구로 설계하여, 개인에게 어떤 세계관을 형성하게 하는 것
이다. 집단 심리학이 퍼지고 개인 심리학이 없어질 위기에 처해 있을
때, 융의 이러한 체계는 우리들에게 안도와 위안을 준다. 가장 좋은
일은 아마도 완벽한 인격 속에서 개인적인 것과 집단적인 것이 조화

를 이루게 하는 일일 것이다.

서구에서 한쪽으로만 치우쳐서 분화된 지성은 본능을 억압하고, 심리의 심층에서 멀어진 과학기술의 발달과 문명의 우월함은 인간의 심층에 놓여 있는 창조적인 새로운 힘을 요청한다. "그러나 이성의 변화는 오직 개인의 변화에서 시작된다"[173]고 융은 말한다. 왜냐하면 단일한 구성원의 합을 나타내고 있는 집단적인 것은, 이러한 구성원들의 심리적인 성격과 특징을 지니고 있다. 그리하여 이렇게 개인이 윤리적인 의미에서 '자신과 신이 닮았다'고 인식한다면, '그는 한편으로는 뛰어난 지식을 갖게 되고, 다른 한편으로는 뛰어난 의지를 지니게 되는 것이다.'[174] 이런 사람은 인간을 초월하여 있으나, 결코 오만하지 않다. 이러한 개인이야말로 우리들의 미래 문화에 대한 책임과 과업을 지니고 있다 할 것이다.

제4장 융 심리학의 배경 및 해설

편역자 해설

1

융 사상의 특징

A. 혁명성과 건전성

융 사상의 첫번째 특징은, 한편으로는 기존의 상식이나 권위에 정면으로 도전하고 급진적이며 혁명적인 것이고, 다른 한편으로는 매우 안정된 건전성과 보수성을 갖고 있다는 이 두 가지가 언뜻 기묘하게 어우러져 있는 듯이 보인다. 그러나 이것은 기묘하지도 모순되지도 않으며, 융이라고 하는 인간의 두 개의 속성이 아닌 하나의 속성의 발현이라는 것을 올바르게 이해하는 것이 융 이해의 첫 번째의 열쇠이다.

융의 사물에 대한 견해는 항상 급진적이었다. 융이 기존의 견해나 사고 방법에 대해서 비판적이었던 것은, 그가 간혹 피지배자나 피억압자의 입장에 놓였었기 때문만은 아니었다. 오히려 융은 타인의 판단을 그대로 받아들일 수 없는 성격이며, 자기 스스로 납득이 갈 때까지 음미한 후에 스스로 판단하는 성품이었다. 결국 융의 비판력이나 혁명성은 외적인 사정에 의해서 강화된 것이 아니라, 그의 내면으로부터 생겨난 것이었다.

　융은 피억압 계급으로 태어난 것도 아니고, 이단이 되는 것을 바라지도 않았지만, 자신이 옳다고 생각하는 것을 서술하면 이단으로 몰린다는 것을 알면서도 망설임 없이 진술하는 사람이었다. 이 특징은 그의 종교론에 가장 전형적으로 나타나 있고, 또 나치스가 대두한 후에도 일부러 유대인 심리의 특이성을 지적한다고 하는, 언뜻 비정치적인 소행으로서도 나타나고 있다. 기성의 권위나 교의에 대한 비판은 종종 무서울 정도로 파괴적이어서 상식에 의지하고 있는 자에게는 강한 쇼크를 주기도 했지만, 그러나 그는 결코 부정이나 파괴를 목적으로 한 것은 아니었다.

　이 점에 대해서 그 자신은 프로이트나 니체와 자신과의 차이를 강조하면서 다음과 같은 말을 진술하고 있다.

　"프로이트나 니체는 인간의 추한 곳이나 옹졸한 성질을 파헤쳐 보였요. 그와같이 인간의 위선의 가면을 벗기는 일은 분명히 필요하지만, 그러나 그것은 잘못된 관념을 파괴하기 위한 부식제로서의 의미를 갖는 것에 불과하다."

　결국 융의 생각으로는 인간의 자기 인식으로서는 자신의 어두운 면을 알 뿐이지만, 그것은 자신의 절반 정도밖에 되지 않는 것이다. 그전에 어둠 속에서 빛을 발견하는 일, 즉 인간의 내부에서 진실로 신적인 아름다움을 발견하는 것도 절대 필요한 일이다. 프로이트나 니체는 선한 것이나 아름다운 것이 오직 공허한 말이나 제도로서 공동화되어 있는 사태에 대해서 그 근본을 절단하는 역할을 하고 있지만, 그것으로 인해서 신적인 것이, 인간 속에는 애초부터 존재하고 있지 않은 착각도 퍼져 있는 것이다.

인간의 본성은 한 껍질 벗겨 보면 추하기 짝이 없다. 그것을 이해하는 것이 곧 심오한 인간관이 비로소 정립된 것이라 할 수 있다.

요즘 우리나라에서도 많은 돈을 지불하여 '정신분석'이라는 것을 받고 나서는 생각지도 못한 자신의 추한 곳이 발견되어 쇼크를 받는 일이라든지, 혹은 TV 드라마에서 인간의 추한 곳을 일부러 묘사해 보이는 것이 인기를 얻고 있다. 그것은 인간이 지나치게 표면만을 미화해서 위선적으로 살아가는 모습을 반성하는 의미라고 말할 수 있는데, 추한 곳을 보는 것만이 인간을 깊이 이해한 것으로 받아들여진다고 하면 그것은 매우 위험하다. 왜냐하면 인간은 어차피 악하니까 하고 단정해 버리면 쉽게 악 쪽으로 치우치는 경향을 조장하게 되기 때문이다.

인간이 자신의 내면의 진실에 눈을 돌리기 시작했을 때에는, 악한 의미에서의 프로이트적인 인간관프로이트 자신은 결코 그러한 천박한 인간관이 아니었다에 발을 내딛게 되는 위험에 빠지게 된다. 거기에 대해서 융은, 인간의 마음속에는 어둡기만 한 것이 아니라 밝은 빛도 있다는 것, 그리고 악마적인 요소뿐 아니라 선한 요소도 있고, 추한 것만이 아닌 아름다운 것도 있다는 것을 직시하고 있었던 것이다.

형태화한 종교나 예술이라고 하는 것도 본래는 그러한 인간의 원형적인 성질에 의해서 만들어진 것이었다. 그것을 단지 기성의 권위로서 존중하는 것이 아니며, 그렇다고 단순한 모조품으로서 경멸하거나 부정하는 것도 아닌, 그 근본으로 되어 있는 진실의 내적 체험을 자기 자신의 마음속에서 느끼는 것이 중요하다고 융은 말하고 있는 것이다.

마음속 깊숙한 곳에 있는 신적인 빛은 보편적이거나 변하지 않는 것이라고 느껴지는 것이며, 그러한 것은 솔직하고 건전한 정신에 의해서 더욱 잘 보존되는 것이다.

융은 어릴 때부터 시골에서 자라난 사람 특유의 소박하고 건전한 태도를 자연스럽게 몸에 익히고 있었던 것 같다. 그래서 탄생에 대해서도, 죽음에 대해서도, 또 성에 대해서도 어딘가 자연적인 것으로서 소박하게 받아들이고 있었지만, 한편으로 그것을 신에 의하여 부름받은 것이라고 설명할 수 있는 것으로, 오히려 신이 사람을 잡아먹는 것은 아닌가 하는 공포감을 갖기도 했다. 그의 일생은 그러한 인위적인 설명의 부자연스러움에서 벗어나, 자기 자신에게 있어서 자연스러운 신화를 되찾는 투쟁이었다고 말할 수 있을 것이다.

융은 덧없이 이동해 가는 세계 속에 있는 불멸의 것을 보고 있었으며, 진보라든가 혁신이라고 일컬어지는 것을 별로 신용하지 않았다. 이런 그의 '보수성'은 스위스적 토양에 의해서 길러진 것이라는 지적도 받고 있다. 하지만 융 사상은 좀더 원형적이라든가 보편적인 뿌리를 가진 것은 아닐까. 그리고 그것은 그의 내향적인 자질과 건전한 심신에서 비롯되는 것이 아닐까.

융 자신도 〈형태론〉 속에서 이렇게 진술하고 있다. "외향적인 사람은 변화 속에 자기 자신을 드러내지만, 내향적인 사람은 불변 속에 자기 자신을 드러낸다."

그가 비판하는 것을 잘 살펴보면, 그것은 한편으로는 형태화한 권위에 대해서 내면적인 체험을 중시하는 입장이고, 다른 한편에서는 현대의 도시 문명적인 왜곡에 대한 건전한 감각으로 이루어져 있는 것을 알 수 있다. 그리고 이 내면적인 것의 중시와 건전한 감각이 그의 안에서 밀접하게 서로 연결되어 있는 것이다.

이것을 상징적으로 나타낸 것이 '탑의 집'과 그곳에서의 생활형태이다. 그는 원형의 돌집 안에서 원시적인 건강한 생활을 하면서 고도로 내면적인 준비를 진척시키고 있었다.

B. 강인하고 유연한 의식

융의 사상을 이해하는 데 있어서 다음으로 중요한 것은, 의식과 무의식에 대해서 융이 생각하고 있었던 것을 올바르게 이해하는 일이다. 융이 무의식을 중시하고 해명한 사람이라고 생각하여 그가 쓴 《무의식 분석》을 읽은 사람은 그가 의외로 의식을 중시하고 있다는 것을 깨닫게 될 것이다. 가령 나치스론에서 보았듯이, 무의식이 어떠한 작용을 하는가는 의식의 태도에 달려 있는 것이므로 인간의 상태는 의식의 질을 향상시키고 의식을 현명하게 하여 올바른 판단력을 키우는 것이 결정적으로 중요하게 된다.

소년 시절에 그의 인생의 전기轉機가 된 것은 '카테라의 꿈'이라고 불리는 꿈이었다. 그것은 그가 폭풍우 속을 작은 카테라의 등불을 지키면서 나아간다는 꿈인데, 이 카테라의 등불은 그 자신의 의식을 나타내고 있는 것으로서, 이것을 꺼지지 않게 지켜가는 것에 그의 실존의 모든 것이 걸려 있다고 느꼈다.

이와 같이 의식의 명료함을 중시하는 것을 보면, "융도 역시 유럽파 사람이구나" 하고 비평을 하게 되는 사람이 많을지도 모른다. 그러나 의식을 중시한다는 것만으로 곧 유럽파적인 전통으로 연결짓는 것은 잘못된 견해라고 생각된다. 그러한 것도 세속적인 자아의 상태를 부정한다고 말할 수 있고, 일정한 의식적인 방법에 의하여 무의식이 강한 성질과 합체하는 것이어서, 의식을 완전하게 없애버리는 것은 아니다.

하여튼 무의식을 고도로 조절하는 점은 융이나 동양의 신비주의나, 그리고 서양의 그리스도교의 신비주의나 모두 같은 것이며, 그런 의식을 어떻게 사용하는가 하는 점에서 차이가 나오는 것에 지나지 않는다. 융이 유럽파 적이라고 할 수 있다면, 그것은 그가 의식의 기능과 역할을 어디까지나 명료하게 자각하려고 한 점에 있다고 말할 수 있다.

융은 '의식을 강조하는 것이 필요하다'와 같이 단순한 것만을 생각하고 있었던 것은 결코 아니다. 의식에 관한 한 현대인은 지나칠 정도로 강해져 있으며, 오히려 그것은 '경련에 가까운 긴장과의 협의'를 나타내고 있다고 그는 서술하고 있다. 그러니까 현대인에게 필요한 것은 의식의 경직으로부터 자신을 구제하는 것이다. 원형적 무의식은 그 자체가 양가치적이고, 같은 하나의 원형의 발로이긴 하지만, 상황에 따라서 긍정적인 작용도 부정적인 작용도 한다. 그러한 것을 간파하기에는 상당히 넓은 시야를 가진 유연한 의식을 필요로 할 것이다.

그와 같은 유연한 자아에 대해 융은 정신주의적으로 단순하게 부르짖지는 않는다. 그는 그렇게 하기 위한 방책을 분명하게 나타내고 있다. 그것은 무의식에 대해서 열려진 자세이며, 이것에 의해서 의식은 무의식의 풍부한 내용과 양가성兩價性을 알고, 그것을 받아들임에 의하여 넓어지고 유연하게 되어, 마침내 개성적으로 될 수가 있을 것이다. 무의식을 받아들임으로써 자아는 변용해 가는 것이다. 이것이 그가 말하는 개성화의 과정이다.

무의식을 받아들인다고 하는 것은 결코 단순하게 긍정한다든가 비판하지 않는 것을 뜻하는 것은 아니다. 그리고 열려진 자아라는 것은 무의식과 대비할 때 소위 '진실에 견딜 수 있는 자아'라고도 바꾸어 말할 수 있다. 무의식의 어떠한 성질도 질리지 않고 볼 수가 있으며, 또 사물을 보는 경우에 무의식의 감정에 좌우되지 않고 있는 그대로를 인식할 수 있는 자아는 결국 막스 베버의 '가치 자유'의 정신과 같은 것이다.

베버는 자신의 가치관을 자각하는 것에 의해서, 융은 자신의 무의식의 성질을 자각화하는 것에 따라, 무의식에 의하여 속임당하지 않고 현실 인식을 얻을 수가 있다고 주장하였다. 그리고 그때 자아는 이미 본래의 자아가 아니며, 의식은 질적으로 확대되고 강인해져 있으므로 그것을 통해서 소위 융의 '자기'에로 무한히 접근해 가는 것이다.

'그와 같은 고도의 의식은 일부의 엘리트에게만 가능하며, 속인들에게는 해당하지 않는 것인가?'라는 의문을 갖는 사람도 있을 것이다. 분명히 현시점에서는 베버나 융의 요구를 만족시킬 수 있는 사람은 제한되어 있을 것이다. 더욱이 무엇을 요구하고 있는지를 이해하지 못하는 사람들도 많다. 그러나 이 문제도 고정적으로 다루어서는 안 된다. 융은 사물을 항상 역사적으로 보고 있다는 것을 잊어서는 안 된다. 그는 인류의 역사를 의식화의 역사로서 보고 있었던 것이다.

가령 유대교로부터 그리스도교로의 발전도 의식화의 진전으로서 이해하고 있었으며, 부처도 또한 인간이 신으로 투영하고 있었다는 것은 신들을 의식으로 통합하여 이념으로서 표현했다는 식으로 논하고 있다. 그러나 역사 속에서 인간 전체로서는 아직까지 의식화가 진행되어 있지 않은 상태에 있어서 그것은 '너무 빠른' 의식화에 불과하다고 융은 말했다. 그러나 그래도 인류는 전쟁을 되풀이하고, 마녀

재판이나 나치즘과 같은 비참한 체험을 통과하면서 점차로 의식화를 진전시키고, 자신의 무의식을 인식하여 콘트롤할 수 있는 방향으로 나아가고 있다고 융은 보고 있었던 것이다.

이것이 지나간 옵티미즘낙천주의인지, 올바른 견해인지 쉽게 결론내릴 수는 없다. 그러나 이 역사의 방향을 자각적으로 추진하는 것이, 이 문제를 자각화한 인간의 사명이라고 하는 것에 대해서는 뭐라고 해도 이의가 없을 것이다.

C. 감정의 콘트롤

융을 이해하는 데 있어서 세 번째로 중요한 것은 감정의 문제이다.

융의 유형론을 소개했을 때에는 복잡하게 언급되지 않았지만, 그는 내향과 외향이라고 하는 마음의 기본적인 구조의 각각에 대해서, 더욱이 마음의 네 가지 기능사고·감정·직관·감각이라는 것을 생각하고 있었다.

사람 각자에게 있어서 이 중의 어떤 기능을 숙련할 수 있는가, 없는가 하는 것으로부터 그 사람의 심적 특징을 유추해 가는 것인데, 이 분류에 따르면 융은 어떤 특징을 갖고 있었던 것일까. 그는 사고와 직관의 기능에 우수하며 그가 써놓은 것에는 우수한 논리성과 그것을 가끔 중단시켜서, 읽는 사람에게 비약을 느끼게 하는 예리한 착상으로 넘쳐 있다. 그것에 대해서 그는 감각 기능에 대해서는 처음부터 단념하고 있었으며, 예술 분야에서는 열등생이라는 것을 자인하고 있었다. 특히 음악에 대해서는 전혀 소질이 없었던 것으로 유명하다.

그런데 감정에 대해서는 상당히 난해한 문제로 취급했는데, 그것은 융 자신에게 있어서도 귀찮은 것 같았으며, 융을 이해하는 데에도 어려운 문제이다. 감정이라고 하는 것은 도대체 보통 사람들에게는 귀찮은 것이었지만, 융에게 있어서 감정은 모든 문제에 그림자같이 항상 따라다니고 있어서 아무래도 그것에 대한 융의 태도가 양가적인 것이다.

연상 실험에서 진술했듯이, 콤플렉스에는 항상 감정이 수반되어 있다는 것을 융은 발견했다. 이 감정은 콤플렉스의 대상물과 만나면 반드시 나타나서, 도저히 자기 자신은 그 감정을 콘트롤 할 수 없기 때문에 질투나 증오 또는 애착이 강한 반응을 해버리는 것이다. 또 원형의 성질에 대해서 서술할 때에도 융은 항상 원형이 강한 감정을 수반한다는 것에 주의를 돌려, 그것을 '원형의 감정가感情價'라든가 또는 '누미노제'로 불렀다.

이들의 콤플렉스나 원형에 수반하는 감정은 매우 격하고 충동적이며 의식의 조절이 되지 않는데, 다시 말해서 그것은 냉정한 판단을 잃게 하는 성질을 갖고 있다. 특히 원형적인 감정은 직접적이고 격한 것으로, 이 원형이 투영된 대상물의 감각적 특징과 분리하기가 어렵게 연결되어 있는 것이 많다. 가령 며느리와 시어머니의 관계에서 '나쁜 태모胎母'의 이미지로 투영된 시어머니에 대한 악감정을 며느리는 이성의 힘으로도 어떻게 할 수가 없다. 또 '악인'이라고 하는 그림자를 투영한 상대에 대해서 증오의 감정이 폭발하는 것을 막는 일은 어려운 것이다.

그러나 원형에 수반되는 감정은 이와 같이 나쁜 것만이 아니라, 신다운 신성한 감정이라든가 감미로운 애정 등과 같은 바람직한 것도 있다. 단지 감정이 성가시다고 하는 것은, 이성에 의해서 자유로이

선택할 수 없으며 틀림없이 원형과 같이 덮쳐오는 것이라고 하는 점, 또 좋은 감정이 언제 악감정으로 전환할지 모른다는 것에 있다. 감정의 콘트롤을 서투르게 하면, 여러 가지 감정에 농락되어 지쳐 버리게 된다. 그러나 또 인생의 모든 국면은 감정에 의해서 색채가 풍부하게 되어 있으므로 아무리 귀찮고 성가시다고 해서 이것을 완전히 없애 버리면, 인생은 상당히 따분하고 재미없는 것이 되어 버릴 것이다.

감정의 문제에 대한 융의 태도는 이것을 귀찮다고 하여 잘라 버리려고 한 것은 아니었다. 그는 내향형의 인간으로서, 그 자신이 진술하고 있듯이 감정의 변화를 귀찮은 것이라고 느끼고 있었다고 생각되지만, 그러나 그것을 지나치게 싫어하여 감정을 버린다는 것은 그에게는 불가능했다. 이것은 이미지의 세계에서는, 반드시 감정이 수반되는 한 이미지를 맛본다고 하는 것은 곧 감정을 맛본다고 하는 것이기도 했기 때문이다. 결국 우리들이 내면 세계에 대한 탐구를 하고, 개성화를 성취해 가기 위해서는, 감정의 문제에 정면으로 맞붙어서 이것을 해결하고 통합해 가는 것은 피하기 어려운 일이다.

원형적인 감정이 직접적으로 나타날 때에 그것은 격정적으로 신체적·생리적 흥분을 수반하여 미분화한 가정의 폭발이라는 양상을 띤다. 노여움이나 슬픔이 의식의 조절을 잃고 있는 상태를 융은 '태고적·신화적'인 상태라고 평했다.

그러나 원형적 무의식이 의식에 의해서 인식되고 통합되어 가는 것과 같이 이러한 감정도 의식화됨에 따라 세련된 것으로 변형된다고 융은 생각했다. 감정도 또한 원형과 마찬가지로 양가적인 것이다. 이와 같이 융은 마이너스 성질을 갖고 있다고 해서 곧장 부정해 버리지 않고, 그 속에서 플러스인 것을 찾아내거나 혹은 플러스로 전환해

가려고 하는 방법을 언제나 취한다.

그런데 세련된 감정이란 감정기능이 독립하여 '합리적으로' 작용한다고 하는 것이다. 결국 미분화된 감정은 대상이 되는 사물이나 사람의 감각적 특징에 의해서 좌우되고, 가령 귀여운 아이들이나 미인의 친절은 즐겁게 느껴지지만 그렇지 않은 사람의 친절은 그다지 기쁘지 않은 등의 경우이다. 이 경우에는 상대에 의해서, 또 그때의 기분에 의해서 감정적 평가가 달라지고, 감정 생활의 통일성을 잃어버리게 된다. 그것에 대해서 감정 기능이 독립하여 작용한다는 것은, 상대의 감각적 특징과 관계 없이 같은 성질의 사항에 대해서는 똑같이 느끼는 것, 예를 들면 누구의 친절에도 똑같이 기쁘게 느낀다는 것이다. 이것을 융은 '합리적인 판단력'으로서의 감정 기능이라고 불렀고, 세련되고 바람직한 감정의 상태로서 평가한 것이다.

이와 같은 세련화는 무의식의 통합과 마찬가지로 자신의 감정의 의식화에 의해서 성취되어 가는 것이다. 그것은 감정을 억누른다든가 표출하지 않는다고 하는 것을 말함이 결코 아니며, 감정 생활이 통일성을 갖고 안정해 있다가 적당한 강도로 표현된다고 하는 것이다. 그것에 의해서 우리들은 타인과의 관계에서 아름다운 감정의 교류를 가질 수가 있을 것이다.

내향형인 사람에게 있어서는, 감정이 초래하는 격한 변화는 꺼림칙한 것, 혐오해야 하는 것이라고 느껴진다. 그것은 종종 관능의 상태로 양보할 수 없는 방류와 동일시되었기 때문에 그 번거로움에서 벗어나기 위하여 금욕주의를 부르짖은 사상가도 많았다. 그러나 융은 마이너스 면이 있기 때문이라고 하여 감정을 버리지 않고, 그것을 세련된 방향으로 해결책을 생각하여 감정의 배후에 있는 생명력을 중요하게 여기는 태도를 취했던 것이다.

D. 내적인 자연

마지막으로 융 사상의 최대의 특징을 한 마디로 서술하자면, 그것은 '내적인 자연'을 중시한 것이라고 말할 수가 있다. 융 심리학은 '원형 심리학'이라고 불러도 좋을 정도로 원형을 중시했는데, 이 원형이라는 것은 인간의 역사적 체험의 결정이고, 거기에는 유구한 자연의 법칙성이 모두 반영되어 있다. 융은 그것을 '내적인 선조'라고 불렀으며, 개개인은 그것과의 조화를 꾀하는 것이 중요하다고 서술하고 있다.

결국 우리들 인간에게는 우리들의 발상이나 행동을 선도하는 적당한 수로의 역할을 하는 심리적인 기능이 천성적으로 준비되어 있는데, 그것은 원형적인 이미지로서 우리들에게 지각된다. 이 선천적인 심적기능을 융은 '내적인 자연'이라고 말했던 것이다. 이 '내적인 자연'은 선천적으로 갖춰져 있다고 하는 것, 태어났을 때부터 죽을 때까지 같은 형태로 존재하고 있는 것은 결코 아니다.

인간은 신체적으로나 본능적 행동에 대해서도 생득적인 것이 발달하고 정점에 도달하며, 이윽고 쇠퇴하여 죽는다고 하는 과정으로 이루어져 있는데, 심적인 기능에도 역시 생득적인 과정이 있다. 융은 인생의 상승·전환기·하강·죽음이라고 하는 과정에 호응한 심적 이미지의 과정이라는 것도 당연하다고 생각했다. 그 과정을 말하자면 처음에는 의식을 강화하고 자아를 확립하여, 인간 사회 속에서 스스로 어울리는 지위를 얻는 것에 호응하는 소년기로부터 청년기인데, 이것은 의식이 무의식으로부터의 독립된 형태를 취한다.

다음에 30대 후반부터 40대 전반이 인생의 전환기인데, 여기에서는 한번 적대적으로 배척한 무의식과 대결하고 그것을 인식하여 통합해 가는 것이 과제가 된다. 그러고 나서 인생의 하강기에 대응한 심적인 구조라고 하는 것이 있고, 마지막으로 죽음을 자연스럽게 받아들이는 심적인 기능이 있을 수 있다.

종종 우리들 문명인은 정신을 무한하게 향상시켜야 한다고 생각하는 의식 중심주의에 빠져 있으므로, 특히 하강기나 죽음에 대한 자연적인 심리 상태를 잃어버리고 있을지도 모른다. 그렇기 때문에 인생의 전반기는 상당히 분발해 가고 있어도 후반기에는 무리가 생겨 버리게 된다.

신화나 종교적인 의례는 원형적인 이미지 형성에 의해서 만들어진 것이기 때문에 이 인간의 '내적인 자연'에 따르는 것이며, 그것에 따른 의례가 인생의 고비마다 인간의 살아가는 심적 구조의 전환을 꾀하는 전격수의 역할을 해온 것이다. 그것은 과학적 합리주의에서 보면 비합리적이고 바보같이 보이겠지만, 인간이 살아가는 데 필요한 원리를 포함하고 있으므로 상당히 잘 해결해 나갈지도 모른다.

근대적 문명인은 그러한 이미지의 중요함을 이해하지 못하고 단순히 비합리적이라고 하는 이유로 추방해 왔는데, 그렇기 때문에 인생의 고비마다에서 전환이 잘 되지 않고 부자연한 고집 때문에 불행하게 되는 예가 많다. 우리 주위에는 언제까지나 딸같이 젊게 보이고 싶어서 나이를 먹어가는 것을 받아들이지 않는 여성이라든가, 은거 제도가 없어져 버렸기 때문에 능력이 없어져도 지도자의 지위에 계속 있지 않으면 안 되는 노인 등은 전환의 의례가 없어졌기 때문에 어느 시기에는 자연스러웠던 태도가 그것이 부자연스럽게 되어도 언제까지나 계속될 수밖에 없는 비극이라고 말할 수 있겠다.

인생에는 자연적인 과정이 있고 그것에 대응한 '내적인 자연'의 과정에 따르는 평균적인 수로였다. 그러나 현대는 이 평균적인 수로가 대규모로 붕괴해 버린 시대이다. 각 사람은 자신의 힘으로, 개인의 내면을 탐구하는 것에 의해서 개인의 '내적인 자연'을 다시 발견하지 않으면 안 된다. 여기에 의식의 노력이라고 하는 문제가 출현한다.

자연스러운 과정이 갖추어져 있다고 해서, 의식의 노력을 없애도 자연히 잘 되어 가지 않을까 하고 생각하지만, 아무래도 그러한 것은 아닌 것 같다.

본능적·무의식적인 과정과 의식의 노력이 잘 협동하는 형태일 때, 비로소 자연의 과정이 성립하는 것으로 여겨진다. 결국 의식의 노력이란 자연적인 과정의 일환으로서 짜여져 있는 것이다.

따라서 무의식과의 관계에서 어떠한 의식 상태가 자연적인 것인가를 잘 생각해 보지 않으면 안 된다. 거기에 덧붙여 우리들 현대인은 의식의 잘못된, 치우친 노력을 의식적으로 바르게 해야만 하는 문제까지 책임을 지고 있다. 우리들은 정말로 어려운 시대에 태어난 것이다.

'내적인 자연'과의 조화라는 이 어려운 문제에 일생을 바쳐서 맞붙었던 사람이 바로 융이었다. 우리들이 평범하게 생각할 수 없을 만큼 그토록 훌륭하게 그것을 완수해 갔다고 말해도 좋을 것이다. 우리들이 융으로부터 배울 수 있는 것은 매우 많은 것이다.

2

인격의 위기와 통합 — 개성화

융은 어린 시절부터 자신의 인격이 분열하고 있다는 느낌을 갖고 있었다. 그것은 자신 안에 완전히 다른 두 사람의 인간이 있는 것처럼 느껴지는 것과 같았다. 그러한 마음의 분열성을 어떻게 통합해 갈 수 있을까 라는 문제가 그의 사상의 핵심이라고 해도 과언은 아니다.

A. 내적인 타자와의 대결

융은 1912년 말부터, 자신의 무의식이 이상하게 활발히 움직이기 시작함을 느끼게 하는 이상한 꿈을 많이 꾸었다. 그 중에서도 기분 나쁜 하나의 테마가 공상이나 꿈에 반복해서 나타났다. 그것은 죽은 것, 다시 살아난 것, 또 아직 살아 있는 것이었다.

이와 같은 몽상에 관해 그는 뭔가 해석을 하려고 생각했지만 이제 까지의 이론으로는 도저히 해석되지 않았다. 그래서 그는 마침내 단념하고, 무의식이 넘쳐나올 때까지 그것을 주의깊게 관찰하여 그것과 의식적으로 대결하려고 결심했다. 그러나 이 방법은 생각했던 것보다 훨씬 무서운 체험을 강요하여, 실로 이상하고 기분 나쁜 환각이 점점 그를 엄습하게 되었다.

융은 자신에게 정신병의 소질이 있는 것일까 의심하고, 자신의 전 생애를 세부적으로 두 번이나 조사했다고 말한다. 그는 특히 유아기의 기억에 관해 주의했는데, 그것은 장애 요인으로 발견되지 않은 것이 자신의 과거에 있을지도 모른다고 생각했기 때문이다. 그는 자신이 분열증에 위협받고 있다고 생각했다.

사실 이와 같은 환각은 그가 다루는 분열증 환자들과 비슷했다. 그가 전환해서 공포에 엄습당한 것도 무리는 아니었다. 한마디로 말해서 그는 소위 '내적인 타자'에 엄습당한 것이고, 이 기분 나쁜 내적 이질성은 그의 의지의 통어統御를 벗어나 제멋대로 활동한 것이었다. 융은 자신이 바로 인격의 위기에 빠졌다고 해도 과언이 아닌 상태가 되었다. 그러나 그는 이 상태에 영웅적으로 맞서서 그 속에서 몇 개인가의 훌륭한 통찰을 끌어내었다.

이러한 체험에서 생긴 첫번째 결과는 환자와의 관계가 개선된 것이다. 그는 환자에게 기성의 테두리나 선입견을 버리고 있는 그대로 보는 태도를 취했다. 즉, 이론적 전제를 모두 버리고 환자가 자연스럽게 이야기하기를 기다려서 그것을 그대로 받아들이는 태도를 취했다. 그러자 환자는 자신의 꿈이나 공상을 자발적으로 말해 주었다. 융은 자신의 무의식 체험의 깊이에 의해 환자의 무의식 세계로의 이해력을 심화시킨 것이다. 그리고 그에게 생긴 두 번째 결과는 자신의 개인적인 마음의 문제와 사회적·역사적 문제가 이상하게 호응하여 일치한다는 통찰이었다.

B. 여성 심리의 독자성

융은 확실히 남성과 여성의 사이에 태어나면서부터 심리적인 차이가 있다고 보는 입장에 있지만, 양성 사이의 차이가 모두 타고난 것이라고 생각할 수는 없는 것이다. 부권제의남성 중심의 사회에서는 남성에게 편리하도록 '여성다움'이라든가 '여성의 역할'이 정해지고, 미래의 여성의 성질과는 다른 것이 '여성다움'으로서 강요되는 면이 있다. 이것은 후천적으로 만들어진 '여성다움'이다. 그러나 이와 다른 방향에서 볼 때 천성적인 차이라는 것은 틀림없이 있고, 구체적·생리적인 차이에 머물지 않고, 마음의 작용이나 성질에 있어서도 남성과 여성은 확실한 차이를 볼 수 있다고 융은 말한다.

다만 이 구별을 부권제 사회가 차별이라는 제도로 명목화시킨 것이다. 그래서 차별에 반대하는 사람들이 구별 그 자체까지도 부정하게 되는 기분은 이해할 수 있지만, 심리적인 면에서는 있는 것을 없는 것으로서 다루면 반드시 심리적인 장애가 나타난다. 즉, 천성적 내향성과 외향성의 차이가 있고 천성적인 성질과 반대의 생활을 강요받으면 장애가 일어나듯이, 여성에게 무리하게 남성과의 동일성을 요구한다면 어딘가 장애가 나타난다. 남성과 여성은 차이가 없는 것이 아니라, 다르긴 하지만 가치면에서 일치한다고 생각하는 것이 올바른 입장이 아닐까?

근대 사회는 인간을 모두 동일시하는 경향이 있는데, 즉 차이를 사상捨象하여 인간을 추상적으로 간주하고 인간동형론에 빠진다. 남성도 여성도 모두 같은 인간이 아닐까 라는 것도 인간동형론의 일종이다. 이 근대적인 견해는 확실히 봉건사회의 가부장적인 남성 우위를 타파했었더라면 여성이 일정한 역할을 하여 남녀 동등권을 쟁취할 수 있었다. 그러나 형식상으로는 남녀 동등권이라도 사실은 남성적인 가치관이 지배하고, 여성이 남성과 동일화되어 버리는 것은 근대적인 인간동형론의 함정이다.

이 함정을 면하기 위해서는 여성이 천성적으로 남성과는 다른 점을 명백히 하여 여성의 뛰어난 성질을 밝히고 여성 독자적인 가치를 세워야만 한다. 그러한 전제 위에서 남성과 여성이 서로 상대적인 가치를 인정하고 대등한 교제를 갖는 것이 바람직한 것이다. 물론 이와 같은 사고는 여성과 남성에서만이 아니라 사물마다, 인간 개개인의 개성, 청년과 노인, 서양인과 동양인의 차이라든가 그러한 여러 표준의 차이를 고려해야만 하는 것이 중요한 것이다.

여기에서는 특히 여성 심리의 독자성에 관해서 서술했는데, 그것은 현대 사회에서 여성 해방의 문제에 특히 관심이 높아지고 있기 때문이다. 물론 남성 심리의 독자성에 관해서도 같은 것이라 할 수 있다. 서로의 독자성을 자각함으로써 상대화하는 것이 서로의 가치를 인정하는 필요조건일 것이다.

C. 정신의 원형

정신의 원리는 현세적인 세계에 대립하고 육체와 본능과 반대의 것, 혹은 욕망과 정념을 부정하는 원리이다. 인간에게는 현실적인 욕망이나 충동의 세계에서 영적인 세계로 순화되어 높아지고 싶다는 욕구가 있고, 이것은 보편적인 원형적 마음의 작용이라 생각된다.

이 원형은 남성적인 격렬한 성질을 가지고 있다. 정신은 바람이나 한숨이고 또 호흡과 동일시되는 체내의 영기생기이다. 그것은 격하게 부는 것이고 지상을 떠나 높아지고 순화하는 것이다. 이 원형은 일반적으로 현자·의사·구제자·지도자·교훈·격언으로서 나타나는 것이며, 총괄해서 의미나 지혜를 주는 것이다. 이 이미지는 '빛의 원형'이라고도 할 수 있는데 여성의 신체를 통해 태어난다든지, 또 여성과 새로운 관계가 있는 점을 보면 '자기'의 상징에 접근한다고도 할 수 있다. 융이 최고의 단계를 나타낸다고 생각하고 있던 자기라는 원형적 상징에 관해서는 제2부에서 논하였다.

보통 인격이라고 하면 자아의 내용만으로 이해되는데, 이에 덧붙여 융은 악과 어둠의 성질, 생명력의 원리, 그리고 정신의 원리를 통합한 인격의 형태를 '자기'라고 이름 붙였다. 통합한다는 것은 여러 가지 대립하는 원리를 때와 장소에 맞게 잘 구사하는 것을 말한다. 요컨대 그것은 의식적으로 하기보다 자연적으로 잘 되는 경지이다.

D. 내적인 선조와의 연결

융은 진보라는 것을 인정하지 않았다. 미래라든가, 황금 시대가 온다는 환상을 갖지 않았다. 현대인들은 원시 시대나 고대·중세를 지냈다는 생각으로 미래의 약속을 하지만, 항상 낯선 것의 등장으로 만족하지 못하고 초조하고 불만에 괴로워한다. 그것은 우리들 속에 살아온 낡은 것을 버린 잘못 때문이다. 우리들의 마음은 신체와 같이 선조들이 갖고 있던 똑같은 요소로 구성된 것이다. 우리들은 과거를 졸업한 것이 아니며, 태고의 것은 의연히 강력하게 우리들 속에 살아 있다. '새로움'은 태고로부터 내려오는 보편적 요소의 무한히 변화하는 재구성인 것이다.

인간 존재의 원형적인 근저는 유형적임과 동시에 한 사람 한 사람에 대해서 개성적으로 나타나는 것이다. 우리들은 선조로부터 생긴

것임과 동시에 자기 독자의 것인 원형을 잘 인식해서 이것을 될 수 있는 한 의식화하여, 이 내적인 선조와의 사이에 조화를 만들어야 한다. 이것이 융의 개성화이고 자기 실현이다.

3

융과 프로이트, 그리고 유형론

A. 정신의로서의 출발

자연과학과 정신과학과의 만남이 하나의 현실로 이루어지는 장소가 곧 정신의학이라는 운명적인 결단에 의해 융은 취리히 정신병원의 의사로서 인생의 첫발을 내딛었다. 정신병원에는 지금도 그런 경향이 있는데 융에게도 뭔가 이해할 수 없고 기분 나쁜, 무서운 곳이라는 느낌이 붙어다녔다. 그리고 그곳의 의사도, 또 정신의학도 다른 의학 부문보다 한 단계 낮은 것으로 보여지고 있었다. 게다가 제일 어려운 것은 의사 자신이 환자를 전혀 이해할 수 없는 단순한 현상 또는 물체로서 다루고 있었던 것이다.

의사들은 증상을 단지 기술하고, 무엇무엇이라는 병명으로 진단을 내리고, 다음은 환자를 방에 가두어 방치해 두는 것이었다. 정신병은 인간적 이해를 넘은 '이상異常'이라고 생각이 되어 그것에 병명을 붙이는 것은 환자를 물체라고 지정하는 것과 같았다. 환자의 인격이나 개성 따위는 전혀 문제삼지 않고, 환자의 정신은 파괴되어 존재하지 않든가, 침체되어 있는 것으로 생각되고 있었는데, 그러한 생각으로 의학의 힘도 또한 침체되고 있다고 말해도 과언이 아니었다.

그러나 융은 달랐다. 그의 젊고 건강한 정신의 관심과 탐구심에 의해 '도대체 무엇이 정신병자의 내면에서 일어나는 것일까?'라는 의문이 문득문득 일어났다. 그는 정신병자의 심리를 문제시 했던 것이다. 이것은 당시 정신의학계에 대한 중대한 도전이었다. 당시는 환자에게는 정상적인 의식은 존재하지 않으므로 거기에서 어떤 의미를 찾기는 불가능하고, 따라서 단순히 외면에서 관찰하고 기술하고 분류해서 레테르를 붙이는 것이 학문적으로 할 수 있는 유일한 것이라고 생각되고 있었던 것이다.

그런데 융은 얼핏보아 무의미하게 보이는 환자의 말이나 동작에서 정상인과 같은 의식과 의미를 발견할 수 있지 않을까? 라고 생각했다. 정상적인 의식의 작용이 어디에서 어떻게 돌아 버린 것일까? 그것을 이해해야 비로소 진정한 치료를 할 수 있다고 생각했다. 보통 사람들이 할 수 없다고 생각하는 것을 하려는 사람이 나타난 것은, 할 수 없다고 생각하는 사람들에게 있어서는 무엇보다 화가 나는 일이었다. 융의 시도에 대부분의 '전문가'가 은근히 적의와 의도적인 무관심을 가지고 대한 것은 상상하기에 어렵지 않은 것이었다.

어쨌든 융은 이러한 관점에서 볼 때 중요한 체험을 이 병원에서 얻게 된다. 그의 병원에 한 노부인이 50년 전부터 입원해 있었는데, 그녀는 유동식밖에 먹지 않고 손가락 사이로 음식물을 뚝뚝 떨어뜨리면서 손가락으로 먹는 상태였다. 그녀는 언제나 손과 팔로 이상한 율동적인 동작을 했는데, 융은 이것에 주목했다. 융은 그때 '그것이 무엇을 의미하는지 몰랐다'라고 서술하는데, 여기에서 융의 특징이 발견된다. 즉, 의미가 있다고 생각하는 것이야말로, 의미를 알 수 없다는 의문이 나오는 것이다. 그는 정신병 환자의 무의미한누구나가 그렇게 생각하고 있었다 동작에서도 의미를 발견하려고 했던 것이다. 그래서 그는 늙은 간호원에게 가서 환자는 언제나 이렇게 하고 있느냐고 물었다. "그래요"라고 그녀는 대답했다. "그렇지만 내 전임자는 언제나 구두를 만들고 있는 것이라고 말했어요." 그 기묘한 동작은 구두 수선을 할 때 가죽을 실로 꿰매는 동작이었던 것이다.

그러나 그것을 알았더라도 그녀는 어째서 그 동작만을 50년간이나 계속해 왔는가 하는 의문이 남는다. 이 의문은 환자가 죽었을 때 장례식에 온 그녀의 오빠와의 대화로서 풀렸다. 그는 그녀가 어떤 제화공을 좋아했는데 그가 그녀를 버렸을 때 발병했다고 말했다. 그 동작은 그녀의 제화공과의 동일시를 나타내고 있었다고 할 수 있다. 이것은 극히 단순한 예에 지나지 않지만, 이 에피소드가 나타내는 중요한 점은, 융이 얼핏보아 무의미한 현상의 배후에는 반드시 이해할 수 있는 심리적 기원이 있다는 것을 확신하고, 그것을 탐구하는 노력을 하고 있었다는 것이다.

B. 환자의 의식에 대한 이해

그 후 융은 이러한 예를 몇 번인가 경험하게 된다. 그 중에서 그는 정신병자의 환각이나 발상이 어떤 의미를 함유하고 있음을 이해해 갔다. 그들의 의식 속에서 예전의 그들의 인격이나 생활사, 희망이나 욕망이 발견되었다. 그는 자서전 속에서 다음과 같이 말했다. "환자들은 우둔하고 무력한 듯이, 혹은 완전히 바보로 보일지도 모르지만, 환자의 의식 속에는 외견보다도 더욱 많은 것이 있고 의미가 있는 것도 매우 많은 것이다. 실제로 우리들은 정신병자 중에 아무런 새롭고 미소한 것도 발견하지 못한다. 오히려 우리들은 우리들 자신의 성질의 토대와 만나는 것이다."

그는 정신병자의 의식 속에 우리들 '정상인'과 같은 것을 발견했다. 그러나 같은 것이라 해도 의식적인 마음의 작용이 같다는 것이 아니다. 그 차원에서 볼 때 그들은 확실히 '이상異常'이다. 그러나 우리들이 의식하지 않는 깊은 무의식의 차원에서는 '정상인'도 '이상자'도 같은 성질의 요소에서 성립함을 융은 깨달았다. 그는 오히려 환자들에게 배우고 그것에 의해 자기 자신이 몰랐던 심층을 알게 되었다고도 말할 수 있을 것이다. 그는 환자들의 이야기를 깊이 새겨 그들을 인간으로서 취급하고, 대화를 계속하는 동안에 환자들의 공상 속에서 연출되는 드라마가 미래인의 심리나 혹은 신화의 여러 가지 테마와 매우 유사하다는 것을 발견했다. 환자의 공상의 모티브도, 신화의 모티브도 정상적인 의식의 윤리에서 보면 무의미하고 기묘하게 보이지만, 그것들은 뒤에 융이 '보편적 무의식'이라 이름 붙인, 가장 오래 되고 가장 깊은 심층을 이루는 부분에서 나온 것이며 그것들에는 특유의 성질과 법칙성을 볼 수 있었던 것이다.

무의식은 의식의 윤리와는 전혀 다른 논리를 가지고 있다. 그것은 완전히 비합리적이고 무질서하게 보이지만 잘 조사해 보면, 그 나름의 패턴이나 법칙성을 가지고 있다. 정신병자의 언행을 잘 관찰하면 어딘지 이 무의식의 내용이 그대로 나온다든지, 혹은 그가 그 내용에 준해서 조종당하든지 하는 것을 느낄 수 있었다. 이렇게 해서 융은 환자의 내면을 이해하려고 노력해 가는 동안에 환자의 마음속에 연출되는 드라마가 의식과 무의식의 격한 갈등이며, 그 결과 의식과 무의식이 분열해 버렸거나 또는 의식이 무의식에 압도되어 버린 상태가 분열증이라고 불리는 것임을 밝혀내었다. 그들의 밖으로 표현되는 언행은 무의식의 성질이므로, '정상인'의 의식의 논리에서 보면 완전히 이해를 할 수 없는 것이라 생각되고 있었던 것이다.

이렇게 해서 융은 무의식의 성질을 조사한다는, 미개지의 탐험과 같은 큰일을 적극적으로 나서게 되었다. 융에게 유익한 발견을 얻게 해준 똑같은 문제를 취급한 사람들 중에서 가장 많은 시사를 주고 공명을 느끼게 했던 것은 프로이트의 꿈 분석법이었다.

C. 프로이트와의 만남

프로이트의《꿈의 해석》을 읽은 후, 융은 언어 연상 실험에 의해 무의식의 존재가 사람을 얼마나 억압하는지를 알게 되었으므로, 프로이트가 명백히 밝힌 억압이라는 측면을 곧 받아들일 수 있었다. 그는 프로이트에 대하여 동의할 수 없는 점도 있었지만, 그러나 정신병에 있어서 무의식이 중대한 관련을 가지고 있다는 가장 중요한 점에서는 완전히 일치하고 있었다. 같은 견해를 가진 우수한 사람이 있음을 안 프로이트는 융을 초대하여 1907년 빈에서 처음 만나게 되는데, 그때 프로이트의 나이는 51세, 융은 32세였다. 그들은 13시간이나 쉬지 않고 계속 이야기했다고 한다. 지금까지 주위에서 몰이해와 냉담과 혹은 적의밖에 볼 수 없었던 사람들이 서로 이해하고 평가할 수 있는 상대를 발견했다는 기쁨과 흥분이 잘 나타나 있다. 그 후 프로이트는 국제정신학회를 설립하고, 그 초대회장에 융을 추천하는 한편 또 미국에서 초대받아 강연 여행도 함께 가곤 했다.

그러나 같은 사고를 가지고 있다 해도 무엇이나 같을 수는 없다. 두 사람의 주위에서 너무나 몰이해했으므로 단지 무의식을 인정하는 사람이 있다는 것만으로 감격했다. 그러나 기쁘더라도 약간은 냉정하게 거리를 두는 것이 필요하다는 보편적인 사실을 잊은 두 사람은, 결정적인 차이가 나타나자 결별하여 제자들도 휩쓸려서 불유쾌한 대립 관계에까지 발전해 버린다. 지금에 와서 보면 두 사람의 사고 방법에는 근본적으로 서로 결정적인 차이가 있었던 것이다.

D. 꿈은 속이지 않는다

그러면 두 사람의 근본적 차이는 어디에 있었던 것일까? 《꿈의 해석》에 대한 호감으로 시작한 관계에서 융은 프로이트에 대해 하나의 의문을 품고 있었다. 즉, 프로이트는 억압의 원인을 성적 외상이라고만 생각한 데 비해, 융은 사회에 적응하기 위한 체면 문제, 또 도덕적인 이유로 억압받는 경우 등 다른 원인이 많이 있다고 보았던 것이다. 그러나 프로이트는 결코 그것을 인정하지 않고, 융이 경험 부족으로 아직 모르는 것이라는 태도를 취했다.

프로이트는 일생 동안 '성'문제를 계속 고집해 갔다. 가령 꿈속에 성 이외의 테마가 나타나면, 그것은 사실은 배후에 성적 욕망이 있고, 그 욕망을 솔직히 나타낼 수 없으므로 다른 형태로 변형, 가공해서 나타낸다고 생각했다. 즉, '꿈은 감춘다' '꿈은 속인다'라는 것이 된다. 그리고 문화적·정신적인 이미지에 관해서도 억압받은 성욕이 변형되어 나타난 것으로 보아 '정신 성욕'이라고 하였다.

그러나 융은 꿈이 무의식의 작용에 의해 나오는 한 의식의 작용을 감추거나 왜곡하거나 하는 것이 꿈의 일반적이고 기본적 성격이라는 것을 도저히 옳다고 생각할 수 없었다. 융은 그 후 오랫동안의 경험에서 무의식은 의식의 작용에 대해 오히려 완고하게 저항하여 자율성을 가지고 자신을 밀어내는 것임을 확인해 간다. 그는 꿈은 "순수한 자연이고, 속임수가 없는 자연적인 진리다"라고 썼다. 프로이트는 이상하게 성에 구애되었으므로 이론적으로 무리를 거듭했는데, 꿈이란 감추어지고 가공한 형상이라는 생각은 그 두드러진 예라 할 수 있다. 거기에 대해 융은 '꿈은 속이지 않는다'라는 신조를 갖고 솔직한 마음으로 환자의 꿈에 대해 말했다.

E. 외향성과 내향성

융은 심적 에너지라는 것을 상정해서, 그 심적 에너지의 작용에 두 가지 유형이 있다고 가정했다. 한쪽 유형은 이 에너지가 밖으로 확산해서 주위의 객체로 유출해 가는 느낌이고, 그 때문에 자신이 주위의 세계와 일체화해서 융합하는 것처럼 느끼는 상태이다. 주위와 위화감이 없는 대신 주위에서 확연히 구별된 자신이라는 느낌이 약하다. 즉, 주체가 엷어져서 객체가 밝게 빛나는 듯한 느낌이다. 따라서 타인의 언행이나 판단이 그에게 결정적인 힘을 갖고, 그의 태도 결정은 자기의 생각이나 좋고 싫음에 의해서보다는 주위 상황에 맞추어 결정된다. 융은 이와 같은 심적 에너지의 상태를 '외향적인 구조'라고 불렀다.

그것에 대해 다른 한 유형은 심적 에너지를 확산시키지 않고, 주위에 대하여 강력한 벽을 만들고 내부에 에너지를 축적해서 내면에 명확한 형태를 가진 내용을 만들어 그것을 중요시하는 상태이다. 강한 경계선 안에 독자적인 세계를 갖고 있으므로, 이 세계를 필사적으로 지키려고 하고 이 세계가 어지럽혀짐을 싫어한다. 주위의 기대에 맞추는 것이 아니라 자신의 기호나 판단이라는 내적 욕구에 따라 태도를 정한다. 이 상태를 융은 마치 주체 측에 자력이 있어서 심적 에너지를 주위에서 흡수하는 것 같다고 말하고, 이것을 '내향적인 구조'라고 이름붙였다.

융의 유형론의 우수한 점은 일반적으로 인간의 이해에 유용할 뿐 아니라 오해라는 심리학적 기초를 명백히 한 것이다. 인간은 자신의 유형의 구조에서 타인을 판단하려고 하므로, 다른 유형에 속한 사람들은 도저히 바르게 이해할 수 없게 된다. 인간은 대개 자신의 원리의 보편타당성을 믿고 있기 때문에 그 입장에서 다른 유형의 사람을 매우 낮게 보는 것이다. 그 때문에 이 세계에 어느만큼의 오해와 증오와 싸움이 일어나는지를 생각해 볼 때, 각자의 유형을 자각하고 자신의 견해로 치우쳐 있음을 자각하는 것이 중요하다고 융은 말하고 있다.

F. 의식적 태도와 무의식적 태도

인간의 성격을 관찰하면 너무나 복잡해서 그렇게 간단히 내향적이라든가 외향적이라고 분류할 수 없다. 인류의 역사를 보면 인간의 심적인 구조에 관해 분류하려는 노력을 많이 볼 수 있고, 또 많이 성공해 왔다.

그러나 이러한 분류가 학문의 분야로서 중시될 수 없음에는 상당한 이유가 있다. 왜냐하면 인간을 자세히 관찰하면 항상 양면성이 발견되기 때문이다. 그렇다면 기질이나 성격의 분류는 엄밀한 학문적 개념으로서는 그다지 의미가 없게 된다. 그럼에도 불구하고 융이 보았듯이, 인간의 오해나 싸움의 밑바닥에는 역시 성격의 차이가 명백히 있다고 생각된다. 이것은 도대체 무엇일까?

융은 이 문제에 대해 어느 쪽으로도 간단히 결정 짓지 않고, 인간을 명백히 분류할 수 있는 일상적인 느낌과, 정확히 보면 분류할 수 없다는 과학적으로 엄밀한 방법도 중시했다. 이 양쪽 모두 옳다는 것이 어떻게 가능할 수 있을까를 생각했고, 결국 이 난점을 해결하는 테두리를 발견했다. 그것은 인간의 의식적 태도와 무의식적 태도가 정반대로 대립되어 있다는 사실이다.

우선 외향형의 사람은 의식적으로 행동할 때는 사교적이고 밝고 타인과의 교제도 능숙하고 사회 적응도 잘한다. 즉, 외향적인 태도가 세련되어 있다. 그런데 일단 이 사람이 자신의 주장이나 욕구를 표현하려고 하면 상대의 상황이나 기분에 상관없이 자기 중심적이 되거나, 혹은 자신을 완전히 억눌러 버려서 나중에는 히스테리를 일으키기도 한다. 요컨대 능숙하게 자기를 표현할 수 없는 것이다. 외향형의 무의식적인 태도가, 내향적 태도의 세련되지 않은 형태가 됨을 알 수 있다.

그 반대로 내향형인 사람은 자신의 내면의 판단이나 욕구를 완전한 이념이나 예술 형태로 표현하지만, 타인과의 관계에서는 균형을 잃어, 일반적으로 자신의 생각을 강요하거나 난폭하게 행동한다. 이런 사람은 반대로 내성적이고 망설이며, 또한 외향적 태도가 세련되지 못하다.

이렇게 보면 똑같이 양면성을 가지고 있다고 해도 외향적인 사람과 내향적인 사람과는 의식적인 태도, 무의식적 태도가 정반대임을 알 수 있다. 외향형인 사람은 외향적인 태도는 의식적으로 다듬지만, 자기 자신의 의견이나 사고 방식, 표현 방법에 익숙하지 않고 다만 거칠고 유아적인 원시적 상태에 머물러 있는 것이다. 반대로 내향형인 사람은 자신의 내면을 잘 알고 있지만 바깥과의 관계가 열등하다. 이와 같은 사람은 대개 외향형이나 내향형에 치우쳐 인격을 형성하고 그에 따라 인생을 살아가는데, 그 경우 두 가지 문제가 생긴다. 즉, 너무 한쪽으로 치우치거나, 너무 원만하다는 문제이다. 다시 말해서 심적인 유형은 타고난 소질과 환경의 압력으로 결정되는데, 이 두 요소가 일치하는 경우에는 너무 치우치고, 그 반대의 경우에는 치우침이 없다는 문제가 생긴다.

그런데 융의 유형론을 소개하기 위해서는 이상의 내향성·외향성이라는 마음의 기본적인 구조 외에, 심적 작용의 차이로서 네 가지 기능이 있다는 것을 명백히 해야만 한다. 즉, 그것은 사고·감정·직관·감각이며, 이 네 가지 심적인 작용이 각 기능별로 외향형과 내향형을 다시 세분화하게 되는 것이다. 따라서 심적 유형에는 여덟 가지 형태가 있게 된다.

4

융의 종교와 신화

융의 일생은 무의식과의 대결, 무의식의 해명, 그리고 무의식의 자기 표현의 이야기라고 할 수 있다. 보통 무의식의 체험은 내적 체험이기 때문에 그것은 필연적으로 종교적 체험과 서로 겹친다. 따라서 그가 종교에 대하여 어떠한 생각을 갖고 있는가 하는 문제는 융의 사상을 이해하는 데 결정적인 요소가 된다.

그와 동시에 융의 그리스도교론이 가장 많은 오해를 초래했고 또심한 반발과 비난을 불러일으켰던 것에서도 알 수 있듯이, 이 점은 융의 이해에 있어 '실패의 돌'이기도 하다. 그런 까닭에 융에 관해서 종교, 특히 그리스도교에 대해서 논하는 것은 매우 어렵고 또 큰 책임을 수반하는 것이지만, 그러나 이 문제를 피해 지나갈 수는 없다. 이것을 제외하고는 명확히 융을 이해할 수 없기 때문이다.

그래서 말이 약간 어려워지는 것을 각오한 상태에서 정면으로 이문제를 다루어 보고자 한다.

A. 정통과 이단

신앙 생활에 있어서 개인의 내적 체험과 신앙 고백은 그리스도교나 불교와 같이 잘 발달한, 구원 종교라고 말해지는 것에는 어느 시대나 항상 존립해 왔다. 가령 그리스도교의 역사에는 이단 논쟁이 항상 맴돌고 있었으며, 그 중에서 정통파로서 인정된 쪽은 객관주의라고 불렀고, 이단으로 간주된 파는 주관주의라고 불렀다.

이 부르는 방법은 정통파가 교회라든가, 정규로 임명된 성직자에 의한 기적의 행위만이 구원을 가져온다는 생각에 대하여, 이단화된 사람들이 성직자의 내부로부터 발하는 행위만이 유효하다고 생각한 것에서 유래한다. 전자는 '사효론事效論', 후자는 '인효론人效論'이라고 불린다. 후자는 성직자가 참된 내면적인 신체험을 갖고 있어서, 그로 인하여 그가 거기에 적합한 인간적 자질을 갖고 있는 것을 중시한 것이다. 따라서 이 대립은 한쪽이 성직자를 도구로서 삼은 신의 객관적 행위를 중시하고, 다른 한쪽이 인간의 행위를 중시했다는 뜻은 아니다.

주관주의라고 불리는 사람들은 결코 신보다 인간을 위에 놓는 자만심에 빠져 있는 것은 아니며, 그들도 또한 신의 객관적 행위를 중시하고 있었다. 양자의 차이는 신의 행위가 객관적 제도를 통해서 이루어진다고 생각하든가, 그렇지 않으면 참된 신앙자라고 하는 인간을 통해서 이루어진다고 생각하는 차이였다.

이 대립은 3, 4세기의 도나티스트 논쟁으로 시작되어, 중세의 교회 개혁운동을 거쳐 종교 개혁에 이르는 그리스도교 역사의 중요한 동기를 이루고 있다. 중세의 그레고리우스 개혁 등의 많은 개혁운동은 거의 청빈과 금욕을 중시하는 수도원에서 발생했으며, 객관주의에 의한 교회의 타락에 대해서 주관주의 쪽에서 가한 비판에 막을 내리고 있었다.

종교 개혁도 루터의 '신앙만'의 사고 방법에서 시작된 것인데, 프로테스탄트 쪽도 마침내 교회의 조직을 중시하는 입장이 주류를 이루어 가는 동안에, 교회와 직업으로서의 목사를 부정하는 많은 교파를 산출해 가게 된다. 그들은 메노나이트, 메소지스트, 쿠에카 등 소위 재세례파再洗禮派라고 불리는 사람들인데, 이 사람들도 기본적으로 고대, 중세의 이단과 같은 주관주의적인 '인효론'의 입장에 서는 것이었다.

이 입장의 특징을 전형적으로 나타내고 있는 것은 '쿠에카'집회의 형태일 것이다. 쿠에카는 직업적인 목사를 인정하지 않는 점에서 가장 철저하다고 말해지고 있다. 결국 이 사람들은 신자의 집회에 있어서 특정의 설교자를 두지 않으므로 모두 모이면 전원이 침묵 상태로 기도를 드리고 묵상에 잠긴다. 그 중의 어떤 사람에게 성령이 내려서, 신의 영을 느낀 사람이 그 말을 한다. 이것은 그들이 제도를 통해서 주어지는 것이 아닌, 내적 체험에 의해서 주어진 직접적인 신의 체험을 얼마나 중시하고 있는지를 나타내는 것이다.

이 예에서도 알 수 있듯이, 이 사람들은 인간적 차원에 있어서 — 인간의 의식적인 모조품으로서 — 신의 체험을 갖고 있었던 것은 아니다. 이와 같은 오해는 주관주의라든가 인효론이라고 하는 명칭과 관계가 있지만, 그러나 그들은 역으로, 연약한 인간에게 압도적인 힘을 갖고 떨어지는 객관적인 힘을 얻어서 그것에 따르는 것, 즉 '메미노즘' 체험을 하는 것이야말로 참된 신앙이라고 생각하고 있다. 그들이 구하고 있었던 것을 융의 용어로 말하면, 원형적인 것을 자신의 내면에서 직접적으로 체험하는 것이었다.

B. 원형으로서의 예수상

《구약 성서》의 신은 무의식과 같은 성질을 갖고 있으며, 그것에 대해서 의식 쪽을 대표하고 있는 다비데나 욥은 그 비논리성과 충격적인 암흑면을 인식했다고는 하지만, 그 압도적인 힘에 굴복해서 전면 항복해 버렸다.

그것에 대해서《신약 성서》의 신은 그 성질이 현저하게 변화하고 있는 것을 누구나 분명하게 알 수 있다. 이 신은 이미 일방적으로 인간을 독점하는 신이 아니라 사랑의 신이며, 자신의 아들을 희생하여 인간의 죄를 용서한 신이고, 또한 인간 구원을 최대의 목표로 하는 신이다. 이 변화는 예수상의 출현과 깊은 관계가 있다. 예수가 죽임을 당한 것은 인간을 구원하기 위함이고, 인간과의 사이에 화해를 수립하기 위함이다.

결국 융의 견해에 의하면, 예수는 집합 무의식인 하느님과 의식인 인간과의 사이를 중재하는 것이다. 따라서 예수는 무의식과 의식의 통합인 '자기'를 나타내고 있다는 결론이 나온다. 무엇보다도 융의 해석은 이 경우에도 정통파 그리스도교의 해석과는 놀랄 정도의 차이를 보인다.

정통파에 의하면 예수의 십자가에 의한 죽음은 인간의 죄를 짊어지고 그 죄를 속죄하는 것이지만, 융에 의하면 그것은 반대로 신神 측의 부정에 대한 보상이라고 하는 것이 된다. 예수의 십자가상의 고통은 지금까지 신에 의해서 인간에게 주어져 왔던 부당한 고통을 스스로 맛보기 위한 것이고, 그것에 의해서 인간과의 사이에 화해가 성립되는 것이다. 그것은 무의식의 의식화이며, 그것에 수반되는 고통을 나타내고 있다. 예수의 출현은 의식화의 과정이 비약적으로 진행된 것을 나타내고 있는 것이다.

그러나 의식화가 비약적으로 진행되는 과정에서, 거기에 수반하여 하나의 강력한 원형이 나타나는 것에 주의하지 않으면 안 된다. 그것은 이미 설명한 정신 — 빛, 구주 — 의 원형이다.

인간은 의식화의 과정에서 이 원형에 습격당하고 빠져 버릴 위험을 갖고 있는 것이다. 《신약 성서》의 예수도 또한 이 원형의 성질을 강하게 갖고 있다. 요한복음서를 보면 '최초에 말씀이 있었다…… 이 말씀에 생명이 있었다. 그리고 이 생명은 사람의 빛이었다. 빛은 어둠 속에 빛나고 있다. 그리고 어둠은 이것을 이기지 못했다'라는 내용으로 되어 있는데, 이 빛이 곧 세상에 내려온 예수라고 되어 있다.

예수는 어둠에 대한 빛의 상징이다. 그뿐만 아니라 악에 대한 선이며, 육에 대한 영이고, 현세적인 부·권력·명예 등에 대한 초현세적인 구원을 나타낸다. 이것은 바로 '정신 — 현자' 원형의 발로라고 볼 수가 있다.

인간의 의식이 이 원형과 이 단계로 고정화되는 것은, 모처럼 의식화가 진행되기 시작한 단계에서 의식이 다시 무의식으로 취해지고 이해되는 것을 의미한다. 그렇게 되면 인간의 발상이나 행동이 교조주의적으로 되고, 상황에 관계 없는 실체적 태도를 취하게 된다.

예수가 비판한 바리새 주의의 위험은 예수의 성질 속에 이미 표출되어 있다. 그 위험을 피하기 위하여 인간은 '정신' 원형에의 일면화에 대해서 신체성이나 여성성, 또 악 — 암흑 — 의 원리로 눈을 돌려, 그 문제와 신중하게 대결하지 않으면 안 된다.

이 관점에서 볼 때, 예수상 중에 미묘한 형태로 신체성과 여성성의 원리가 도입되어 있는 것을 볼 수가 있다. 그것은 예수가 마리아에게서 잉태되고, 마리아에게서 태어났다고 하는 점이다. 그것은 신이 여성인 마리아의 육체를 통해서, 육체를 가진 인간으로서 나타났다고 하는 것을 의미하며, 여기에는 결합의 원리가 보인다.

결국 유대교가 단순히 정신성이나 남성성만으로 치우친 성질을 갖고 있었다는 것에 대한 보상이, 이와 같은 형태로 나타난 것이라고 융은 해석했다. 요컨대 예수상 중에는 정신성과 신체성, 남성성과 여성성, 의식과 무의식, 신과 인간이라고 하는 대립되는 것에 대한 통합이 보이는 것이다.

물론 예수는 충분한 의지에 의해서 임신되었고, 그래서 그녀의 신성神性을 끝까지 부정하는 것은, 대립하는 양자 중 여성성·신체성 쪽이 또 다른 쪽에 대해서 대등한 지위를 획득하지 못함을 의미한다. 이것이 완전하게 대등한 대립으로 되고 더구나 양자가 통합된다면, 거기에 '자기'의 상징이 나타날 것이다. 융은 예수상의 출현 속에 이와 같은 의미를 읽고 있었던 것이다.

C. 신화로서의 종교

일반적으로 융의 사상은 그리스도교 정통파와 대립하여 이단으로 된 그노시스주의나 연금술 등의 신비주의 사상과 같은 성질을 가진 것이 분명하다고 생각된다. 그런데 그것이 무엇을 의미하고 있는가에 대해서 여기에서 명확히 정리해 보자.

융에게 있어서 종교라는 것은 어느 조직에 속한다든가 또는 어느 신을 믿는다고 선언하는 것이 아니라, 내적 체험에 깊이 관계되는 사항이었다. 그러나 인간은 그 내적 체험을 상징화하여 표현하고, 그것에 의해서 그 체험을 명확하게 하며, 확인하고 또 재현하려 한다. 그 상징은 여러 가지 신의 모양으로 표현되기도 하고, 또 그 신을 중심으로 한 이야기나 세계상의 모습을 취해서 표현된다. 결국 그것은 신화로서 표현되는 것이며, 그 중에 이 세상이 어떻게 이루어졌는가, 어떤 구조를 갖고 있는가, 또 그 중에서 인간은 어떠한 위치를 차지하며 어떠한 의미를 갖고 있는가 하는 것 등이 나타나고 있다. 신화에는, 인간이 어디에서 와서 어디로 가는가 라고 하는, 인간 존재의 의미가 계시되어 있는 것이다. 이런 의미에서 종교라는 것은 신화라고 할 수가 있다.

가령 그리스도교에는 절대 유일의 창조신에 의한 이 세상의 창조, 인간의 타락과 예수에 의한 구제, 그리고 최후의 심판과 신의 나라의 실현이라고 하는 신화가 있으며, 힌두교나 불교에서는 전세에서 현세, 그리고 내세와 영원히 무상한 세계를 윤회하지 않으면 안 되지만, 거기에서 해탈하여 평안한 생을 얻는 것이 구원이라고 되어 있다. 또 조로아스터교에서는 빛의 신과 어둠의 신이 싸우고 있는데, 전자가 우세해지면 이 세상에 정의가 행해지고, 후자가 이기면 이 세상에는 악과 부정이 횡행해진다.

물론 신화는 이와 같이 간단한 것은 아니고, 그 속에 아름다운 여신상이라든가, 무서운 지옥의 상태라든가, 양치는 목자로서의 부드러운 구세주라든가, 구세주가 박해당한다든가, 혹은 신으로서 인간이 된 구세주의 육체를 먹어서 신과 일체화한다든가, 신이 기적을 이룬다든가, 삼위일체의 관념이라든가 하는 상태의 모든 원형적인 상징을 수반하여 웅대한 이야기를 형성해 가는 것이다.

융은 특히 카톨릭의 미사에 대한 중요한 논문 속에서, 빵과 포도주를 그리스도의 육체와 피로 간주하여 그것을 먹는 의식은 내적 체험을 상징화한 것이며, 인류의 보편적인 체험을 표현한 것이라고 논하고 있다. 그런데 이와 같은 내적·종교적 체험은 인류에게 공통의 원형적인 것을 핵심으로 하여 점차 의례나 제도나 신상神像으로서 체계화되고 제도화·고정화되어 가는 것이다.

중세 그리스도교에서는, 모든 신화는 교의나 제도로서 확립되고 그 객관적인 체계에 따라서 개개인의 생사의 의미가 기성의 것으로서 주어진다. 개인은 스스로 그러한 체험을 새롭게 구할 필요는 없는데, 그 이유는 태어나면서 속하는 교회 안에서 그때 그때마다 정해진 체험이 주어지기 때문이다. 이러한 객관화의 과정은 그리스도교와 같이 대규모가 아닌 모든 민간 신앙에 있어서도 마찬가지이며, 사람들은 가령 봄에 씨를 뿌리기 전에 논이나 밭의 여러 신들에게 제사 지내고 공물을 바치며, 그 사나운 힘을 진압하여 작물을 열매 맺어줄 것을 기도한다.

그러한 제사나 의식은 심리학적으로 보면 개개인의 내면에 존재한다. 그것은 억눌린 힘을 강화시키고, 생산적인 활동과 에너지를 집중시키는 기능을 하고 있었다. 또 그것은 민중의 마음을 안정시키는 한편, 자신의 힘으로는 내면의 원형적인 에너지를 처리할 수 없는 사람들에게 있어서는, 안전한 방어벽을 의미하고 있었던 것이다.

그런데 그러한 고정화된 상징체계에 합치하지 않는 이미지를 갖고 있고, 더구나 그것이 상당히 강한 사람들이 있다면 어떨까? 그들은 그 평균적인 상징 체계로는 만족할 수 없고, 또 그것과의 대립에 고민하지 않으면 안 된다. 그들은 결국 자신의 독자적인 길을 걸어서는 안 되는 것이다. 지금까지 보아온 이단이라고 불리는 사람들은 바로 이와 같은 운명을 짊어진 사람들이며, 역사적으로 볼 때 니체나 루소가 그 전형이다. 그리고 융 또한 그와 같은 인생을 살았던 사람이었다.

이같은 견지에서 보면 정통파나 그 제도 안에 안주하고 있는 민중과 이단자들과의 차이가, 어느 쪽이 올바른가, 어떻게 다른가 하는 문제가 아닌 것은 분명할 것이다. 그러므로 종교란 사실 어느 것이 올바른 것인가, 어느 것이 우수한가, 또는 어느 것이 위대한가 라고 단정짓는 것보다는 한 사람 한 사람이 스스로 적당한 선택을 하면 좋다.

D. 자신의 신화

종교 개혁으로 시작된 합리화의 물결은 자연과학의 발달과 더불어 계몽적 합리주의로서 유럽을 지배하고, 이윽고 전세계를 뒤덮었다. 합리화의 바람은, 비합리적인 무의식의 에너지의 수로로 되어야 할 신화라고 하는 형태를 추방해 버렸다. 생생한 이미지는 최고조의 시나 예술이나 동화 속에서 세세하게 살아가고 있는 것에 지나지 않는다. 그러나 한번 나타난 신화가 없어진다 해도 그 근본이 되어 있는 인간의 심적 에너지가 없어져 버리는 것은 아니다. 원형적인 에너지는 본래 형태가 없고 자율적이며, 쉽게 자아의 조절에 굴복하지 않고, 종종 폭력적이며 잔인한 것이다.

이와 같은 무서운 것을 자동적으로 조절해 주는 것이 신화로서의 종교 체계였지만, 현대인이 그러한 기성의 것을 그대로의 형태로 믿기에는 너무나 비합리주의적으로 되어 버렸다. 그렇기 때문에 우리들은 필연적으로 자신의 신화를 스스로 발견해 가지 않을 수 없는 운명을 지고 있다고 말할 수 있다.

스스로 자신의 신화를 발견한다고 해도, 물론 아무렇게나 어림잡는다는 것은 아니다. 옛날부터 우리들의 앞에는 많은 우수한 신화의 유산이 남겨져 있다. 그들 중에서 자신의 무의식의 성질에 딱 들어맞는 것을 찾아내어, 그것과 교류함으로써 자신의 신화를 형성해 갈 수가 있을 것이다. 그러한 상태야말로, 융이 일생을 걸고 성취했던 것이다. 그 일례를 우리들은 지금도 《사자死者에의 일곱 개의 이야기》나 또 '탑의 집'의 에피소드, 거기에 돌의 기념비를 스스로 조각한 이야기, 그리고 연금술의 연구에서 볼 수가 있다. 그의 일생은 자신의 독자의 신화를 형성해 갔던 하나의 표본으로서 우리들에게 많은 교훈을 주고 있는 것이다.

여기에서 사실은 융 자신의 신화라고 말할 수 있는 《사자에의 일곱 개의 이야기》의 내용을 소개하는 것이 가장 좋지만, 그것은 초심자에게는 약간 어렵다고 생각되므로 좀더 융의 이해를 돕기 위하여 여기서는 융의 '사후의 생명'에 대한 이미지를 하나 소개해 보겠다.

융이 말한, 인간이 죽은 후에도 '내세'에서 계속 살아간다고 하는 이미지는 인류에게 보편적인 원형이고, 이 생명의 연속성이라는 생각을 가짐으로써 사람들은 평안하고 의미깊게 살아갈 수가 있다고 서술하고 있다. 과학적 이성이 우세하게 되어 그러한 이미지를 부정하면 할수록 우리들의 인생은 황폐해지고 불안하게 되어 마침내 병적으로 된다.

융의 '사후'에 대한 이미지는 과연 융다우며, 뭐니뭐니해도 미소를 짓게 한다. 그의 이미지 속에 나오는 사자死者는 위대한 지식의 소유자가 아니고, 알고 싶어하고 물어오는 자였다. 결국 사자는 죽을 때까지 획득한 의식밖에 갖고 있지 않으므로, 죽은 후에는 역시 더 한 층 의식의 확대를 구하려고 노력하면서, 살아가는 자에게 가르침을 받으려고 질문을 해오고 있다. 이러한 '사후 혼의 발달'이라고 하는 이미지에 대해서, 그는 부인이 죽은 후에 이러한 꿈을 꾸었다. 꿈속 에서 그는 죽은 부인과 남프랑스의 프로방스에서 하루를 보냈는데, 거기에서 그녀는 성배聖杯의 연구를 하고 있었다.

융의 부인 엠마는 융의 연구의 좋은 이해자이자 협력자였고, 또 자 신도 폰 플란츠 여사와 공동으로 성배 전설의 연구를 행하는 저술을 진행하고 있었다. 그와 같은 일생을 건 대연구를 꿈속에서도 계속하 고 있는 부인의 모습을 보고 난 후, 융은 "나의 부인이, 사후에도 그 녀의 보다 나은 정신적 발전을 위하여 계속 연구하고 있다는 생각은, 나에게 있어서는 의미깊게 느껴지고 안도감을 주는 것이었다"라고 말하였다.

융은 이와 같이 상념을 당당하게 말하는 것은 사실 인간의 생에 있어서 더없이 중요한 것이라는 확신을 갖게 되었다. 이 말에는 죽은 부인에 대한 그의 끝없는 애정이 나타나 있고, 인간은 죽고 나서도 정신의 발전을 위하여 계속 노력하고 있다는 생각 등, 융의 인간성의 특징이 선명하게 나타나 있는 면모이다.

5

문명과 시대 비판

지금까지 융의 사상을 여러 가지 면에서 고찰해 오는 과정에서 분명하게 밝혀진 바와 같이, 그는 서구적인 현대 문명의 원리에 정면으로 대결하고 비판하여, 다른 어떤 방법을 탐구한 것이었다. 이 문제는 그의 나치스론과도 중요한 관련을 가지므로, 여기에서 다시 명확하게 확인해 둘 필요가 있다.

융은 무의식이라고 하는 문제를 통해서 서구 문명이나 종교의 상태가 화석화化石化되어 병적으로 되는 것을 분명하게 하였다. 그리고 그것에 의해서 서구 문명의 상태에 깊은 의문을 느끼게 되었지만, 그것과 병행하여 그의 기분은 한 번이라도 좋으니 유럽을 밖에서 바라보고 싶다는 욕망이 고조되어 있었다.

그는 기회를 잡아서 아프리카와 아메리카, 그리고 인도를 여행하여 그곳에서 유럽과는 다른 인간의 심리 상태를 관찰했다. 그 체험 속에서 그는 비유럽인, 특히 미개인이라든가 토인이라고 불리는 사람들에게 오히려 인간의 참되고 바른 본연의 자세가 존재하고 있으며, 반면에 유럽인들은 보다 중요한 것을 잃어버리고 있다는 것을 강하게 느꼈다. 그와 같은 느낌이 보다 잘 나타나 있는 예로써, 그가 북아메리카의 페브로 인디언 속으로 침투했을 때의 체험을 살펴보자.

A. 태양의 아들로서의 기품

융은 뉴멕시코의 페브로 인디언의 부락 중 한 곳을 방문하여 그 족장과 오랫동안 서로 이야기할 기회를 가졌다. 그곳은 해발 2,300미터나 되는 고지에 있었고, 주위에는 4천 미터 정도의 산이 솟아 있었다. 융과 족장 오치베이 비아노는 지붕 위에 걸터앉아서 태양을 바라보고 있었다. 비아노는 태양을 가리키며 "저기를 지나는 태양이 우리들의 아버지는 아닐까? 그렇지 않다고 누가 말할 수 있는가? 혹은 다른 신이 존재할까? 태양이 없으면 무엇이 존재할 수 있을까?"라고 융에게 물었다.

그들에게 있어서 태양은 신이며, 태양에 대하여 말할 때 그는 말할 수 없이 큰 감동에 휩싸이는 듯했다. 그는 말을 끝맺으면서 다음과 같이 말했다.

"결국, 우리들은 세계의 지붕에 살고 있는 인간이다. 우리들은 아버지인 태양의 자식들, 그리고 우리의 종교에 의해서 우리는 매일, 우리들의 아버지가 하늘을 가로지를 수 있도록 도와주고 있다. 그것은 우리들을 위해서뿐만 아니라 전 세계를 위한 것이다. 만일 우리들이 우리의 종교 행사를 지키지 않았다면 다시는 그곳에서 태양은 다시 떠오르지 않게 되었을 것이다. 그렇게 된다면 세상은 영원한 밤이 계속될 것임에 틀림없다."

이때 융은 한 사람 한 사람의 인디언에게서 볼 수 있는 근심에 잠긴 침울함과 '기품'과 같은 것이 어디에서 유래하는 것인지를 알았다고 말하고 있다.

그들은 태양의 아들이며, 태양의 생명 전체의 보호자로서 매일의 출몰을 돕고 있는 것이었다. 신의 압도적인 기능에 대하여 완전하게 응답할 수 있다고 하는, 신과의 대등한 관계가 인간에게 위엄을 가져오게 했고, 긍지를 품게 한 것이다.

이와 같이 '의미'가 있는 생활에 대해서 융은 "유럽인의 생활의 궁핍함을 의식하지 않고는 그런 생활은 있을 수 없다. 지식은 우리들을 풍부하게 하지 않는다. 지식은 이전부터 우리들이 고향으로 삼고 있던 신비의 세계로부터 우리들을 점점 더 멀어지게 한다"라고 진술하고 있다. 이 말은 자신의 신화를 가진 인디언에 대해서 자기 합리화에 의하여 신화를 잃은 인간의 빈곤함을 두드러지게 나타낸 것이다.

오치베이 비아노는 백인을 평하기를 "백인이 얼마나 잔혹하게 보이고 있는가?"라고 말하고 "백인들은 항상 무엇인가를 갈망하고 있다. 항상 정착하지 않고 가만히 있지를 않는다. 그들은 미쳐 있는 것 같다"라고 말했다. 이것을 듣고 융의 뇌리에는 정복에 혈안이 되어 있는 로마의 장군들이나 십자군의 약탈과 살상의 광경, 그리고 콜롬부스나 콜테스 등의 스페인 정복자가 떠올랐다.

그들은 화약이나 칼이나 고문, 그리고 그리스도교로써 아버지인 태양 아래에서 평화를 꿈꾸고 있던 이 페브로 인디언이 있는 곳까지 찾아왔던 것이다. 유럽인의 눈으로 '이교도에의 선교' '문명의 확장'이라고 부르고 있었던 것이 그들에게는 잔인한 맹수류의 얼굴이며, 해적·날강도 같은 악인의 얼굴이었다.

'미개인이라든가 야만인이라고 불려 온 사람들이야말로 인간으로서 보다 인간답지 않았겠는가' 하는 것이 페브로 인디언의 부락을 방문하고 나서 융이 생각한 것이었다.

요즘이야말로 서부극에서 인디언을 악한으로 그리고 있는 것에 대한 반성이 생기며 또 문화인류학의 분야에서는 미개인은 그 독특한 문화를 갖고 있으며, 결코 '미개'는 아니라고 하는 것이 문제시된 것이다. 그러나 그것을 일찍이 1920년대에 방관하고 있었다는 것은, 융의 문명비판에 이만저만이 아닌 깊이를 느끼게 하는 것이다. 거기에서 그는 어떻게 현대 문명을 비판할 것일까.

B. 원형과 질서원형

융이 현대 문명을 비판한 것은 현대인이 의식이나 이성만을 과신하여 합리주의와 진보주의에 빠져 있기 때문이며, 그곳에서 오는 메마른 일면성과 교조주의에 물들어 있다고 생각되었기 때문이다. 융이 이러한 현대인의 위험한 일면성과 그 일면성에의 치우침이 이미 폭발점에 도달해 있다고 하는 것을 재빨리 깨닫게 된 것은, 그가 심리요법가로서 사람들의 내면에 깊이 관여하여 거기에서 일어나고 있는 것을 찾아내고 있었기 때문이다.

그의 저서에서 볼 수 있듯, 그는 제1차 세계대전 무렵부터 환자의 무의식 속에서 잔혹한 것이나 폭력적인 것이 많이 나오는 것을 발견했다. 그런데 자신의 꿈속에서도 그것은 전차를 타고 질주하는 지그프리트의 모습으로 발견되었다.

제1차 세계대전을 대규모적인 폭력이라고 생각하면, 이것은 유럽인의 마음속에 무엇인가 터무니없는 힘이 작용해 나오고 있는 듯이 그에게는 생각되었다. 그리고 그 성질이 게르만 신화의 신神 보턴의 성질과 같은 것임을 알아차리게 되었던 것이다.

보턴이란 태풍의 신, 돌풍의 신, 엽인신獵人神이며, 열광과 도취의 성질을 갖고 마음속의 폭력적인 성질을 나타내는 것이다. 그것은 게르만 민족의 기질 속에 있는 야만의 표현이었다. 그것은 한편으로는 힘이 강한 남성적인 것이며, 남성적인 생명력의 근원을 이루는 것이기도 했다. 결국 그것은 디오니소스적인 것, 니체의 짜라투스트라에게 남성적인 활력을 주고 있는 원형적인 것이었다. 이와 같은 것이 폭력적인 것으로서 독일인의 무의식 속에서 성장하여, 결국에는 나치즘과 같은 열광적인 행동과 연관된 것은 무슨 이유일까?

그 이유 중의 하나는 그리스도교 세계에 있어서 이러한 보턴적인 것이 철저히 부정되어, 이교의 신으로서 혹은 악마로서 결국은 무의식의 암흑 세계로 추방되어 버렸기 때문이다. 근대적인 세계관에서는 무의식의 세계는 존재하지 않는다고 생각되고 있었으므로 이러한 극단적인 억압의 반동으로서 야만적인 남성이 사람들을 공격하고 지배하기 시작한 것이다. 그러나 나치스 운동의 심리적인 기반으로서는 이러한 보턴적인 것 외에 또하나 융이 질서 원형이라고 부르는 것이 있다는 것을 간과해서는 안 된다.

인간의 마음속에는 주위의 상황이 지나치게 어지럽게 변화하거나, 가치나 판단 기준이 불안정할 때에는 확고한 불변성이나 안정된 느낌에 대한 욕구가 강해지는 법이다. 이러한 건전성이나 질서나 안정을 구하는 마음을 융은 깊은 원형적인 것으로 취하여 그것을 질서원형이라고 불렀다.

이와 같은 관점에서 볼 때, 1920년대의 독일의 상황은 사람들의 무의식 속에 질서와 안정에의 희구를 가장 강하게 표출한 것이었다. 대전 후의 경제적인 혼란과 대변동에 더하여, 정신적인 면에 있어서도 민주주의나 계몽주의가 한꺼번에 도입됨에 따라 가치관은 혼란해지고, 기성의 권위도 붕괴되어 많은 부패와 퇴폐가 나타났던 것이다. 실업자나 방랑자가 거리에 넘쳐흘렀으며, 질서도 몹시 혼란해졌다. 청년들이 시작한 원더 포겔 운동 — 집단으로 산이나 들을 도보로 여행하는 청년 운동 — 가들은 대공황 후에는 실업자로 전락하게 되어 방랑자의 무리가 되어 버렸다. 그러한 혼란했던 상황은, 잘 정돈된 질서를 바라는 사람들의 입장에서 볼 때는 아무래도 꺼림칙하고 불쾌한 것이었으리라.

그런데 1933년에 히틀러가 정권을 잡을 무렵부터 그러한 방랑자의 모습은 자취를 감추고, 대신에 히틀러 유겐트나 군대의 정연한 행진이 시작되었다. 그리하여 언뜻 보기에 청년들이 건전해지고 활기를 찾은 듯이 보였다. 그러나 질서원형은 완전히 혼란스러워진 것이었다.

이와 같이 나치스 운동 중에는 한편으로는 야만적이고 충동적인 보턴 원형과, 다른 한편으로는 정반대인 건전함과 확고함을 추구하는 질서원형이 공존하고 있었다. 히틀러의 천재적인 재능은 이 상반하는 두 개의 심리를 멋지게 결합시킨 점에 있다.

나치스 운동에 있어서 폭력은 질서적이고 조직적으로 행해졌으며, 또 폭력 행위는 '올바른' 질서를 확립하기 위함이라고 생각하고 있었다. 그러나 이 결합이 성공한 것은, 모든 욕구가 당시 독일인의 한 사람 한 사람의 마음속에 깊고 강하게 뿌리박고 있었기 때문이었다.

C. 병리 현상으로서의 나치스

그런데 융은 나치스에 대해서 결정적인 판단을 언제, 어떻게 내렸을까?

결론을 먼저 말하면, 그는 나치스는 유해하고 위험한 면을 갖고 있다는 판단을 매우 일찍부터 내리고 있었지만, 그것은 반대로 어떻게든 그것을 저지할 수 있지 않을까 하는 낙관주의를 상당히 오랫동안 갖고 있었다. 이와 같은 태도는 그가 정신의학자였다는 것과 밀접한 관계가 있다.

그는 저술에서 다음과 같이 말했다. "만일 내가 당시에 조용히 바라만 보는 태도를 취하고 있었다면, 그것은 관계된 사태에 직면했을 때의 나의 의사로서의 마음가짐 바로 그것이다. 의사는 미리 판단하는 것을 피한다… 치료의 목적은 빠르건 늦건 간에 의식에 통합할 수 있는 원형의 선명한 면, 즉 가치 있는 생생한 면을 실현시키는 반면, 해롭고 위험한 면을 강한 힘으로 저지하는 데 있다."

그가 거의 희망이 없을 듯한 국면에서 역시 한 움큼의 낙관을 주워 올리려고 한 것 역시 의사의 사명이었던 것이다. 결과적으로 보면 이것은 잘못된 낙관주의였다고 말할 수 있다. 처음부터 나쁘다고 판단하여 반대한 사람 쪽이 선견지명이 있었다고 볼 수 있을지도 모른다. 그러나 그것은 사태의 부정적인 면만을 보아서, 결과적으로는 사태가 그 견해에 합쳐져 전개되어 나타났다고 하는 것에 불과하며, 역시 올바른 견해였다고는 말할 수 없다.

융이 말하는 낙관주의는 의사로서 당연한 태도임과 동시에 직업적인 생각을 떠나서도 역시 올바른 태도라고 말해야 할 것이다. 융이 정신의학자였던 것은 이와 같이 사태의 대처 방법에 영향을 미치고 있었지만, 그것보다도 역시 중요한 것은 '도대체 나치스라는 것은 무엇인가?'라고 하는 문제에 대한 견해, 그 자체에도 큰 특징을 담고 있었던 것이다.

그는 나치스가 상당히 악하다는 사실을 알고 나서도 그것을 단순히 비난하거나 고발하는 태도를 취하지 않았는데, 그것은 그가 그것을 병리 현상으로 보고 있었기 때문이다. 거기에서는 성급한 도덕적인 비판을 가하기 전에, 객관적으로 사태를 끝까지 살피려고 하는 의사로서의 냉철한 눈이 작용하고 있었음을 의미한다.

그런데 융은 나치스를 어떻게 '진단'한 것일까? 그는 히틀러를 히스테리 환자로 보았다. 히스테리의 특징은 자기 자신의 현실의 모습을 직시할 수 없어서 자신을 자기 도취적으로 미화하고 싶어하거나, 자신의 열등감을 타인에게 투영하여 타인을 비난함으로써 자신의 열등감을 얼버무린다. 이러한 사람들은 거짓에 의한 현실의 왜곡, 즉 돋보이거나 지나친 거짓에 의하여 자기 자신을 속이는가 하면, 결국 자신의 거짓을 스스로 믿는다. 광기에 가까운 과대한 자만이나 권력 망상, 이러한 것은 임상적으로는 히스테리 환자라고 진단할 수밖에 없다는 것이 융의 견해이다.

그리고 대부분의 독일인이 이와 같은 인물로 감쪽같이 감염됐다는 것은 독일인 전체가 같은 히스테리, 다시 말해서 집단 히스테리의 상태로 되어 있었다고 생각하지 않을 수 없을 것이다. 독일인의 열등감에 대해서는 자국인인 괴테, 하이네, 니체가 몇 번이나 지적해 온 것으로써, 독일인은 '지배 민족'을 동경하며 '세계 정복'이라고 하는 비현실적인 목표를 품었던 것인데, 이 현실 감각의 결여야말로 히스테리의 큰 특징이다.

요컨대 나치즘은 집단 정신 이상임에 틀림없다고 융은 진단한다. 그리고 이 집단 심리 속에서 의식성이나 도덕성이 저하되고, 거기에 집합 무의식이 나타나 사람들이 원형에 빠져서 완전히 이성을 잃은 채 심한 광기에 지배되어 버린 것이라고 판단했다.

이와 같이 융은 나치즘을 병리 현상으로 취급하여 '독일인이 무의식적으로 휩쓸려서 집단적으로 정신 이상에 빠진 것'이라고 진단했는데, 이러한 견해는 일부 사람들을 초조하게 하여 융에 대한 비난을 한층 증대시킨 자극이 되었다. 이것은 또한 나치즘을 도덕적으로 비난해야 한다고 생각하고 있는 사람들, 또 거기에 가담한 자들에게 책임을 추궁해야 한다고 주장하고 있는 사람들 쪽에서 보면, 그것을 단지 무의식이나 병의 탓이라고 말하는 것처럼 화나는 일은 없을 것이기 때문이다. 특히 나치스의 직접적인 박해를 받았던 유대계의 사람들의 입장에서 볼 때 그런 견해는 미온적이기는커녕 나치즘을 변호하는 것이라고 생각되었던 것이다.

나중에 진술하겠지만, 융이 나치즘에 가담하지 않은 것은 사실로서 분명해졌어도, 오늘에 이르기까지 집요하게 나치스에 가담했다고 하는 헛소문이 계속 흘러나오는 것은 융에 대한 그러한 감정이 배후에 있었기 때문이다.

그렇다면 융은 그렇게 말하는 사람들의 감정을 이해하지 못하고, 인정의 미묘함을 잘 몰랐기 때문에 그런 발언을 한 것일까? 결코 그렇지는 않았을 것이다. 그는 나치스에 대한 그와 같은 견해가 나치스를 고발하고 싶어하는 사람들의 격분을 사게 될 것을 각오했다고 추측된다. 그는 "나는 고발하거나 단죄하려 하는 것은 아니다. 의사의 진단은 고발이 아니다"라고 분명하게 말하고 있다.

유대계 사람들의 감정을 의식했기 때문인지, 그 정도로 노골적으로 말하고 있지는 않지만, 그는 나치스에 대하여 이성이나 도덕이나,

'책임'의 입장에서 단죄해야 한다는 데 대해 분명히 비판적이었다. 왜냐하면 나치즘은 사람들이 무의식 상태에서 이미 이성이나 도덕적 책임 능력을 잃은 상태라고 하는 현실을 직시하고, 그것을 확인한 후에 대처해야 한다고 융은 생각하고 있었기 때문이다. 그것은 '환자'를 낮추어 보거나 경멸하는 것도 아니고, 또 환자가 범한 죄를 간단하게 허용하거나 변호하는 것도 아니며, 환자의 자기 치료의 능력을 믿지 않는 것도 아니다. 그것은 발생한 사태와 원인을 감정에 빠지지 않고 냉철하게 확인하는 것이야말로 정말로 올바른 대처를 위해서 필요하다고 주장한 막스 베버의 '가치 자유현실직시'의 정신과 같은 태도이다.

이러한 주장은 인류사에서 볼 때 나치즘으로부터 유례 없이 잔학무도한 박해를 받은 사람들이 있으므로, 그 사람들이 말할 수 없을 정도의 원한과 분노를 간직하고 있는 상태에서 융 자신이 그 사람들의 감정을 충분히 이해하고 동정하면서도 굳이 발언을 했던 것은 정신적인 강인함이 아니면 가능할 수 없었으리라. 그럼에도 불구하고 융이 자신의 신념을 계속 말했던 것은 결국 진리를 알고 있는 자아의 사명감에서 비롯된 것이라고 생각된다.

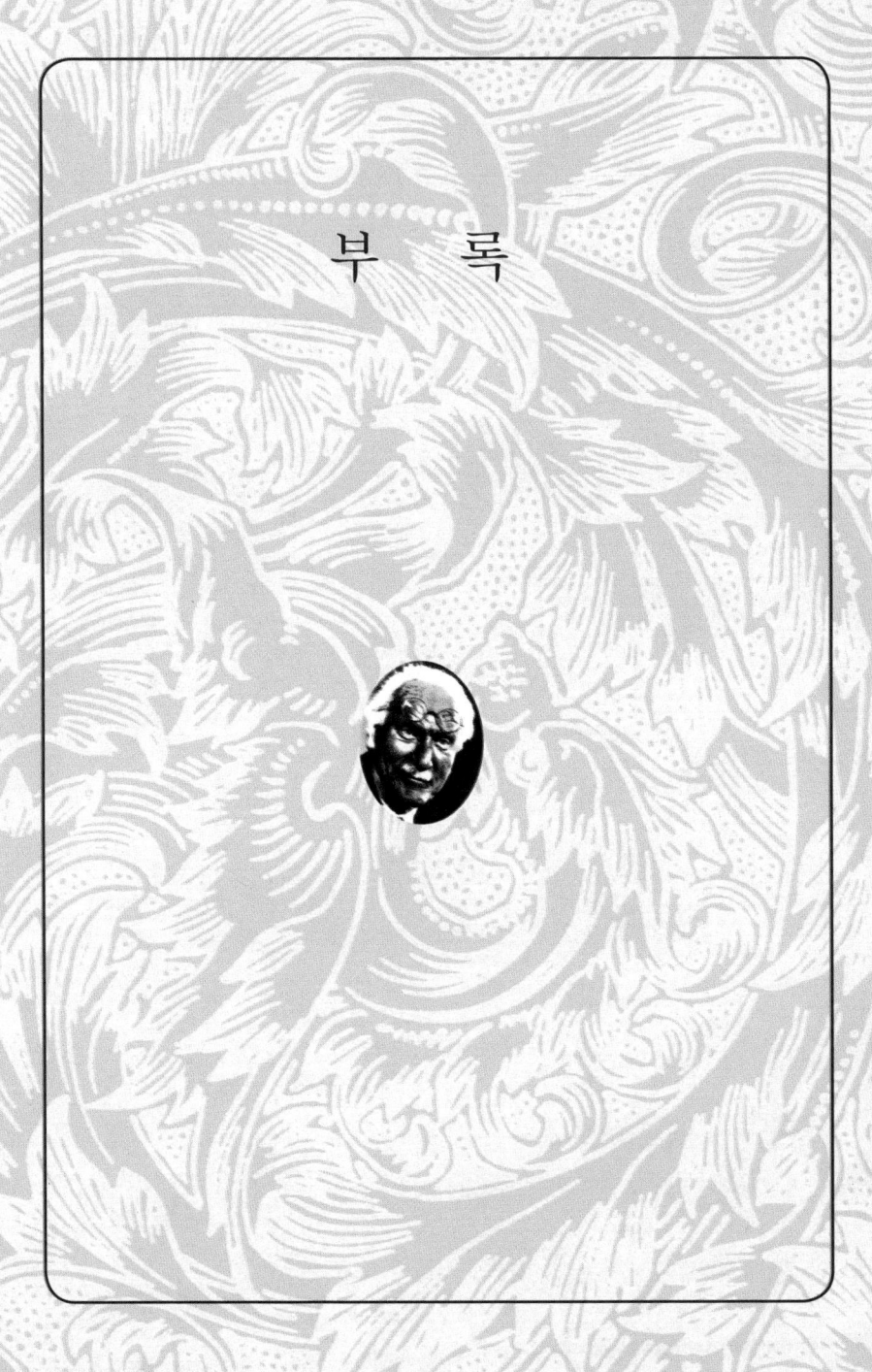

부 록

1

인용 도서 목록

1) Collected Works, Vol. 9i, p.30

2) Vol. 9i, p.275

3) Vol. 15, pp.101~102

4) Vol. 7, p.188

5) Vol. 9i, p.48

6) Vol. 9i, p.79

7) Vol. 17, p.198

8) Vol. 10, p.22

9) Vol. 7, p.238

10) Vol. 8, p.34

11) Vol. 8, p.39

12) Vol. 8, p.42

13) Vol. 8, pp.42~43

14) Vol. 8, p.47

15) Vol. 9i

16) Vol. 9i

17) Vol. 16, p.50

18) Vol. 6 p.11

19) Vol. 10, p.137

20) Vol. 6, p.575

21) Man and His Symbols, 1964, p.61

22) Vol. 5, p.109

23) Vol. 7, p.287

24) Vol. 10, p.149

25) Vol. 8, p.255

26) Man and His Symbols, 1964, p.50

27) Hall, 1966 ; Hall and Lind, 1970 ; Bell and Hall, 1971 ;
    Hall and Nordby, 1972

28) Vol. 15, p.58

29) Vol. 6, p.13

30) Vol. 9i, p.239

31) Vol. 17, p.7

32) Vol. 16, p.9

33) Vol. 3, pp.184~185

34) Vol. 9i, p.253

35) Vol. 16, p.81

36) Vol. 17, p.171

37) Relations, p.237

38) Energy, p.58

39) Ibid., pp.51~52

40) Nature, p.207

41) Ibid., p.216

42) Ibid., p.215

43) Vol. 4, p.292

44) Education, p.88

45) Religion, p.49f

46) Energy, p.23

47) Vol. 4, p.292ff

48) Gerneral Aspects of Dream Psychology, p.241

49) Principles of Practical Psychotherapy, p.18

50) Education, pp.94ff

51) On the Nature of Dream, pp.287f

52) Ibid., pp.72ff

53) Dream Analysis, p.139

54) Ibid., p.147

55) Alchemy, p.95

56) Kindertraumseminar, 1938~39, Specially translated
    by. R. F. C. Hull

57) Dream Analysis, p.151

58) General Aspects of Dream Psychology, p.261

59) Kindertraumseminar, 1938~39

60) 콤플렉스, 태고유형, 상징 참조.

  'Bad Animal'에 대한 어린이의 꿈 참조.

61) Kindertraumseminar, 1938~39

62) Ibid.

63) Dream Analysis, p.150

64) 변증법적 과정에 대한 논고 참조.

65) On the Nature of Dreams, p.286

66) Kindertraumseminar, 1938~39

67) General Aspects of Dream Psychology, p.253

68) Ibid., p.243

69) Dream Analysis, pp.144~145, 153

70) Alchemy, p.87

71) Ibid., pp.51~52, 58~60

72) Ibid., p.61

73) Kindertraumseminar, 1938~39

74) Ibid., 1938~39

75) Alchemy, p.277

76) Unconscious, pp.114~115

77) Dream Analysis, p.142

78) T. Wolff, Studien, pp.99f

79) Alchemy, p.234

80) Unconscious, p.92

81) Energy, p.48

82) Alchemy, p.270

83) On the Relation of Analytical Psychology to Poetic Art

84) Types, p.603

85) The Aims of Psychology, p.48

86) Ibid., p.49

87) Ibid., p.51

88) Education, p.115

89) Types, p.537

90) The Structure of the Psyche, pp.149f

91) The Psychology of the Unconscious, pp.72~73

92) Education, p.103

93) Relations, p.182

94) Psychology of the Transference, p.156

95) Dream Analysis, pp.146~147

96) The Development of Personality, p.172

97) Ibid., pp.173, 180

98) Relation, p.171

99) Types, p.563

100) From an interview with C.G.Jung,

'Selbsterkenntnisund Tiefen psychologie, in the

journal Du' September, 1943

101) Golden Flower, p.79

102) Relations, pp.236~237

103) Ibid., pp.76~78

104) Ibid., p.83

105) T. Wolff, Studien, pp.155ff

106) Emma Jung, 'Ein Beitrag zum Problem des Aimus' p.297

107) psychological Aspects of the Mother Archetype, Colle-
cted works, Vol. 1

108) Emma Jung, 'Ein Beitrag zum Problem des Animus',
p.329

109) Ibid., p.332

110) Emma Jung, op. cit., pp.302, 312, 342

111) Types, p.594

112) Relations, pp.192~193

113) Ibid., p.30

114) Ibid., pp.205~206

115) Ibid., p.207

116) T. Wolff, Studien, p.159

117) Relations, p.230

118) Ibid., p.233

119) Alchemy, p.461

120) Relations, pp.168, 175

121) Alchemy, p.138

122) Relations, p.75

123) Ibid., p.176

124) Alchemy, pp.141f

125) Unconscious, p.115

126) Ibid., p.175

127) Alchemy, p.41

128) Relations, pp.237~238

129) Ibid., pp.235~236

130) Golden Flower, p.132

131) Alchemy, p.174

132) Relations, p.238

133) Alchemy, p.462

134) The Aims of Psychotherapy, p.41

135) The Development of Personality, p.184

136) Archaic man, Modern Man in Earth of a Soul, pp.166f

137) Golden Flower, pp.134~135

138) Analytical psychology and Welstanschaung, p.361

139) T. Wolff, Studien, p.134

141) Alchemy, p.93

142) Ibid., p.94

143) Ibid., p.212

144) The psychology of Eastern Meditation, pp.558ff

145) Golden Flower, pp.95, 98, 100, 101

146) Relations, p.203

147) Golden Flower, pp.101~102

148) Ibid., p.105

149) Alchemy, p.175

150) Das Tibetanische Totenbuch, p.32, Edited by W. Y. Eranswentz, with a Commentary by Jung

151) Collected works of C. G. Jung : London R. & Kegan Paul

152) Two Essays on Analytical Psychology, p.243

153) Ibid., p.245

154) Integration of the Personality, p.211

155) Ibid., p.270

156) Ibid.

157) The Secret of the Golden Flower, p.124

158) Integration of the Personality, p.166

159) Ibid., p.276

160) The Secret of the Golden Flower, Brabuddher Bharatasect Ⅲ(1963) 참고

161) The Secret of the Golden Flower, p.137

162) Ibid., p.120

163) Ibid.

164) Integration of the Personality, p.215

165) Ibid., p.269

166) Ibid.

167) Psychology and Alchemy, pp.13, 15

168) Ibid., p.20

169) Symbolik des Geistes, p.443

170) Two Essays on Analytical Psychology, p.77

171) Psychologic and Erziehung, pp.40~41

172) Psychology and Religion, p.75

173) Integration of the Personality, p.274

174) Two Essays on Analytical Psychology, p.264

2

융 저서 일람표

다음에 나오는 목록에서 괄호 안에 있는 숫자는 초판 발행날짜이고, 복합의 날짜는 개정판을 나타낸다.
검표(+)는 아직 발행되지 않은 저서를 표시한다.

1. 정신의학적 연구

On the psychology and Pathology of So-Called Occult Phenomena (1902)

On Hysterical Misreading (1904)

Cryptomnesia (1905)

On Manic Mood Disorder (1903)

A Case of Hysterical Stupor in a Prisoner in Detention (1902)

On Simulated Insanity (1903)

A Medical Opinion on a Case of Simulated Insanity (1904)

A Third and Final Opinion on Two Contradictory
Psychiatric Diagnoses (1906)

On the Psychological Diagnosis of Facts (1905)

2. 경험적 연구

1) 언어연상에 있어서의 연구

The Associations of Normal Subjects by Jung and Riklin (1906)

Experimental Observations on Memory (1905)

On the Determination of Facts by Psychological Means
(1906)

An Analysis of the Associations of an Epileptic (1906)

The Association Method (1910)

Reaction-Time in Association Experiments (1906)

On Disturbances in Reproduction in Association
Experiments (1909)

Psychoanalysis and Association Experiments (1906)

Association, Dream, and Hysterical Symptoms (1909)

2) 정신육체적 접근

On Psychophysical Relations of the Association Experiment

(1907)

Psychophysical Investigations with the Galvanometer and Pneumo-graph in Normal and Insane Individuals by Petersen and Jung (1907)

Further Investigations on the Galvanic Phenomenon and Respira-tions in Normal and Insane Individuals by Ricksher and Jung (1907~8)

3. 정신병의 심리적 기원

The Psychology of Dementia Praecox (1907)

The Content of the Psychoses (1908/1914)

On Psychological Understanding (1914)

A Criticism of Bleuler's Theory of Schizophrenic Negativism (1911)

On the Importance of the Unconscious in Psychopathology (1914)

On the Problem of Psychogenesis in Mental Disease (1919)

Mental Disease and the Psyche (1928)

On the Psychogenesis of Schizophrenia (1939)

Recent Thoughts on Schizophrenia (1957)

Schizophrenia (1958)

4. 프로이트와 정신분석

Freud's Theory of Hysteria : A Reply to Aschaffenburg
(1906)

The Freudian Theory of Hysteria (1908)

The Analysis of Dreams (1909)

A Contribution to the Psychology of Rumour (1910/11)

On the Significance of Number Dreams (1910/11)

Morton Prince, "Mechanism and Interpretation of Dreams"
: A Critical Review (1911)

On the Criticism of Psychoanalysis (1910)

Concerning Psychoanalysis (1912)

The Theory of Psychoanalysis (1913)

General Aspects of Psychoanalysis (1913)

Psychoanalysis and Neurosis (1916)

Some Crucial Points in Psychoanalysis : The Jung—Loy
Corres—pondence (1914)

Prefaces to "Collected Papers on Analytical Psychology"
(1916/1917)

The Significance of the Father in the Destiny of the
Individual (1909/1949)

Introduction to Kranefeldt's "Secret Ways of the Mind"
(1930)

Freud and Jung : Contrasts (1929)

5. 변형의 상징 (1912/1952)

Original German version, Wandlungen und Symbole der Libido, 1912 (=Psychology of the Unconscious) ; Present extensively revised edition, 1952.

6. 심리적 유형 (1921) +

7. 분석심리학에 있어서 두개의 논문

The Psychology of the Unconscious (1917/1926/1943)
The Relations between the Ego and the Unconscious (1929)
Appendices :
New Paths in Psychology (1912)
The Structure of the Unconscious (1916)

8. 정신의 구조와 역동

On Psychic Energy (1928)
The Transcendent Function ([1916]/1957)
A Review of the Complex Theory (1934)

The Significance of Constitution and Heredity in Psychology (1929)

Psychological Factors Determining Human Behaviour (1937)

Instinct and the Unconscious (1919)

The Structure of the Psyche (1927/1931)

On the Nature of the Psyche (1947/1954)

General Aspects of Dream Psychology (1916/1948)

On the Nature of Dreams (1945/1948)

The Psychological Foundations of Belief in Spirits (1920/1948)

Spirit and Life (1926)

Basic Postulates of Analytical Psychology (1931)

Analytical Psychology and Weltanscbauung (1928/1931)

The Real and the Surreal (1933)

The Stages of Life (1930/1931)

The soul and Death (1934)

Synchronicity : An Acausal Connecting Principle (1952)

Appendix : On Synchronicity (1951)

9.

i) 집단무의식과 태고유형

Archetypes of the Collective Unconscious (1934/1954)

The Concept of the Collective Unconscious (1936)

Concerning the Archetypes, with Special Reference to the Anima concept (1936/1954)

Psychological Aspects of the Mother Archetype (1938/1954)

Concerning Rebirth (1940/1950)

The Psychology of the child Archetype (1940)

The psychological Aspects of the Kore (1941)

The Phenomenology of the Spirit in Fairytales (1945/1948)

On the Psychology of the Trickster—Figure (1954)

Conscious, Unconscious, and Individuation (1939)

A Study in the Process of Individuation (1934/1950)

Concerning Mandala Symbolism (1950)

Appendix : Mandalas (1955)

ii) 자기 형상학에의 연구

AION (1951)

Researches into the Phenomenology of the self

The Ego

The Shadow

The Syzygy : Anima and Animus

The Self

Christ, a Symbol of the Self

The Sign of the Fishes

The Prophecies of Nostradamus

The Historical Significance of the Fish

The Ambivalence of the Fish Symbol

The Fish in Alchemy

Background to the Psychology of Christian Alchemical
Symbolism

Gnostic Symbols of the Self

The Structure and Dynamics of the Self

Conclusion

10. 과도기에 있는 개화 +

The Role of the Unconscious (1918)

Mind and Earth (1927/1931)

Archaic Man (1931)

The Spiritual Problem of Modern Man (1928/1931)

The Love Problem of a Student (1928)

Woman in Europe (1927)

The Meaning of Psychology for Modern Man (1933/1934)

The State of Psychotherapy To-day (1934)

Wotan (1936)

After the Catastrophe (1945)

The Fight with the Shadow (1946)

Epilogue to "Essays on Contemporary Events" (1946)

The Undiscovered Self Present and Future (1957)

Flying Saucers : A Modern Myth (1958)

A Psychological View of Conscience (1958)

Good and Evil in Analytical Psychology (1959)

Introduction to Wolff's "Studies in Jungian Psychology" (1959)

The Swiss Line in the European Spectrum (1928)

Reviews of Keyserling's "America Set Free" (1930) and "La Revolution Mondiale" (1934)

Complications of American Psychology (1930)

The Dreamlike World of India (1939)

What India Can Teach Us (1939)

Appendix : Miscellaneous Shorter Papers

11. 동서양의 심리학과 종교

Western Religion

Psychology and Religion The Terry Lectures (1938/1940)

A Psychological Approach to the Dogma of the Trinity

(1942/1948)

Transformation Symbolism in the Mass (1942/1954)

Forewords to White's "God and the Unconscious" and Wer-blowsky's "Lucifer and Prometheus" (1952)

Brother Klaus (1933)

Psychotherapists or the Clergy (1932)

Psychoanalysis and the Cure of Souls (1928)

Answer to Job (1952)

Eastern Religion

Psychological Commentaries on "The Tibetan Book of the Great Liberation" (1939) and "The Tibetan Book of the Dead" (1935/1953)

Yoga and the West (1936)

Foreword to Suzuki's "Introduction to Zen Buddhism" (1939)

The Psychology of Eastern Meditation (1943)

The Holy Men of India : Introduction to Zimmer's "Der Wegzum Selbst" (1944)

Foreword to the "I Ching"(1950)

12. 심리학과 연금술 (1944)

Introduction to the Religious and Psychological Problems of Al-chemy

Individual Dream Symbolism in Relation to Alchemy (1936)

Religious Ideas in Alchemy (1937)

Epilogue

13. 연금술의 연구 +

Commentary on "The Secret of the Golden Flower"(1929)

The Spirit Mercurius (1943/1948)

Some Observations on the Visions of Zosimos (1938/1954)

Paracelsus as a Spiritual Phenomenon (1942)

The "Arbor philosophica"(1945/1954)

14. 신비적 결합 (1955/1956) +

An Inquiry into the Separation and Synbesis of Psycbic Opposites in Alchemy

The Components of the Coniunctio

The Paradoxa

The Personification of Opposites

Rex and Regina

Adam and Eve

The Conjunction

15. 인간, 미술, 문학에 있어서의 정신 +

Paracelsus (1929)

Paracelsus the Physician (1941)

Sigmund Freud : A Cultural Phenomenon (1932)

Sigmund Freud : An Obituary (1939)

Richard Wilhelm : An Obituary (1930)

Psychology and Literature (1930/1950)

On the Relation of Analytical Psychology to the Poetic Art (1922)

Picasso (1932)

"Ulysses"(1932)

Miscellaneous Forewords and Other Shorter Writings

16. 정신요법의 실행

General Problems of Psychotherapy

Principles of Practical Psychotherapy (1935)

What Is Psychotherapy? (1935)

Some Aspects of Modern Psychotherapy (1930)

The Aims of Psychotherapy (1931)

Problems of Modern Psychotherapy (1929)

Psychotherapy and a Philosophy of Life (1943)

Medicine and Psychotherapy (1945)

Psychotherapy To-day (1945)

Fundamental Questions of Psychotherapy (1951)

Specific Problems of Psychotherapy

The Therapeutic Value of Abreaction (1921/1928)

The Practical Use of Dream-Analysis (1934)

Psychology of the Transference (1946)

17. 퍼스낼리티의 발달

Psychic conflicts in a Child (1910/1946)

Introduction to Wickes's "Analyse der Kinderseele" (1927/1931)

Child Development and Education (1928)

Analytical Psychology and Education : Three Lectures (1926/1946)

The Gifted Child (1943)

The Significance of the Unconscious in Individual Education (1928)

The Development of Personality (1934)

Marriage as a Psychological Relationship (1925)